FAUX AMIS

DU MÊME AUTEUR

Cette nuit-là, Belfond, 2009 ; J'ai Lu, 2011
Les Voisins d'à côté, Belfond, 2010 ; J'ai Lu, 2012
Ne la quitte pas des yeux, Belfond, 2011 ; J'ai Lu, 2012
Crains le pire, Belfond, 2012 ; J'ai Lu, 2013
Mauvais pas, Belfond, 2012 ; J'ai Lu, 2013
Contre toute attente, Belfond, 2013 ; J'ai Lu, 2014
Mauvais garçons, Belfond, 2013 ; J'ai Lu, 2014
Fenêtre sur crime, Belfond, 2014 ; J'ai Lu, 2015
Mauvaise compagnie, Belfond, 2014 ; J'ai Lu, 2015
Celle qui en savait trop, Belfond, 2015 ; J'ai Lu, 2016
Mauvaise influence, Belfond, 2015
La Fille dans le rétroviseur, Belfond, 2016
En lieux sûrs, Belfond, 2017 ; J'ai Lu, 2018
Fausses promesses, Belfond, 2018

Vous pouvez consulter le site de l'auteur à l'adresse suivante :
www.linwoodbarclay.com

LINWOOD BARCLAY

FAUX AMIS

Traduit de l'anglais (Canada)
par Renaud Morin

belfond

Titre original :
FAR FROM TRUE
publié par Orion Books, une marque de The Orion Publishing
Group Ltd, Londres

Retrouvez-nous sur www.belfond-noir.fr
ou www.facebook.com/belfond

Éditions Belfond,
12, avenue d'Italie, 75013 Paris.
Pour le Canada,
Interforum Canada, Inc.,
Bureau 1100,
Montréal, Québec, H2L, 4S5.

ISBN : 978-2-7144-7539-8
Dépôt légal : septembre 2018

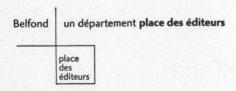

Belfond | un département **place des éditeurs**

place
des
éditeurs

Pour Neetha

1

Ils n'ont encore rien vu.

2

Derek irait dans le coffre. Voilà ce qu'ils avaient décidé.

Avant de se mettre en route, tous les quatre, Derek Cutter compris, ils s'étaient dit que ce serait cool de faire entrer quelqu'un en douce. Et pas parce qu'ils n'avaient pas les moyens de se payer un quatrième billet. Ce n'était pas la question. Ils avaient juste le sentiment que la situation l'exigeait. C'était le genre de chose qu'on était censé faire.

Après tout, c'était ce soir-là ou jamais. Comme tant d'autres entreprises de Promise Falls et de sa périphérie, le Constellation Drive-In Theater fermait définitivement. Avec les multiplexes, les écrans 3-D, les DVD, les films qu'on pouvait télécharger en quelques secondes chez soi, pourquoi s'embêter à aller dans un drive-in, à part peut-être pour se peloter ? Et encore, les voitures étant devenues bien plus exiguës, sortir pour aller regarder un film sous les étoiles n'était même plus un prétexte recevable.

Et pourtant, même pour Derek et sa génération, il y avait une nostalgie propre au drive-in. Ses parents l'y avaient emmené pour la première fois quand il avait huit ou neuf ans, et il se rappelait l'excitation qu'il avait ressentie. C'était un triple programme, les films projetés devenant progressivement plus « adultes ». Le premier était un *Toy Story* – Derek avait apporté ses figurines Buzz l'Éclair et Woody –, suivi par une comédie romantique avec Matthew

McConaughey, à l'époque où il enchaînait les navets, et un épisode de la série *Jason Bourne*. Derek avait lutté pour rester éveillé jusqu'à la fin de *Toy Story*. Ses parents lui avaient aménagé un lit sur la banquette arrière pour qu'il puisse dormir pendant qu'ils regardaient les deux autres films.

Derek regrettait ce temps-là. Le temps où ses parents étaient encore ensemble.

Ce soir-là, le Constellation projetait un de ces films totalement crétins de la série *Transformers*, dans lequel des robots extraterrestres avaient pris l'apparence d'automobiles – des Chevrolet en général, placement de produit oblige – et de camions. La transformation des voitures en robots nécessitait une débauche d'effets spéciaux. Des tas de choses explosaient, des immeubles étaient détruits. Le genre de film qu'aucune fille de leur entourage n'avait envie de voir. Les garçons avaient eu beau essayer de leur faire comprendre que le film lui-même n'avait pas d'importance, que c'était un *événement*, que cette soirée au drive-in était *historique*, ils n'avaient pas réussi à les convaincre.

Pourtant, même eux savaient que ce film était débile. En fait, ils étaient tombés d'accord pour dire que la seule façon de voir ce genre de nanar – que ce soit dans un drive-in, dans un cinéma normal ou à la maison –, c'était de le faire en étant bourré. C'est pourquoi ils avaient décidé d'introduire illicitement non seulement l'un d'eux, mais aussi de la bière.

Cette soirée était doublement importante : c'était la dernière séance du drive-in Constellation et la fin de l'année universitaire à Thackeray. Derek y avait étudié pendant quatre ans et il n'avait aucune idée de ce qu'il allait faire à partir de maintenant. Il n'avait aucune perspective professionnelle, à part peut-être travailler à nouveau pour son père – travail qui consisterait à tondre des pelouses, planter des arbustes, tailler des haies. Quatre ans d'études supérieures pour se servir d'un souffleur à feuilles ? Même son père ne souhaitait pas ça pour lui. Et pourtant, il y avait pire que travailler aux côtés de son paternel.

Pendant cette soirée, il ne penserait ni à son avenir professionnel ni aux deux autres choses qui lui pesaient lourdement sur la conscience.

La première était la mort d'un ami, une mort totalement incompréhensible. Cet ami était inscrit à la fac, allait en cours, écrivait des dissertations, auditionnait pour des pièces étudiantes, menait sa petite vie comme tout le monde, et puis, un soir, les vigiles du campus lui avaient collé une balle dans la tête, alors qu'il était soi-disant en train de violer quelqu'un.

Derek n'avait toujours pas compris.

Et puis il y avait l'autre chose. Plus énorme encore.

Derek était *père*.

Il avait un gamin !

Un fils qui s'appelait Matthew.

La nouvelle n'avait pas surpris que lui. Même la mère n'en revenait pas, ce qui peut paraître bizarre, mais cette histoire était on ne peut plus étrange et tordue, et Derek n'en connaissait toujours pas tous les tenants et aboutissants. Il savait qu'elle était tombée enceinte, mais il avait cru que le bébé était mort à la naissance. Ce qui s'était révélé inexact. Il avait parlé à Marla – c'était son nom – à plusieurs reprises depuis qu'il avait découvert que le bébé était vivant, lui avait rendu visite accompagné de son père, mais il en était encore à chercher ses marques, à essayer de cerner ses responsabilités.

— Allô !

— Hein ? fit Derek.

C'était Canton Schultz, qui se tenait à côté de sa Nissan, portière ouverte côté conducteur. Il était flanqué des deux autres amis de fac de Derek, George Lydecker et Tyler Gross.

— On vient de mettre ça aux voix, dit Tyler.

— Quoi ?

— Pendant que tu étais dans ta bulle, à rêvasser, on a voté, expliqua George. C'est toi qui t'y colles.

— Qui me colle à quoi ?

— C'est toi qui vas dans le coffre.

— Pas question. Je ne veux pas aller dans le coffre.

— Désolé, mon pote, dit Canton. On a mis ça aux voix, c'est démocratique. Le fait est que c'est une sacrée responsabilité, d'être le type dans le coffre, parce que c'est celui qui veille sur la bière.

— Et merde, très bien, je le ferai. Mais je ne vais pas tout de suite dedans. Il y a dix minutes de trajet pour aller là-bas. On s'arrêtera juste avant et je monterai dans le coffre seulement à ce moment-là.

Ce coffre était pourtant le dernier endroit où il avait envie d'être enfermé, ne serait-ce que pendant deux minutes. Sa claustrophobie remontait à ses dix-sept ans, quand il avait dû rester cacher dans le vide sanitaire d'une maison pendant que trois personnes qui s'y trouvaient se faisaient assassiner[1].

En retenant sa respiration pour ne pas se faire repérer par le meurtrier.

À l'époque, tout Promise Falls avait été en émoi. Un avocat connu, sa femme et son fils exécutés, tous les trois. Pendant un moment, la police avait même suspecté Derek, mais ils avaient fini par coincer le véritable tueur, et tout était rentré dans l'ordre, à ce détail près qu'il avait été traumatisé à vie.

Bon, d'accord, peut-être pas à vie. Il avait réussi à tourner la page, à reprendre sa vie en main, à aller à la fac, à se faire des amis. La séparation de ses parents l'avait touché

---

1. *Les Voisins d'à côté*, Belfond, 2010, traduction Marieke Merand-Surtel. (*Toutes les notes sont du traducteur.*)

plus durement, en fait. Mais ce n'était pas pour autant qu'il était ravi de sauter dans un coffre de voiture.

Voilà, on pouvait dire ça comme ça : il n'était pas fan des espaces confinés.

Mais il ne voulait pas non plus passer pour une chochotte, d'où sa proposition de monter juste avant d'arriver au drive-in. Tout le monde convint que c'était une suggestion acceptable. Et donc, après avoir chargé une caisse de bières dans le coffre, ils s'entassèrent dans la voiture. Canton au volant, George à l'avant, Derek et Tyler sur la banquette arrière.

Il faisait déjà nuit, et ils n'arriveraient pas au Constellation avant 23 heures. Le premier film serait sans doute presque terminé, mais ils s'en moquaient, puisque c'était toujours un truc pour gamins. Et même s'ils arrivaient en retard pour *Transformers*, ils ne manqueraient pas grand-chose. De toute façon, ils seraient rapidement trop soûls pour s'en soucier.

S'il ne s'était pas porté volontaire pour monter dans le coffre, Derek avait en revanche proposé d'être capitaine de soirée, ce qui arrangeait tout le monde. Il se contenterait d'une bière ou deux et ramènerait les autres à bon port.

Qui sait quand il les reverrait après cette soirée ? Canton allait retourner à Pittsburgh, Tyler à Bangor. George Lydecker était du coin, mais Derek ne se voyait pas traîner avec lui. Il lui rappelait une expression que son grand-père réservait à ce genre de garçon : il avait *un hanneton dans la cafetière*.

L'expression qui venait à l'esprit de Derek serait plutôt « chien fou ». George agissait d'abord et réfléchissait ensuite. C'est comme ça qu'il avait retourné la Smart d'un professeur. Et introduit un bébé alligator dans l'étang de Thackeray. La bestiole n'avait d'ailleurs toujours pas été retrouvée. George s'était même vanté d'avoir visité des garages au milieu de la nuit, même pas dans l'idée de piquer des outils ou une bicyclette, non, juste pour le frisson.

Comme si George avait pu lire dans les pensées de Derek, il fit, à cet instant précis, quelque chose d'extrêmement stupide.

Alors qu'ils roulaient à toute allure sur une route de campagne qui longeait le sud de la ville, il baissa sa vitre, laissant l'air frais de la nuit s'engouffrer dans l'habitacle, puis, tout à coup, sortit son bras à l'extérieur.

Il y eut une forte détonation. Suivie aussitôt d'un PING !

— Putain, c'était quoi, ça ?! s'écria Derek.

George ramena son bras et se retourna sur son siège, tout sourire. Il exhiba l'arme qu'il tenait dans sa main.

— Je tire juste sur des panneaux, dit-il. Je viens d'en flinguer un de limitation de vitesse.

— T'es complètement taré, ou quoi ? cria Canton en lui jetant un regard en coin.

— Range ça ! hurla Derek. Connard !

George fit la grimace.

— Allez, détendez-vous. Je sais ce que je fais.

— D'où est-ce que tu sors ça ? demanda Tyler. Tu l'as chouré dans un garage ?

— Il est à moi, OK ? C'est pas un drame. Je pensais tirer sur l'écran. Il sera démoli d'ici quinze jours de toute manière. On s'en fout s'il y a deux trous dedans.

— Tu es con à ce point ? demanda Canton. Quand tu vas sortir ce truc dans la foule, au milieu de tous ces gosses, ils vont appeler le SWAT direct, pauvre débile ?

— Il y a une unité du SWAT à Promise Falls ?

— Ce n'est pas ça, le problème. Le problème, c'est…

— Je pensais faire ça quand les Transformers seront en train de bousiller un tas de gratte-ciel, personne ne s'en rendra compte, il y aura tellement de boucan.

— T'es incroyable, résuma Tyler.

— Ça va, ça va, dit George en posant l'arme sur ses genoux. Je ne l'aurais pas fait pour de vrai. Je voulais juste tirer sur des panneaux, peut-être me faire une boîte à lettres.

Ses trois copains secouèrent la tête.

— Crétin, dit Derek à voix basse.

— J'ai dit, *c'est bon*, protesta George. Vous êtes vraiment une bande de fiottes. Je suis content de me tirer d'ici.

George leur avait annoncé qu'il partait en vacances à Vancouver le surlendemain.

Ils roulèrent sans rien dire pendant quelques minutes. Ce fut Canton qui brisa le silence.

— Pourquoi pas ici ?

— Quoi ? fit Tyler.

— C'est bien comme endroit. Il n'y a pas un chat. Derek, tu vas monter dans le coffre ici.

— On est vraiment obligés de faire ça ? demanda Derek. C'est débile.

— C'est la *tradition*. Quand tu vas au drive-in, tu incrustes quelqu'un. C'est *attendu*. Si tu ne le fais pas, la direction du drive-in est déçue.

— Très bien.

La voiture se rangea sur le bas-côté dans un craquement de graviers. Derek descendit, lança un regard noir à George, puis se dirigea vers l'arrière de la voiture. Canton se tenait déjà devant le coffre grand ouvert.

Derek regardait l'ouverture béante.

— Tu y vas ou quoi ? s'impatienta Canton.

Derek hocha la tête et s'assit à l'intérieur.

— Ce n'est pas une Oldsmobile, dit Canton, mais arrête de chouiner. Dès qu'on sera passés, on te fera sortir. C'est l'affaire de cinq minutes.

— J'ai horreur de ça, dit Derek.

— C'est quoi ton…

Canton s'interrompit au milieu de sa phrase.

16

— Oh, merde, c'est à cause de ce qui est arrivé dans cette maison ?

— Ça va aller.

— Non, je monte dans le coffre et toi, tu retournes dans la voiture.

— J'ai dit que je le ferais.

Derek aperçut la poignée de sécurité qui permettait d'ouvrir le coffre de l'intérieur. Soulagé, il se coucha en chien de fusil, la caisse de bières calée derrière ses genoux.

— Allez, à tout de suite, tenta de le rassurer Canton avant de claquer le coffre.

Il faisait noir, presque comme dans un four, là-dedans, n'était la lueur rougeâtre des feux arrière. Il sentit la voiture revenir sur la route, puis prendre de la vitesse.

Malgré le dossier de la banquette qui le séparait de ses amis, il les entendait discuter.

— Bon, on la joue cool et détachés, OK ? dit Canton.

— C'est ça, dit Tyler. Comme si j'allais me mettre à gueuler : « On n'a rien mis dans le coffre, monsieur ! » Je ne suis pas aussi con que George.

— Va te faire, répliqua celui-ci.

— C'est bon, on y est, dit Canton. Merde, il y a encore la queue.

— Juste une dizaine de caisses. Ça va aller vite.

Derek avait du mal à trouver une position confortable et – sans doute un effet de son imagination – il avait l'impression de manquer d'air. Son cœur commençait à s'emballer.

Il sentit la Nissan amorcer un virage. Canton devait approcher de la barrière des deux guichets. Juste derrière l'immense écran. Une fois les tickets achetés et la barrière franchie, la voiture passerait par une ouverture de trois mètres dans une palissade en bois censée empêcher les gens de resquiller.

La voiture suivrait l'allée jusqu'au bout du terrain, où se trouvait le snack-bar, puis prendrait un dernier virage, pour se retrouver face à l'écran. Dès qu'ils auraient trouvé une bonne place, ils le feraient sortir.

Mais d'abord, il fallait passer la barrière.

La voiture s'arrêta, roula au pas sur quelques mètres. S'arrêta. Avança à nouveau.

Allez, allez, allez !

Pour finir, Derek entendit Canton demander :

— Trois tickets.

Puis, beaucoup moins distinctement, une voix d'homme :

— Vous n'êtes que trois ?

— Ouais.

— Dix dollars chacun.

— Tenez.

Un bref silence, puis la voix de l'homme à nouveau :

— Vous êtes sûrs qu'il n'y a que vous trois ?

Canton :

— Ouais.

Tyler :

— Rien que nous trois.

George :

— Vous ne savez pas compter ?

Merde, pensa Derek, *qu'est-ce qui lui prend ce soir ?*

— Vous êtes au courant que l'alcool est interdit. Que vous ne pouvez pas en apporter, dit l'homme du guichet.

— Bien sûr, dit Canton.

Nouveau silence. Puis :

— Je vais vous demander de bien vouloir ouvrir le coffre.

— Pardon ? s'étonna Canton.

— Le coffre. Ouvrez-le.

Merde, merde et re-merde.

C'était le pire des scénarios. Une fois que ce type les aurait découverts, lui et la bière, il pouvait faire trois choses : primo, leur refuser l'entrée, deuzio, faire payer son entrée à Derek, confisquer la bière et leur dire qu'ils pourraient la récupérer en sortant, tertio, appeler les flics.

La dernière option était toutefois peu probable. La flicaille de Promise Falls ne se dérangerait sans doute pas pour un resquilleur de drive-in.

À ce stade, il n'en avait pas grand-chose à faire : là, tout de suite, il était prêt à subir une fouille de ses cavités corporelles rien que pour pouvoir sortir de ce coffre.

— Euh, je ne pense pas que vous ayez le droit, objecta Canton.

— Ah oui ?

— Oui, je ne pense pas que vous ayez autorité pour faire ça. Vous êtes juste un pauvre type qui vend des tickets.

— Vraiment ? Eh bien, je m'appelle Lionel Grayson, et je suis le propriétaire de ce cinéma, et si vous n'ouvrez pas ce coffre, j'appelle les flics.

Cette éventualité était finalement peut-être plus vraisemblable que Derek ne l'avait imaginé. *Très bien, ainsi soit-il.*

— Bon, d'accord, dit Canton.

Derek entendit la portière s'ouvrir côté conducteur. Puis une autre, de l'autre côté de la voiture. Celle de George.

— Putain, George, qu'est-ce que tu... ?

Les deux portières claquèrent et il n'entendit pas la suite.

— C'est votre dernière séance, disait Canton, on voulait juste s'amuser un peu et...

L'homme, ce Lionel Grayson, semblait s'être approché du coffre :

— Ouvrez-le.

— Ça va, ça va, j'ai compris.

Puis, George :

— Tu sais, mec, on est en Amérique. Tu crois que vendre des tickets de cinéma te donne le droit de violer nos droits constitutionnels.

— George, laisse tomber.

Ils étaient tous les trois tout près à présent. Derek restait persuadé que Lionel Grayson n'appellerait pas les flics. Il leur dirait juste de foutre le camp. Il avait déjà un plan B :

rentrer chez lui, télécharger un des *Transformers* sur l'écran plat et se bourrer la gueule sur son canapé.

Plus besoin de jouer les capitaines de soirée...

Boum.

Non, c'était plus que ça. Tellement plus qu'une simple détonation. Depuis l'intérieur du coffre, il crut entendre un bang supersonique. Toute la voiture en trembla.

Ça ne pouvait pas être quelque chose qui se passait sur l'écran. L'explosion d'un des robots *Transformers*, par exemple. Il fallait être dans l'habitacle de la voiture, la radio réglée sur la bonne fréquence, pour entendre la bande-son du film.

Et même dans une salle de cinéma classique, la déflagration aurait été trop puissante.

George.

Avait-il été assez stupide pour sortir de la voiture avec l'arme, la brandir sous le nez du propriétaire et presser la détente ? Il faudrait vraiment être le dernier des débiles pour flinguer quelqu'un juste parce qu'on s'est fait pincer à resquiller.

Des cris se firent entendre. Beaucoup de cris. Mais ils semblaient lointains.

— Nom de Dieu ! s'exclama quelqu'un.

Derek était quasiment sûr que c'était Canton.

Puis une voix qui ressemblait fort à celle de George :

— Oh, putain !

Derek tapota fébrilement la paroi du coffre, à la recherche de la poignée de déverrouillage de secours. Son cœur battait à tout rompre. Il était en sueur. Il trouva le levier, le saisit, tira d'un coup sec.

Le coffre s'ouvrit devant trois hommes : Canton, George, ainsi qu'un Noir, Lionel Grayson, supposa Derek. Aucun d'eux ne regardait à l'intérieur du coffre. Tous les trois lui tournaient le dos, leur attention concentrée sur quelque chose qui se passait devant eux.

Derek se redressa si rapidement qu'il se cogna contre le bord du coffre, mais il était trop fasciné par ce qu'il voyait pour avoir conscience de la douleur.

Il avait du mal à en croire ses yeux.

L'écran du drive-in Constellation, haut comme un immeuble de quatre étages, était en train de s'écrouler.

Une fumée noire s'élevait en tourbillonnant depuis sa base, sur toute sa longueur, tandis qu'il basculait lentement vers l'avant, côté parking, comme sous l'effet d'une tornade.

Sauf qu'il n'y avait pas de vent.

L'écran gigantesque s'effondra dans un formidable fracas qui fit trembler le sol sous leurs pieds. Des nuages de fumée et de poussière montèrent vers le ciel de l'autre côté de la palissade.

Il y eut un moment de sidération muette. À peine une seconde. Puis une symphonie étranglée et dissonante d'alarmes de voitures, hurlant de panique.

Et d'autres cris. Beaucoup, beaucoup d'autres cris.

3

— Allô, Georgina ?

— Non, c'est moi ! Tu as entendu la nouvelle ?

— Non, j'attendais que Georgina rentre, ou qu'elle appelle pour me dire où elle est. Qu'est-ce qui s'est passé ?

— L'écran du drive-in s'est cassé la gueule.

— Quoi ?

— Il s'est effondré.

— C'est dingue. Mais il était fermé, non ? Il y a eu des blessés...

— Écoute-moi. C'était sa dernière séance avant sa fermeture définitive. Le parking était plein à craquer. Ça s'est passé à l'instant. Les premiers secours ne sont pas encore arrivés.

— Mon Dieu.

— Et on a un problème.

— Comment ça ?

— J'ai vu Adam.

— Quoi ? Il était là-bas ?

— Adam et Miriam. Je passais devant le drive-in et j'ai aperçu leur Jaguar dans la file des voitures à l'entrée, sa vieille décapotable. C'était forcément lui et Miriam. Il n'y a pas deux voitures comme la sienne à Promise Falls. Je m'étais arrêté pour boire un café un peu plus loin, et quand j'ai entendu l'explosion...

— C'était une explosion ?

— Peu importe ce que c'était. Quand j'ai entendu le bruit, je suis retourné voir ce qui s'était passé. La Jag est foutue. J'ai vu l'arrière qui dépassait des gravats.

— Oh, non, c'est horrible. C'est complètement dingue, cette histoire. Adam et Miriam étaient peut-être descendus de voiture avant que…

— Non, impossible. Tu ne vois pas où est le problème ?

— Ils sont morts. Quelle horreur ! Mon Dieu.

— Du coup, on a un sérieux problème. S'ils sont morts, quelqu'un de la famille proche va vider leur maison, trier leurs affaires. La fille d'Adam, par exemple… Comment elle s'appelle, déjà ?

Silence à l'autre bout de la ligne.

— Tu es toujours là ?

— Oui.

— Tu vois le problème maintenant ?

— Oui, je le vois.

4

Cal

— C'était délicieux, Celeste. Merci encore.

— Tu sais que tu es toujours le bienvenu.

Ma sœur était assise en face de moi à la table de la cuisine.

— Tu veux emporter le reste de tortellinis ?

— Ça ira.

— Je sais que tu en as assez d'entendre ça, mais tu peux venir habiter ici quand tu veux. On a deux chambres d'amis. (Elle jeta un coup d'œil sur sa droite, à Dwayne.) Je n'ai pas raison ?

Dwayne Rogers se tourna vers moi et déclara, froidement :

— Bien sûr. On adorerait t'avoir à la maison.

Je levai la main en signe de protestation. Je n'avais pas plus envie de vivre ici que Dwayne de me voir poser mes valises chez lui.

— Non, écoute-moi jusqu'au bout, Cal, reprit Celeste. Je ne te demande pas de t'installer ici pour toujours. Juste le temps que tu te trouves un endroit qui te convienne.

— J'en ai déjà un, lui rappelai-je.

Celeste avait deux ans de plus que moi, et elle m'avait toujours traité en petit frère, même si maintenant nous avions tous deux passé la quarantaine.

— Oh, je t'en prie, dit-elle. Une chambre au-dessus d'une boutique de livres d'occasion. Ce n'est pas un chez-soi.

— Ça me suffit.

— Il dit que ça lui suffit, répéta Dwayne à sa femme.

Celeste l'ignora.

— Ce n'est qu'un petit studio. Il te faut une maison digne de ce nom. Tu vivais dans une vraie maison, avant.

Je souris faiblement.

— Je n'ai pas besoin d'une grande maison vide. J'ai tout l'espace qu'il me faut.

— Je pense simplement, continua Celeste, que vivre dans ce placard à balais, ça ne va pas t'aider à avancer.

— Mais bon sang, lâche-le ! s'exclama Dwayne en repoussant sa chaise pour aller chercher une cinquième bière dans le frigo. S'il est heureux où il est, fous-lui la paix.

— Ça ne te regarde absolument pas, rétorqua Celeste.

— Cal s'en sort très bien, insista Dwayne. Pas vrai que tu vas bien ?

— Je vais très bien, dis-je. Dwayne a raison.

Mon beau-frère dévissa la capsule et téta sa bière goulûment.

— Je vais prendre l'air, dit-il.

— Bonne idée, dit Celeste, qui parut soulagée de voir son mari sortir. Qu'est-ce qu'il peut être con, parfois. (Elle sourit.) C'est mon mari, alors, ce n'est pas vraiment une insulte.

Je me forçai à sourire.

— Ça va, il est sympa.

— Il ne pige pas. Il pense que les gens devraient faire avec les circonstances, quoi qu'il arrive, sauf, évidemment, quand ça le concerne.

— Il a peut-être raison. Il faut savoir tourner la page.

— Oh, arrête. Si c'était arrivé à quelqu'un d'autre, si tu savais que la femme et le fils de quelqu'un avaient été, tu sais...

— ... assassinés, terminai-je.

— Oui. C'est ça que tu dirais à cette personne ? « Allez, il faut passer à autre chose, maintenant » ?

— Non. Mais je ne la harcèlerais pas non plus.

Je sus que le mot était mal choisi au moment même où je le prononçai.

— C'est ce que je fais ? demanda Celeste. Je te harcèle ?

— Non, dis-je aussitôt. Je me suis mal exprimé.

Je tendis le bras au-dessus de la table pour lui prendre la main, conscient de l'absurdité de la situation : j'essayais de la consoler de ma réticence à la laisser me consoler.

— Si c'est le cas, je suis désolée, dit-elle. Je pense simplement que si tu ne regardes pas ces choses en face, si tu n'exprimes pas tes sentiments avec des mots, tu vas te rendre malade.

Je me demandai quand Celeste arriverait à la même conclusion avec Dwayne, à quel moment elle se laisserait aller à exprimer ses propres sentiments.

— Je te remercie de ta sollicitude. Vraiment. Mais je vais bien. Je vais de l'avant.

Je marquai un temps d'arrêt.

— Je ne crois pas avoir vraiment le choix. J'ai du travail ici. J'essaie de me faire connaître.

Pour prouver mes dires, j'avais donné à ma sœur une de mes nouvelles cartes de visite. *Cal Weaver : Enquêtes privées*, en lettrage noir gaufré. Un numéro de portable. Et même un site Internet et une adresse mail. Un de ces jours, je serais peut-être sur Twitter.

— Je m'inquiète de te savoir dans ce studio, dit-elle.

— Je m'y plais. Le type qui tient la librairie, et à qui appartient l'immeuble, est un proprio correct, et il a une bonne sélection de bouquins. Ça me va.

Je supposais qu'à force de le répéter, je finirais peut-être par y croire.

— Tu as bien fait de quitter Griffon pour revenir ici. Après…

Celeste voulait que je regarde le passé en face, mais elle était elle-même incapable de mettre des mots dessus. Mon fils, Scott, avait été balancé du haut d'un immeuble, et ma femme, Donna, avait été tuée par balle[1]. Les responsables étaient morts ou bien purgeaient une lourde peine de prison.

— Je ne pouvais pas rester, dis-je. Augie aussi a eu la sagesse de partir. Ils sont en Floride.

Le frère de Donna, Augustus, le chef de la police de Griffon, avait pris une retraite anticipée et était parti avec sa femme vers des cieux plus cléments.

— Tu as gardé le contact ?

— Non, dis-je.

Au bout de quelques secondes, je désignai la porte d'entrée d'un mouvement de menton :

— Et lui, il va comment ?

— Il faut constamment le prendre avec des pincettes.

— Ça va, vous deux ?

— La ville ne lui donne plus des masses de boulot. (Dwayne avait une entreprise de pavage.) Ils réduisent les dépenses. Tant qu'un nid-de-poule n'est pas assez grand pour avaler une voiture en entier, ils estiment qu'ils n'ont pas à le reboucher. Dwayne fait quatre-vingt-dix pour cent de son chiffre d'affaires avec Promise Falls. La ville a toujours sous-traité les travaux de voirie et là, ils laissent les choses se dégrader. J'ai entendu dire que Finley va se représenter. Il redressera peut-être la barre.

Je ne savais pas grand-chose du personnage, sinon que son mandat précédent s'était mal terminé. Nous vivions à Griffon quand tout cela s'était passé.

Je lui assurai que la situation allait s'arranger pour Dwayne, parce que cela me semblait être la chose à dire. C'était peut-être pour cette raison que Celeste tenait à

---

1. *La Fille dans le rétroviseur*, Belfond, 2016.

m'héberger. Elle savait que j'insisterais pour payer le gîte et le couvert. Mais il était hors de question que je vive ici, pas sous ce toit. Pas avec ma sœur qui régentait tout, sans parler de son mari lunatique et porté sur la bière. Je pouvais néanmoins apporter ma contribution.

— Vous êtes fauchés ? Si vous avez besoin d'argent, juste de quoi voir venir…

— Non, répondit Celeste. Je ne pourrais pas accepter.

Ses protestations s'arrêtèrent là, et je me demandai si elle n'attendait pas que j'insiste.

La prochaine fois.

Je me levai, plantai une bise sur sa joue et la serrai rapidement dans mes bras. Alors que je traversais le salon, j'entendis des sirènes.

Au moment où je franchis la porte, la dernière ambulance de ce qui ressemblait à un convoi d'une demi-douzaine de véhicules d'urgence passa en hurlant dans la rue. Dwayne était accoudé à la rambarde de la véranda, sa bière à la main, et regardait le défilé avec un petit sourire en coin.

— Il y a toujours du boulot pour ces enfoirés, dit-il. C'est pas demain la veille que la ville les virera, eux.

5

Une fois sorti du coffre, Derek se mit à courir. Pas pour
fuir vers la route, mais de l'autre côté de la palissade, sur
le terrain du drive-in.

Vers les cris.

Il ne pouvait pas aller directement à l'endroit où l'écran
était tombé : une clôture trop haute pour être escaladée bor-
dait l'allée d'accès sur une cinquantaine de mètres. Quand
il l'eut dépassée, il rebroussa chemin et se précipita vers le
lieu de la catastrophe.

Il y avait au moins une centaine de voitures sur le parking,
et il savait d'expérience, pour être venu là quelques fois,
que pratiquement personne ne se garait au premier rang,
au pied de l'écran, pour la même raison que personne ne
voulait s'asseoir au premier rang d'un cinéma conventionnel
et se dévisser le cou deux heures durant.

À l'exception peut-être des propriétaires de cabriolets.

La soirée était fraîche, mais pas au point de ne pas déca-
poter. Pour peu que vous ayez une ou deux couvertures,
vous descendiez la capote, incliniez le siège au maximum,
et profitiez du spectacle.

À coup sûr, les deux véhicules écrasés par l'écran étaient
des décapotables.

Tout le monde était descendu de sa voiture. Certains
restaient à côté, trop ébranlés pour faire autre chose que

regarder, horrifiés, les débris de l'écran. D'autres voitures avaient été touchées. De nombreux pare-brise avaient été réduits en miettes. Certains spectateurs, encore sous le choc, allaient et venaient, le visage ensanglanté par de légères coupures. D'autres avaient sorti leur portable, soit pour téléphoner, soit pour filmer le désastre. Ils posteraient probablement la vidéo sur Twitter et Facebook pour se vanter d'avoir été les premiers à le faire.

Des cris fusaient çà et là.

— Appelez les pompiers !

— Oh, mon Dieu !

— Les terroristes ! C'est un attentat terroriste !

— Sortez d'ici ! Courez ! Courez !

Il se retrouva au milieu d'un petit groupe qui s'était formé derrière les voitures écrasées. Plusieurs personnes agitaient les bras pour tenter de voir quelque chose à travers la poussière.

Ça toussait beaucoup.

— Il nous faut une grue ! cria quelqu'un.

— Est-ce qu'on a appelé les pompiers ?

— Qu'est-ce qu'ils foutent ?

Derek pensa à ces images qu'il avait vues aux infos. Après des tremblements de terre. Des immeubles entiers réduits à l'état de gravats dans les rues. Mais ce qu'il avait sous les yeux n'était pas le résultat d'un séisme. Ce n'était pas comme si la terre avait tremblé. Les dégâts se limitaient à l'écran.

Et le bruit qu'il avait entendu alors qu'il était dans le coffre ressemblait fortement à celui d'une explosion. Se pouvait-il qu'il y ait des conduites de gaz sous cet écran ? Des citernes reliées au snack-bar pour qu'on puisse faire griller les saucisses à hot dog ?

À moins que le type qui criait à l'attentat ait raison ? Est-ce que ça pourrait être une bombe ?

Ça ne tenait pas debout. Si vous étiez membre d'al-Qaida, de l'État islamique ou de la dernière organisation en date à menacer la paix dans le monde et que vous ayez l'intention de faire plier l'Amérique, un cinéma en plein air dans une ville moyenne du nord de l'État de New York ne représentait pas spécialement une cible de choix.

— Prenez ça ! lui dit quelqu'un qui se tenait à côté de lui.

Avec trois autres hommes, ils essayèrent de dégager une petite voiture rouge, que Derek identifia, d'après le marquage sur le coffre, comme une sportive de collection, écrasée par un débris de l'écran grand comme deux plaques de contreplaqué mais dix fois plus épais. Il s'y connaissait suffisamment pour deviner qu'il s'agissait d'une Jaguar du milieu des années soixante.

— Un... deux... trois !

À eux cinq, en y mettant toutes leurs forces, ils déplacèrent la plaque de béton d'un bon mètre sur la gauche, ce qui leur permit de libérer le côté passager du cabriolet.

— Oh, merde, dit quelqu'un avant de se retourner et de vomir.

Cela avait été une personne. Une heure auparavant. Difficile de dire ça autrement. La tête, réduite à une bouillie de sang et d'os, avait été enfoncée dans le reste du corps.

Une femme, vraisemblablement.

Un homme à l'estomac mieux accroché fit prudemment le tour de la voiture et se pencha au-dessus du corps. Derek crut qu'il essayait de reconnaître la victime, mais l'homme était en train de regarder sous les gravats qui obstruaient le côté conducteur. Il utilisait la lampe torche de son portable.

— Celui-là aussi, il est foutu, dit-il. Allons voir l'autre voiture.

On entendait des sirènes au loin. Le gémissement de corne de brume des camions de pompiers.

La seconde voiture – une Mustang, à en juger par les feux arrière – était ensevelie sous bien plus de gravats que la première. Les hommes secouèrent la tête, impuissants.

— Les pompiers auront peut-être quelque chose pour soulever ça, dit Derek. Je ne pense pas qu'on y arrivera, nous.

— Ohé ! cria une voix plus loin. Quelqu'un m'entend là-dedans ?

Rien.

Derek se demanda, brièvement, ce qui était arrivé à ses prétendus amis. Une chose était sûre : ils n'étaient pas là pour donner un coup de main. Ils s'étaient probablement tirés en voiture pendant qu'ils en avaient eu l'occasion. Des connards, tous.

— Les salauds ! cria un homme. Bande de salauds ! Crétins !

Derek se retourna vivement. Il s'agissait du type qui avait voulu inspecter le coffre. Le propriétaire du drive-in, Lionel Grayson. Au départ, Derek crut un instant qu'il parlait de ses copains, mais il comprit rapidement que ses injures visaient quelqu'un d'autre.

— Bande de crétins ! hurla-t-il à pleins poumons.

Il se prit la tête à deux mains et se mit à gémir :

— Oh mon Dieu, mon Dieu !

Derek fit un pas vers lui.

— De quoi parlez-vous ? demanda-t-il. Quels crétins ?

Grayson ne l'entendait pas. Ses yeux étaient fixés sur les décombres devant lui.

— Je rêve, murmura-t-il. Ce n'est pas possible.

— Quels crétins ? répéta Derek.

— L'entreprise de démolition, dit-il sans regarder le jeune homme. Il devait le démolir la semaine prochaine... Ils n'étaient pas censés... Ils n'étaient pas censés placer les charges tant que... Je ne sais pas... Je ne sais pas comment cela a pu...

Grayson tomba à genoux, et le haut de son corps se mit à vaciller. Derek et une femme qui se trouvait là se précipitèrent, s'agenouillèrent pour l'empêcher de tomber.

Trois ambulances arrivèrent sur le parking, sirènes hurlantes et gyrophares clignotants. Des gens leur firent signe d'avancer. Des secouristes en surgirent et coururent dans leur direction.

Derek réfléchissait à ce que le propriétaire venait de dire : l'écran devait être démoli, mais plus tard, un autre jour. Quelqu'un avait merdé dans les grandes largeurs.

À présent, Derek était sûr que personne ne lui chercherait des poux pour avoir voulu resquiller sa place au drive-in.

6

David Harwood fut réveillé par son téléphone. Il le mettait toujours en mode vibreur avant de se coucher pour ne pas déranger ses parents qui dormaient de l'autre côté du mur. En revanche, il n'avait aucune inquiétude pour Ethan, son fils de neuf ans, dont l'un des super-pouvoirs d'enfant lui permettait de ne jamais entendre la moindre sonnerie de réveil. Don et Arlene Harwood, au contraire, avaient le sommeil léger, et la sonnerie d'un téléphone au milieu de la nuit pouvait mettre la mère de David dans tous ses états.

C'était presque toujours synonyme de mauvaises nouvelles.

Et, ces derniers temps, ils en avaient eu plus que leur compte. Tout récemment, Agnes, la sœur d'Arlene et la tante de David, était morte. Elle s'était suicidée en sautant du pont qui enjambait les chutes dont Promise Falls tirait son nom. Le coup avait été très dur pour Arlene. La mort de sa sœur, bien sûr, mais aussi ce qui l'avait provoquée.

Les événements récents avaient affecté tout le monde. La famille Harwood, le mari d'Agnes et, plus que n'importe qui d'autre, leur fille, Marla.

Et, comme si cela ne suffisait pas, il y avait eu l'incendie. Ce sont des choses qui arrivent quand on oublie une casserole sur le feu. La maison de ses parents était en travaux et, dans un mois environ, Don et Arlene pourraient rentrer chez eux.

En attendant, ses parents vivaient avec Ethan et lui un complet renversement des choses. Après l'incendie, David, qui avait désormais un travail et les moyens de se loger, avait trouvé une maison à louer à quelques pâtés de maisons de chez ses parents.

Il s'était mis au lit à 22 h 30. La journée avait été longue. Travailler pour Randall Finley, aider ce crétin à revenir en politique, n'était pas l'idée que David se faisait du job idéal. Mais ça payait les factures, et ça lui permettait de récupérer un peu de l'estime de soi qu'il avait perdue depuis que son employeur précédent, le *Standard* de Promise Falls, avait mis la clé sous la porte.

Il s'était plus ou moins trouvé en situation de devoir choisir – en tant qu'ancien journaliste de presse écrite, il avait ce cliché en horreur – entre la peste et le choléra. S'asseoir sur ses principes et travailler pour un individu tel que Finley, ou ne pas pouvoir subvenir aux besoins de son fils.

Il avait posé son téléphone sur la table de nuit, à moins de cinquante centimètres de sa tête, et les vibrations sur le bois avaient été suffisantes pour le tirer du sommeil.

Il ouvrit les yeux, se retourna dans le lit, saisit son mobile. La lumière de l'écran était si intense qu'il fallut à ses yeux un moment pour s'adapter, mais même à moitié aveugle il aurait instantanément identifié son correspondant.

— Nom de Dieu, marmonna-t-il.

Appuyé sur son coude, il colla le téléphone à son oreille.

— Ouais ?

— Je vous réveille ?

David jeta un coup d'œil au radio-réveil. Il indiquait 23 h 35.

— Bien sûr que vous me réveillez, Randy. Il est presque minuit.

— On se lève. On s'habille. On a du pain sur la planche.

— Je vous rappellerai demain matin.

— David ! C'est sérieux. Bougez-vous. Vous n'êtes pas au courant ?

— Au courant de quoi ? Randy, je dormais. Qu'est-ce qui se passe, bon sang ?

— Vous êtes sûr d'avoir été journaliste ? Le monde entier part en couilles autour de vous et vous n'êtes au courant de rien.

— Eh bien, dites-moi ce qui se passe.

— Vous connaissez le Constellation ?

David se redressa, s'assit au bord du lit. Il alluma la lampe, cligna encore un peu des yeux.

— Bien sûr que je connais.

— L'écran vient d'exploser.

— Quoi ?

— Il faut que j'aille sur place. Pour donner un coup de main, réconforter les gens.

L'ancien maire de Promise Falls marqua une pause.

— Être vu, me faire prendre en photo.

— Dites-moi ce qui s'est passé exactement.

— L'écran s'est cassé la gueule. Sur des voitures. Il y a des morts, David. Ça y est, vous avez mis votre pantalon ?

David avait encore le métier dans le sang. Il sentit l'adrénaline monter. Il voulait aller sur les lieux, voir ce qui s'y passait, interroger les gens. Rendre compte de l'événement.

Bon sang, comme il regrettait de ne plus être journaliste. Mais il ne voulait surtout pas transformer une tragédie humaine en coup de pub pour Randall Finley.

— C'est mal, dit David.

— Quoi ?

— C'est mal. D'aller là-bas pour vous faire prendre en photo.

— Enfin, David, ce n'est pas comme si je vous demandais de me suivre partout comme une équipe de *60 minutes*. Vous serez discret. Il faut que je vous explique comment faire votre boulot ? Vous, vous vous fondez dans le décor. Moi, je ne fais qu'aider les gens, je ne sais même pas que vous êtes là. Comment vous appelez ça, déjà ? Des photos sur le vif ? On pourra s'en servir plus tard. On perd du temps à discutailler. Et il ne vous est pas venu à l'esprit que je pourrais éventuellement en avoir quelque chose à foutre et que j'aie envie de me rendre utile ?

Non, ça ne lui était pas du tout venu à l'esprit.

Finley n'attendit pas sa réponse.

— On se retrouve devant chez vous dans trois minutes.

Il raccrocha.

David enfila un jean sur son boxer, passa un polo à manches longues pour ne pas perdre un temps précieux à tripatouiller les boutons d'une chemise, glissa ses pieds, sans chaussettes, dans une paire de tennis. Il pouvait prendre des photos et des vidéos avec son portable, mais peut-être aurait-il besoin de quelque chose de plus performant. Il prit en passant un appareil photo dans le bureau qu'il était en train d'aménager en face de sa chambre.

En dépit de tous ses efforts pour ne pas faire de bruit, la porte de la chambre de ses parents s'ouvrit. Sa mère se tenait là, en pyjama.

— Que se passe-t-il ?

— Je sors. Je ne sais pas pour combien de temps j'en aurai. Si je ne suis pas là à votre réveil, vous pourrez déposer Ethan à l'école ?

De l'intérieur de la chambre, son père lança :

— C'est quoi, ce boucan ?

— Le boulot, dit David.

— Finley te sort de chez toi à cette heure ? s'étonna sa mère.

— Il sait qu'il est presque minuit ? demanda Don, qui ne faisait aucun effort pour chuchoter.

— Ne réveillez pas Ethan, les implora David.

Mais sa mère insista :

— Pourquoi cet homme t'appelle-t-il au milieu de la nuit ? C'est scandaleux. Il ne se rend pas compte que tu as un jeune fils dont tu dois t'occuper et...

— Maman ! coupa sèchement David. Bon sang ! Je rentrerai quand je rentrerai.

Quand il vivait chez ses parents, il n'avait eu de cesse de vouloir en partir le plus rapidement possible avec Ethan. Et maintenant il les avait installés dans sa maison à lui. Avec eux, il avait l'impression d'avoir encore treize ans.

Alors qu'il descendait l'escalier en courant, il surprit son reflet dans le miroir de l'entrée. Ses cheveux rebiquaient curieusement.

La Lincoln de Finley s'arrêta dans un crissement de pneus devant la maison. David s'assura que la porte était bien fermée derrière lui et courut jusqu'au trottoir.

Finley avait baissé la vitre.

— Allez, on se dépêche, dit-il.

Le cuir du siège était frais, et l'air de la nuit, froid sur les chevilles nues de David.

Finley jeta un coup d'œil à ses cheveux.

— Vous n'avez pas eu le temps de vous donner un coup de peigne.

— Démarrez.

— J'espère que c'est un bon appareil que vous avez là. Je ne veux pas de photos de portable merdiques. L'occasion est trop belle pour la foutre en l'air.

David, qui avait les yeux fixés droit devant lui à travers le pare-brise, n'arrivait pas à regarder son patron.

— Allez-y, démarrez, répéta-t-il.

— En tout cas, heureusement que je ne compte pas sur vous pour me tenir au courant de ce qui se passe dans cette ville, lui reprocha Finley, et que j'ai entendu les sirènes.

— Vous n'habitez pas si près du Constellation.

Et, pour la première fois, David jeta un coup d'œil à Finley.

— J'ai des oreilles un peu partout... Au fait, dans le coffre, j'ai un plein carton de magnets publicitaires, avec *Finley à la mairie* écrit dessus. Mais je ne sais pas, ce n'est peut-être pas du meilleur goût de les distribuer sur les lieux d'un accident.

— Vous croyez ? ironisa David.

Une fois de plus, il se demanda comment il en était arrivé à travailler pour ce type.

7

C'était la pire chose que l'inspecteur Barry Duckworth ait vue en vingt ans de carrière dans la police de Promise Falls.

Il était arrivé au drive-in à 23 h 49 et, à 00 h 31, il avait commencé à procéder aux premières constatations.

L'écran s'était écroulé vers 23 h 20. Il était tombé côté parking. Des débris épars avaient touché plusieurs voitures et deux avaient été ensevelies sous les décombres. Même si, pour l'heure, il était difficile de voir les choses sous cet angle, plus tard, on penserait inévitablement que le bilan aurait pu être bien plus lourd.

Comme les plaques d'immatriculation étaient parfaitement lisibles, Duckworth put rapidement trouver à qui appartenaient ces véhicules. Le premier, une Jaguar de collection, était la propriété d'un certain Adam Chalmers, habitant à Ridgewood Drive. Les pompiers, en dégageant le véhicule, avaient constaté la présence de deux victimes, un homme et une femme.

Chalmers et sa femme, supposa Duckworth.

L'autre voiture, une décapotable Mustang de 2006, était enregistrée conjointement aux noms de Floyd et Renata Gravelle, Canterbury Street. D'après l'un des pompiers, les deux victimes avaient l'air très jeunes. Un garçon et une fille, probablement à peine sortis de l'adolescence.

On dénombrait quelques blessés. Bud Hillier, quarante-deux ans, dont les trois enfants, âgés de huit, onze et treize ans étaient dans la voiture avec lui, avait les mains posées sur le volant de son break Taurus lorsqu'un gros morceau d'écran avait traversé le pare-brise et lui avait sectionné deux doigts. Dolores Whitney, trente-sept ans, qui avait emmené sa petite Chloe, huit ans, dans un drive-in pour la première et certainement la dernière fois, avait eu quatre côtes cassées.

Comparés aux occupants des deux décapotables du premier rang, ceux-là s'en sortaient bien.

Angus Carlson était arrivé peu après Duckworth. Il avait récemment pris du galon, agent en tenue promu au rang d'inspecteur parce que le service manquait d'enquêteurs. Duckworth ne s'était pas encore fait vraiment d'opinion à son sujet, mais le jeune homme lui paraissait inexpérimenté et, parfois, un peu con.

Quand Carlson repéra Duckworth, il se dirigea vers lui, jeta un rapide coup d'œil à la scène.

— Il passait quoi comme film ? demanda-t-il. *Crash* ? *Twister* ? *Christine* ?

Duckworth lui donna les adresses qu'il avait obtenues en interrogeant le fichier des cartes grises.

— Trouvez-moi les noms des victimes. Et évitez de sortir l'une de vos blagues devant les familles.

— C'était histoire de détendre l'atmosphère, dit Carlson avec un air renfrogné.

— Exécution.

Lionel Grayson, le propriétaire de l'établissement, était pris en charge par un des secouristes. Il présentait tous les symptômes d'un état de choc modéré, et avait failli faire un malaise avant l'arrivée de Duckworth.

— Monsieur Grayson, commença Duckworth, je dois vous poser quelques questions.

L'homme regarda l'inspecteur d'un air absent.

— C'était notre dernière séance.

— Je comprends, oui.

— C'était censé être une… fête. Une soirée pour se rappeler tous les moments merveilleux que les gens ont passés ici…

Il détourna le regard. Duckworth remarqua sur ses joues le sillon laissé par les larmes.

— Combien ? interrogea l'homme.

— Combien de quoi ?

— Combien sont morts ? demanda Grayson.

— Apparemment quatre, monsieur, mais on ne peut pas être sûr qu'il n'y en aura pas d'autres tant que les décombres n'auront pas été entièrement dégagés. Vous avez une idée de la façon dont cela a pu se produire ?

— Marsden, dit-il. Il ne devrait pas tarder. Je l'ai appelé.

— Qui est Marsden ?

— Clifford Marsden. Le patron de Marsden Demolition.

— Vous pensez que c'est lui qui a fait sauter l'écran ?

— Forcément. Ou il s'est trompé de date, ou il a mal réglé le minuteur.

— Vous aviez fait appel à lui pour démolir l'écran ?

Grayson confirma d'un hochement de tête.

— La démolition était censée avoir lieu quand ?

— Dans une semaine, jour pour jour. C'est dingue. Pourquoi a-t-il placé les charges une semaine à l'avance et sans même me prévenir ? Pourquoi a-t-il pris le risque qu'un tel drame se produise ?

— C'est une question que nous ne manquerons pas de lui poser.

— Il est en route. J'ai essayé de l'appeler, mais je tremblais trop pour pouvoir tenir mon téléphone. Quelqu'un l'a fait pour moi. Il arrive. Quand je lui aurai mis la main dessus, je… je ne sais pas ce que je lui ferai.

— Pour quelle raison l'écran devait-il être démoli si peu de temps après la fermeture ?

— C'était dans le contrat.

— Quel contrat ?

— Le contrat de vente, dit Grayson. À Mancini Homes.

— Tout ce terrain a été vendu ?

Grayson acquiesça d'un signe de tête.

— La signature de la vente se fera dans un mois. Mais avant cela, je dois faire place nette. L'écran, les bâtiments annexes, la clôture, tout doit être rasé. C'était l'une des conditions.

— Qu'est-ce qu'ils vont faire sur ce terrain ?

— Ils vont construire des maisons, j'imagine. Je n'en sais rien. Ça n'a jamais été très important pour moi. J'ai obtenu un peu moins de trois millions pour le terrain. J'allais partir en Floride. Avec ma femme. Prendre ma retraite. Mais maintenant… comment est-ce que je vais… ? C'est tellement affreux.

Duckworth posa la main sur son épaule.

— On va trouver une explication pour ce qui s'est passé, d'accord ? Tenez bon !

Une grosse voiture se faufilait entre les véhicules des pompiers et les ambulances, et vint se garer près de la clôture. Duckworth crut d'abord avoir affaire à Clifford Marsden, mais quand la portière s'ouvrit, c'est quelqu'un d'autre qui en descendit : Randall Finley. L'inspecteur reconnut aussi l'homme qui l'accompagnait. C'était David Harwood, auparavant journaliste, devenu assistant de l'ancien maire, un appareil photo à la main.

Finley avait repéré un SUV noir couvert de poussière et dont le toit et le capot étaient parsemés de fragments de béton. Le hayon était grand ouvert, et une femme s'occupait de deux petites filles, qui n'avaient pas plus de dix ans, assises jambes ballantes au-dessus du pare-chocs. Une des fillettes pleurait et la femme s'efforçait de la consoler.

— Veuillez m'excuser, monsieur Grayson, dit Duckworth. Je reviens tout de suite.

Finley marchait d'un pas rapide en direction du SUV, et, quand il fut presque arrivé à sa hauteur, il se mit à ralentir.

— Comment ça va ? demanda-t-il.

La femme se retourna.

— Pardon ?

— Je voulais juste m'assurer que vous alliez bien, dit-il gentiment. Ce sont vos filles ?

La femme désigna la petite qui pleurait.

— Non, Kaylie est ma nièce, et voici son amie Alicia. Vous êtes de la police ?

— Non, je m'appelle Randall Finley. Quel est votre nom ?

La femme cligna des yeux.

— Patricia Henderson.

— Enchanté, Patricia. Bonjour, Kaylie, bonjour, Alicia. Est-ce que l'une d'entre vous est blessée ? Vous avez besoin d'une assistance médicale ?

— Non... Nous n'avons rien, répondit Patricia. On est juste secouées. Des débris de ce... truc... sont tombés sur la voiture. Nous avons eu très peur quand c'est arrivé, les filles et moi.

— J'imagine.

— Vous êtes de la police ? répéta Patricia.

Finley secoua la tête.

— Non, je suis simplement un citoyen responsable qui cherche à se rendre utile.

— Vous avez été le maire de notre ville, n'est-ce pas ? demanda Patricia.

— Cela remonte à un certain temps.

— Pourquoi cet homme prend-il des photos ?

Finley jeta un coup d'œil par-dessus son épaule.

— Je ne sais pas. C'est peut-être un journaliste, ou quelqu'un qui doit rassembler des clichés de la scène de l'accident. Quelqu'un qui fait son boulot. Je ne m'inquiéterais pas à son sujet à votre place. Est-ce que je peux faire quelque chose pour vous ? Vous voulez de l'eau ? J'en ai dans le coffre de ma voiture. De l'eau de ma propre entreprise. Ou peut-être y a-t-il quelqu'un que vous aimeriez que j'appelle pour vous ?

— Je ne suis pas mariée, dit la femme. Je reste là à attendre, au cas où il faudrait que je parle à la police ou à quelqu'un pour des histoires d'assurance. Ce que je voudrais vraiment, c'est ramener les filles à la maison. C'est tellement horrible, tout ça.

Finley hocha la tête avec compassion, se pencha vers les fillettes en souriant et en se plaçant de manière à ce que David puisse prendre une belle photo.

— Je pourrais appeler les parents d'Alicia ou de Kaylie pour qu'ils viennent chercher les filles, si vous voulez...

— Randy !

Finley se retourna brusquement.

— Tiens, Barry, bonjour. C'est une véritable tragédie. Vous savez ce qui s'est passé ?

Duckworth se rapprocha.

— Qu'est-ce que vous foutez ici ?

— J'apporte mon soutien. Je donne un coup de main là où je peux.

— Et lui ? demanda Duckworth, en désignant David Harwood. C'est quoi, sa contribution ?

— Lui ?

— Pourquoi est-ce qu'il prend des photos ?

— Peut-être qu'il travaille à nouveau pour la presse. Qu'il est envoyé par Albany.

— Il travaille pour vous.

— Eh bien, je suppose que ce n'est pas inexact, mais ce n'est pas moi qui mettrais des bâtons dans les roues de M. Harwood s'il souhaite vendre quelques clichés aux médias.

— Que se passe-t-il ? demanda Patricia.

Finley se retourna en arborant son sourire le plus sincère.

— L'inspecteur et moi essayons juste de trouver comment vous aider au mieux à gérer cette situation tragique. Si vous voulez bien nous accorder un moment.

— Je n'ai pas vraiment besoin de votre aide.

— Eh bien, dans ce cas, pourquoi me faire perdre un temps précieux ? rétorqua Finley, qui se retourna de nouveau vers Duckworth avant d'avoir pu visualiser l'expression ahurie de la femme.

— Allons discuter là-bas, suggéra Finley pour tenter d'éloigner Duckworth.

Mais le policier n'entendait pas bouger d'un pouce.

— Vous gênez le travail des équipes de secours, le sermonna-t-il. J'ai des morts un peu plus loin. Des blessés. Je veux que vous débarrassiez le plancher immédiatement.

— Allons, Barry. Je fais simplement mon travail, tout comme vous.

— Ne m'obligez pas à me répéter, sinon je vous passe les menottes et je vous fais emmener au poste.

Finley soutint son regard.

— Je suis quelqu'un qu'on préfère avoir comme ami que comme ennemi.

— Personnellement, je me fiche complètement de vos menaces, répliqua Duckworth.

— David, appela-t-il, assez fort pour que tous ceux qui se trouvaient à proximité l'entendent, on nous demande de nous en aller ! Que Dieu vous bénisse, vous et tous les merveilleux secouristes de Promise Falls, inspecteur Duckworth. Je ne sais pas ce que nous deviendrions sans vous !

Sur ces mots, il retourna à sa Lincoln, entraînant David dans son sillage. Duckworth les suivit du regard jusqu'à ce qu'ils aient quitté le parking.

— Espèce de fils de pute !

Duckworth se retourna. Lionel Grayson avait plaqué un homme au sol, et il martelait son visage de coups de poing.

De toute évidence, le démolisseur était arrivé pendant que Duckworth s'occupait de Finley. L'inspecteur accourut, saisit Grayson par les épaules et sépara les deux hommes.

— Grayson ! Grayson, s'il vous plaît !

Mais Grayson continuait à invectiver l'homme à terre.

— Espèce de fils de pute ! Connard ! Putain de...

— Ce n'est pas moi, cria l'homme en se relevant péniblement. Écoutez-moi ! Je vous jure...

— Venez par là ! aboya Duckworth à l'intention de Grayson. C'est vous, Marsden ? demanda-t-il à l'homme qui venait de se relever et époussetait son pantalon.

— Oui, c'est moi.

— Vous avez été engagé pour démolir cet écran ?

Marsden confirma d'un hochement de tête, reprit son souffle.

— L'écran, et tout le reste.

— Vous ne seriez pas allé un peu vite en besogne ?

— C'est ce que j'essayais de lui expliquer, dit-il en désignant Grayson. On n'a rien posé ici, pas même un pétard.

8

Cal

Le lendemain matin, je vis le reportage de CNN, puis celui du *Today Show*. Toutes les chaînes d'info du pays avaient tourné un sujet sur ce qui était arrivé à Promise Falls. Nous étions célèbres. J'avais remarqué les véhicules d'urgence, la veille au soir, alors que j'étais sur la véranda avec mon beau-frère, mais j'avais pensé à un accident sur la rocade.

C'était bien plus sérieux.

Après avoir salué Celeste et Dwayne, et parce que je ne voyais pas quel aurait été l'intérêt de courir après les ambulances, j'avais regagné mes pénates.

Réveillé vers 6 heures, j'étais resté au lit pendant deux heures. Je n'avais aucune raison de me lever ni d'accueillir le lever du jour avec un quelconque enthousiasme. Mais un début de migraine me força à rejeter les couvertures. J'allai, pieds nus, jusqu'au coin cuisine. L'appartement n'était pas assez spacieux pour accueillir une cuisine digne de ce nom, juste un frigo, une cuisinière et un évier repoussés dans un coin du séjour. Je mis le café en route, allumai le petit poste de télé derrière le canapé – j'aime bien avoir un bruit de fond –, et alors que je m'apprêtais à passer sous la douche pendant que la cafetière remplissait sa tâche, les deux premiers mots que j'entendis furent : « Promise Falls. »

Je regardai l'écran planté à côté du canapé. Quand la cafetière bipa, je me servis une tasse et me retournai pour fixer à nouveau ma télé.

Nom de Dieu.

Quatre morts. Un couple de sexagénaires – provisoirement identifiés comme étant Adam et Miriam Chalmers – dont la Jaguar de collection avait été aplatie comme une crêpe par la chute de l'écran, et un adolescent de dix-sept ans qui avait emprunté la Mustang décapotable de ses parents pour pouvoir sortir sa petite amie. Laquelle était morte, elle aussi. Leurs identités n'avaient pas encore été officiellement divulguées.

Mon vieux copain Barry Duckworth s'adressait aux équipes de télévision, venues en nombre d'Albany et de plus loin encore.

— C'est un acte terroriste ? lui lança quelqu'un.

Barry regarda le journaliste d'un air impassible.

— Une longue enquête nous attend. Il n'y a rien pour l'heure qui suggère un lien quelconque avec une entreprise terroriste.

— Mais c'était bien une bombe, non ? L'écran n'est pas tombé tout seul. Les gens racontent qu'il y a eu une énorme explosion.

— Comme je l'ai dit, nous n'en sommes qu'au début de notre enquête.

Un certain nombre de gens, venus profiter de la dernière soirée d'ouverture du Constellation Drive-In, avaient pris des vidéos avec leur portable et les avaient envoyées à différents organes de presse. Au moins une personne était en train de filmer ce qui se passait sur l'écran – des camions se transformant en robots – au moment où l'enfer s'était déchaîné.

Je suis resté une demi-heure devant la télévision avant d'aller prendre ma douche. Lorsque je sortis de ma salle de bains, la télé diffusait toujours des reportages sur ce qui s'était passé au Constellation. Matt Lauer s'entretenait avec une femme qui avait emmené sa fille et l'amie de sa fille. Quand il en eut fini avec elles, il présenta quelqu'un d'autre à la caméra.

— Voici Randall Finley, l'ancien maire de Promise Falls. Vous étiez un des premiers sur les lieux, monsieur Finley. Pouvez-vous nous dire ce que vous avez vu ?

— Une pagaille pas possible, Matt. On aurait dit une zone de guerre.

Quelqu'un avait fini par le dire. Chaque catastrophe était toujours comparée à une « zone de guerre ». C'était l'expression qu'utilisaient invariablement les gens qui n'en avaient jamais vu.

— Je suis venu aussi vite que j'ai pu pour prêter main-forte dans la mesure de mes moyens. C'est une tragédie épouvantable pour les habitants de Promise Falls et je suis en train de mettre sur pied un fonds de solidarité pour venir en aide aux familles touchées par la catastrophe. Il y aura d'autres informations dans la journée sur « RandallFinley.com » pour celles et ceux qui souhaiteraient faire un don.

C'était jour de lessive.

Je retournai dans la chambre, ramassai les quelques chaussettes et caleçons qui traînaient ici et là, et les fourrai dans mon sac à linge. Je mis mes chemises à part, dans un second sac, que je déposerais au pressing en passant. Comme je n'avais pas de lave-linge dans mon appartement, et qu'il n'y avait pas de laverie dans l'immeuble, j'allais une fois par semaine dans un Lavomatic situé à plusieurs blocs de maisons de là.

Après m'être rasé et habillé, je me fis un toast à la confiture de fraises, que je mangeai debout devant l'évier. Puis je lavai mon assiette et la laissai là. Mon mini-palace était également dépourvu de lave-vaisselle.

Je sortis, mon sac en bandoulière et les poches remplies de pièces de vingt-cinq cents.

Mon appartement se trouvait en plein centre-ville, et habiter au-dessus d'une librairie avait ses avantages. J'aurais pu tomber plus mal, louer au-dessus d'un bar, par exemple. Je n'avais pas à subir les fiestas se terminant à pas d'heure, les bagarres d'ivrognes, les odeurs de graillon, les gens qui vomissent et pissent dans l'arrière-cour.

Quand j'étais chez moi dans la journée, ce qui arrivait souvent, j'entendais de temps en temps de la musique d'opéra monter par les bouches d'aération. Naman Safar, qui tenait la boutique, était un mordu de bel canto. Ce n'était pas mon cas, si bien que je ne savais jamais si c'était du Rossini ou du Bellini qui envahissait l'espace de mon appartement. J'avais scindé cette musique en deux catégories : celle qui était pénible et celle qui l'était moins. Mais elle n'était jamais pénible au point de m'en plaindre à Naman. C'était mon propriétaire, après tout, et mieux valait rester dans ses bonnes grâces au cas où les toilettes se boucheraient ou si je commençais à entendre des souris dans les murs.

La porte de mon appartement – celle qui portait une toute petite plaque avec l'inscription : CAL WEAVER/ENQUÊTES PRIVÉES – donnait directement sur une volée de marches qui permettait un accès direct à la rue, juste à côté de la librairie. Naman déverrouillait la porte de sa boutique au moment où je sortis de l'appartement. L'écriteau derrière la vitrine indiquait qu'il ouvrait à 10 heures, mais ce n'était qu'une approximation. Certains jours, il était là de bonne heure, mais, la plupart du temps, il n'ouvrait pas avant la demie. Comme ce jour-là. Ses clients ne lui en tenaient pas rigueur et savaient qu'il valait mieux ne pas passer avant 11 heures. Ils savaient également qu'il y avait de grandes chances que Naman soit dans sa boutique bien après l'heure de fermeture.

— Je n'ai rien à faire chez moi, m'avait-il confié un jour. (Il ne s'était jamais marié et n'avait pas d'enfants.) Je m'ennuie.

Né en Égypte, il avait émigré en Amérique avec sa famille à l'âge de neuf ans. Il avait fait des études de lettres et avait enseigné en lycée pendant une vingtaine d'années, mais il avait fini par en avoir assez de devoir gérer des classes d'adolescents. Était-ce parce qu'il était devenu moins tolérant, ou les élèves étaient-ils de plus en plus insupportables ? Il l'ignorait. Quoi qu'il en soit, il avait ouvert une boutique qui consacrait son amour des livres.

— Vous avez entendu la nouvelle ? demanda-t-il en me croisant.

— J'ai entendu.

— Un choc. Un choc terrible. Ils disent que ça pourrait être un attentat.

— C'est un peu tôt pour l'affirmer.

— Oui, oui, je suis d'accord. C'est la première idée qui vient à l'esprit des gens de nos jours. Ce pays est totalement paranoïaque. Comme si tout le monde en voulait à l'Amérique.

Je n'avais pas envie de discuter du caractère des Américains.

— Jour de lessive ? demanda Naman.

— J'y vais. On se voit plus tard ?

Le milieu de la matinée est le meilleur moment pour se rendre à la laverie automatique si on veut être sûr de pouvoir utiliser deux machines.

La femme qui faisait tourner la laverie s'appelait Samantha Worthington, mais elle se faisait appeler Sam. Au moment où j'entrai, elle était en train d'essuyer des coulures de lessive sur un lave-linge !

Je ne savais pas grand-chose d'elle, sinon qu'elle avait un fils de neuf ans prénommé Carl, qui traînait souvent ici après l'école. C'était une fille séduisante, mais il y avait une forme de dureté chez elle : elle avait vécu des trucs difficiles. Elle paraissait trente-cinq ans mais j'étais à peu près sûr qu'elle n'en avait pas trente.

— Bonjour, Sam, dis-je.

Elle jeta un coup d'œil dans ma direction. Elle n'était pas très causante.

— Salut, répondit-elle. Vous avez entendu pour le drive-in ?

— Terrible, dis-je.

Nous avions apparemment épuisé le sujet, puisqu'elle disparut dans le bureau au fond de la boutique. Elle en revint munie d'un petit sac en toile. Avec une clé, elle ouvrit les monnayeurs de chaque machine et fit tomber les pièces de vingt-cinq cents dans la bourse. Elle resserra le cordon en cuir et retourna dans le bureau, où une machine ferait des piles bien nettes de cette monnaie qu'elle confierait ensuite à la banque.

Je remplis deux lave-linge, puis je sortis toutes les pièces de ma poche et les insérai dans les fentes prévues à cet effet.

Comme à mon habitude, j'avais apporté un livre, déniché chez Naman. Un roman de Philip Roth. Je n'avais découvert cet auteur que récemment, en commençant par *Le Complot contre l'Amérique*[1], mais, ce jour-là, c'était *Némésis*, qui raconte une épidémie de polio dans le Newark des années quarante. J'avais dû me dire que lire l'histoire de gens dont les problèmes étaient pires que les miens m'aiderait peut-être à prendre du recul.

Non, ne prends pas les choses comme ça, me dis-je à moi-même. Pas d'auto-apitoiement. C'était en substance ce que j'avais dit à Celeste. Il fallait que je regarde devant moi, pas derrière. Cela ne servait à rien de se torturer l'esprit pour des choses qui ne changeraient jamais.

Je m'assis sur un banc, duquel je pouvais surveiller mes deux machines, et ouvris le roman là où j'avais laissé mon marque-page.

---

1. *The Plot Against America,* 2004.

J'avais lu à peine deux pages quand j'entendis :

— Vous en pensez quoi ?

Je levai les yeux. C'était Sam.

— C'est bien, dis-je.

— Certaines personnes disent qu'il est misogyne, mais je n'y crois pas, dit Sam. Vous avez lu *La Tache*[1] ?

Je fis non de la tête.

— Ça parle d'un professeur d'université qui a une liaison avec une femme de ménage. Il est accusé de racisme par deux étudiants noirs. En fait, personne ne comprend que… mais je ne devrais pas vous raconter la suite si vous avez l'intention de le lire.

— En effet, dis-je, il se pourrait que je le lise un de ces jours. (J'esquissai un sourire.) Je n'ai lu que deux de ses bouquins. Et vous ?

— Presque tous. Je n'ai pas accroché avec celui sur le base-ball. Et il y a une satire sur le Watergate qui m'a laissée totalement indifférente.

Sam pencha la tête en arrière, comme pour me jauger.

— Vous ne vous attendiez peut-être pas à ce qu'une femme qui tient une laverie automatique lise des livres ?

— Non, ça ne m'a pas traversé l'esprit. Merci pour la recommandation. *La Tache*, vous avez dit ?

— C'est ça, dit Sam en souriant. Désolée, je n'avais pas l'intention de vous prendre la tête.

— Il n'y a pas de mal.

Le bruit de la porte d'entrée détourna son attention. C'était un homme, un bon mètre quatre-vingts, approchant les cent dix kilos, mat de peau, les cheveux noirs et gras, un voile de barbe sur le cou et les joues, pantalon et veste en jean.

Il n'avait pas apporté de linge, juste son air incroyablement arrogant.

---

1. *The Human Stain*, 2000.

— Excusez-moi, me dit Sam avant de s'adresser à l'intrus : Barre-toi, Ed.

Ed écarta les bras d'un air innocent.

— Hé, je passais juste dire bonjour.

— Barre-toi, je te dis.

— Et je pensais faire une lessive, éventuellement.

— Il est où ?

— Hein ?

— Ton linge. Tu l'as oublié ?

Ed sourit.

— J'imagine que oui. (Le sourire s'épanouit.) Les parents de Brandon te passent le bonjour.

— Tu peux dire à ses tarés de parents, et aussi à Brandon, qu'ils peuvent aller se faire foutre.

— Et moi ?

Je posai mon livre.

— Je sais que les avocats t'ont contactée, continua Ed, mais je suis passé pour mettre les choses au clair : Carl va retourner chez lui.

— Carl *est* chez lui. Chez moi, c'est chez lui.

— Eh bien, d'après ce que j'ai cru comprendre, ce n'est pas vraiment un foyer adapté, Samantha. C'est un environnement inapproprié.

— Tu crois qu'il est préférable pour Carl d'être élevé par son père ? De faire un peu d'exercice tous les jours avec lui dans la cour de promenade ? De fabriquer des plaques d'immatriculation dans l'atelier de la prison ? Ça m'a l'air d'être l'endroit idéal pour forger une relation père-fils indestructible.

— Tu te conduis encore comme une idiote, Sam. Les parents de Brandon sont prêts à faire le nécessaire dès que tu seras revenue à la raison. Pour le moment, ils sont gentils, ils se contentent de faire intervenir des avocats. Tu ne voudrais pas qu'ils optent pour une méthode plus expéditive, quand même ?

— Il y a un problème ? demandai-je.

Je me tenais derrière Sam, légèrement de côté, les mains derrière le dos, calme. Elle se retourna en entendant ma voix, et Ed me considéra, les yeux plissés.

— Il y en a un maintenant, dit celui-ci. La dame et moi, on cause, mon pote. Si tu allais mettre tes caleçons dans le sèche-linge ?

— Cet homme vous embête ? demandai-je à Sam.

— Tout va bien. Ed s'en va.

— C'est vrai, Ed ?

— Celui-là aussi, tu te le tapes ? dit le fameux Ed en s'adressant à Sam.

Sam ouvrit la bouche mais aucun son n'en sortit.

— Ce n'est pas une façon de parler aux dames.

Ed me fixa de nouveau du regard.

— Pardon ?

— Excusez-vous.

— M'excuser ?

— Pas loin, il y a un centre médical où on peut se faire examiner les oreilles, si vous avez un problème d'audition.

C'est à ce moment-là qu'il décida de s'en prendre à moi. Je le vis qui armait son bras droit. Et, alors que le coup partait dans ma direction, je lui jetai de la lessive au visage.

— Putain ! fit-il en s'essuyant les yeux.

J'envoyai alors mon poing dans son énorme bedaine. C'était un peu comme cogner une peluche géante, mais cela suffit à lui couper le souffle et il s'effondra par terre comme un sac de ciment, les yeux toujours irrités.

J'avais envie de lui envoyer un bon coup de pied dans la tête, et je l'aurais peut-être fait, mais le signal sonore de mon portable m'avertit que je venais de recevoir un message. Je le sortis de ma poche, jetai un œil à l'écran : *Lucy Brighton*.

Le message disait : *Rappelez d'urgence. SVP.*

— Ne bougez pas ou j'ajoute de l'assouplissant, dis-je à Ed, qui se frottait furieusement les yeux.

Je rappelai Lucy Brighton aussitôt.

— Oh, Cal, merci, dit Lucy d'une voix tremblante. Vous vous souvenez de moi ?

— Bien sûr, répondis-je.

Une enquête récente, impliquant un élève et le conseil d'administration, nous avait mis en relation. Ancienne enseignante et conseillère d'orientation, elle travaillait comme administratrice au bureau du conseil de son établissement scolaire.

— Que se passe-t-il ? Encore un problème avec le lycée ?

— Non, cette fois, c'est plus… personnel.

— Vous voulez qu'on se voie ? demandai-je en observant Ed continuer à se frotter énergiquement les yeux.

Elle ne répondit pas immédiatement. J'avais l'impression qu'elle prenait sur elle pour ne pas craquer.

— Je crois qu'il est arrivé quelque chose. Chez mes parents. Enfin, chez mon père et sa femme.

Elle marqua un temps d'arrêt pour se reprendre.

— Sa troisième femme, en fait. Il y a un truc anormal. Dans la maison. Il se pourrait qu'on ait pris quelque chose… je n'en suis pas sûre. Il y a peut-être eu un cambriolage. C'est… très difficile à expliquer.

— Et c'est vous qui m'appelez plutôt que votre père, ou sa femme, pourquoi ?

— Parce qu'ils sont morts. Hier soir. Au drive-in. La voiture de mon père a été écrasée.

9

— Tu es bien silencieux, remarqua Arlene Harwood.

— La soirée a été longue, répondit David.

Ils n'étaient que tous les deux dans sa cuisine. Son fils, Ethan, était parti pour l'école, et son père, Don, était retourné superviser la réfection de leur cuisine, détruite par l'incendie. Arlene irait probablement le rejoindre peu après.

— Ça devait être terrible, dit-elle.

— Tu n'as pas idée à quel point !

Bien entendu, il savait que le pire était arrivé à ces gens écrasés par la chute de l'écran, mais les singeries de son nouveau patron étaient presque aussi terrifiantes. Finley n'avait aucune idée des principes d'humanité, de ce qui constituait un comportement approprié.

En d'autres termes, il ne connaissait pas la honte.

Au moins, il avait eu assez de bon sens pour quitter les lieux avant que Duckworth ne lui passe les menottes. Quelqu'un aurait sûrement pris une photo. Ce crétin l'avait échappé belle.

Il fallait qu'il lui parle, qu'il tente de lui faire comprendre que ses efforts pour redorer son blason risquaient de se retourner contre lui de manière spectaculaire. Mais Finley avait beaucoup de mal à accepter les conseils d'autrui. L'animal n'écoutait que la grosse voix stupide qu'il entendait dans sa tête. Peut-être cela vaudrait-il le coup de parler à sa femme ? Finley parlait rarement d'elle, et faisait la sourde oreille quand David lui suggérait de l'inclure dans la discussion. Jane Finley serait-elle capable de persuader son mari de mettre la pédale douce ? À moins qu'elle n'ait déjà essayé, en vain.

— Comment ça, je n'en ai pas idée ? demanda Arlene.

— Rien, dit David.

Assis à la table de la cuisine, il parcourait les articles consacrés à la catastrophe du drive-in sur son ordinateur portable.

— Je n'avais jamais rien vu de pareil.

— Comme c'est triste, tout ça, dit-elle en se versant du café.

David savait qu'elle pensait à sa sœur, Agnes, et non à ce qui s'était passé au drive-in. Agnes n'avait pas été la première à se jeter dans les chutes de Promise Falls, mais son suicide avait attiré davantage l'attention que tous ceux dont les gens avaient gardé le souvenir. D'abord parce que, en tant que directrice de l'hôpital local, c'était une notable de la ville, mais surtout à cause de ce que l'on avait appris ensuite : elle avait fait croire à sa propre fille que son enfant était mort-né. Et depuis, on l'avait considérée comme un monstre.

Les jugements exprimés sur sa sœur affectaient Arlene presque autant que sa mort. Arlene avait elle-même considéré sa sœur comme un monstre avant que celle-ci ne mette fin à ses jours.

À la différence de l'ancien maire de la ville, Agnes savait ce qu'était la honte.

Depuis le suicide de sa sœur, Arlene s'efforçait de comprendre ses motivations. « Tout n'était pas noir chez elle », avait-elle répété plusieurs fois ces derniers jours. Sans doute pour essayer de se convaincre elle-même autant que les autres.

Mais si Agnes était très présente dans l'esprit d'Arlene, elle n'occupait pas les pensées de David. Lui pensait à la catastrophe de la veille, à son boulot, et à autre chose aussi...

Sam Worthington.

Il avait tenté de rétablir le contact, d'expliquer qu'il n'avait rien fait, intentionnellement du moins, pour la trahir. Quelqu'un les avait apparemment pris en photo par la fenêtre de la cuisine, alors qu'ils étaient en pleins ébats, et on s'était servi de ces photos pour prouver qu'elle était une mauvaise mère.

Ça le rendait malade.

Il avait tenté de l'appeler à plusieurs reprises, avait laissé des messages. Il avait même envisagé d'aller frapper à sa porte, mais la première fois qu'il s'était risqué à le faire, il s'était retrouvé avec un fusil à pompe sous le nez. Et la dernière fois que Sam lui avait adressé la parole, elle lui avait promis que s'il se montrait à nouveau, elle appuierait sur la détente.

Du coup, il songeait à passer sur son lieu de travail. Sam n'allait quand même pas lui tirer dessus dans sa laverie automatique ?

Il n'était toutefois pas certain d'avoir les épaules pour ce genre de psychodrame. Il en avait eu plus que son compte avec Jan, la femme qu'il avait perdue. Toute cette affaire avec Marla et son bébé l'avait secoué. Et travailler avec Finley n'était pas une partie de plaisir non plus. Sa carrière de journaliste ne l'avait pas préparé à ce genre de stress continuel. Il n'avait jamais été correspondant de guerre, ni Woodward ou Bernstein, seulement un petit journaliste de province.

— Je ne sais pas si je suis capable de faire tout ça, dit-il.

— Quoi donc ? demanda sa mère.

— Rien.

— Tu as parlé à ton père dernièrement ?

— Bien sûr. Je lui parle tous les jours. On vit sous le même toit, maman.

Je regrettai aussitôt mes paroles.

— Ne t'en fais pas, on sera bientôt partis, dit-elle. Encore quelques semaines, et tu ne nous auras plus dans les pattes. Ton père dit que les travaux avancent vraiment bien. Ils sont en avance sur les délais. (Un temps d'arrêt.) Tu as de la chance.

— Désolé. Ce n'est pas ce que j'ai voulu dire. Et, oui, je parle à papa. Pourquoi ?

— Non, je veux dire parler vraiment.

— Oui, je l'ai fait. Quand j'ai hésité à accepter le boulot avec Finley, papa et moi, on a eu une bonne discussion. C'est lui qui m'a conseillé de le prendre.

— Et maintenant tu reproches à ton père de t'avoir entraîné là-dedans ?

— Je n'ai pas dit ça. C'était ma décision. J'avais besoin d'un travail. Pourquoi t'inquiètes-tu pour papa ? Que se passe-t-il ?

— C'est juste qu'il est préoccupé. Tu devrais lui en toucher un mot à l'occasion.

— Est-ce qu'il va bien ? C'est son cœur ?

— Son cœur va très bien. Oublie ce que je t'ai dit, fit-elle en agitant la main.

Alors qu'il allait relancer cette conversation, son téléphone se mit à vibrer. Il regarda l'écran.

— Merde.

À une époque, sa mère lui aurait fait une réflexion pour avoir prononcé ce mot.

— C'est lui ? demanda-t-elle.

David acquiesça de la tête, se saisit du téléphone et le colla à son oreille.

— Oui, dit-il.

— Génial ! s'exclama Randall Finley. Du pur génie !

— Désolé, Randy, de quoi parlez-vous ?

— Votre idée de mettre sur pied un fonds en aide aux victimes de la catastrophe du drive-in ! Ils ont gobé ça tout cru. Je suis passé au *Today Show*. Certains médias d'Albany relaient déjà le truc. (Il rit.) Vous embaucher n'aura pas été une si mauvaise idée, finalement.

— Randy, je…

— Je plaisante. Vous engager a été une des décisions les plus intelligentes que j'aie prises dernièrement. Vous avez de l'instinct.

— Je vais commencer par m'assurer que le compte est bien ouvert, dit David. J'ai déjà contacté la banque pour les prévenir.

— Bien, bien. Tâchez de savoir s'il n'y aurait pas des grosses boîtes prêtes à cracher quelques milliers de dollars. Il nous faudra une photo de moi pendant la remise du chèque. Pourquoi ne commenceriez-vous pas à passer des coups de fil ? Vous savez quoi ? Appelez donc Gloria Fenwick. Elle est en train de liquider Five Mountains. Demandez-lui si ses patrons ne voudraient pas faire une généreuse donation, histoire de laisser un bon souvenir, qu'on ne se souvienne pas d'eux uniquement comme des lâcheurs.

Je me déteste, pensa David.

— Je vais voir ce que je peux faire.

— On se rappelle un peu plus tard. Mais je vais être indisponible pendant le déjeuner.

David n'avait eu vent d'aucun déjeuner de travail. Randall était pourtant censé le tenir informé de toute modification de son emploi du temps.

— Que se passe-t-il ?

— Je vois Francis. Frank.

— Frank comment ?

— Frank Mancini.

David se tourna vers l'écran de son ordinateur portable. Il fit remonter un article qu'il venait de lire pour retrouver ce passage :

Bien que cette information n'ait pas pu être confirmée, le terrain du drive-in aurait récemment été vendu à Mancini Homes, vraisemblablement pour un projet de lotissement. L'entreprise ne nous a pas rappelés, et n'a pas répondu à nos e-mails concernant ses projets.

— Vous êtes toujours là ? demanda Finley.
— C'est le type de Mancini Homes ? Le promoteur ?
— C'est ça.
— Celui qui a acheté le terrain du drive-in ?
— Ouais, dit Finley, avec une certaine réticence dans la voix.
— Si vous avez rendez-vous avec lui pour discuter de l'accident, il faudrait que je sois là. J'ai besoin de connaître votre stratégie, Randy. Comment comptez-vous emballer ça ?
— Ça n'a rien à voir avec ce qui s'est passé, David.
— Si ça n'a rien à voir, pourquoi cet empressement à arranger un rendez-vous avec ce type ?
— Je ne suis pas pressé, dit Finley. Ce rendez-vous était prévu de longue date.
— Qu'est-ce que vous dites ?
— Ne vous en faites pas pour ça. Ça n'a rien à voir avec vous. Allez, on se rappelle cet après-midi. Et, David, merci encore pour l'idée. Excellente trouvaille. Vous allez faire de moi l'incarnation de l'esprit de solidarité. (Il rit.) Un jour, on m'érigera une statue que les pigeons pourront conchier.
Avant que David ait pu poser une autre question, Finley avait raccroché.

10

— Alors, Vick, comment ça va ?

Victor Rooney avait du mal à se tenir droit sur sa chaise. Il était fatigué et traînait une légère gueule de bois, mais quand il s'était levé ce matin-là, il avait fait de son mieux pour se rendre présentable, même s'il n'était pas vraiment sûr que l'homme derrière le bureau, l'homme qui était susceptible de l'engager, était conscient qu'il s'agissait d'un entretien d'embauche. De son point de vue, Victor était simplement passé dire bonjour.

— Ça va plutôt pas mal, Stan, dit Victor. Tout bien considéré.

Depuis que son père, Edmund, était mort l'année précédente, Stan Mulgrew possédait et dirigeait Mulgrew & Son Fittings, une entreprise qui fabriquait des pièces métalliques pour l'industrie.

— Ça faisait un bail que je ne t'avais pas vu, dit-il. Depuis le lycée ?

— Je ne pense pas, non, pas si loin, répondit Victor. Tu as l'air en forme.

— Oui, dit Stan. Merci.

Que pouvait-il dire d'autre ? Si Stan lui avait retourné le compliment, Victor ne l'aurait pas cru. Il savait qu'il n'avait pas du tout l'air en forme. Il avait tellement maigri qu'il commençait à flotter dans ses vêtements, il avait des cernes sous les yeux, et oublié deux ou trois endroits en se rasant le matin.

— Je voulais juste dire, précisa Stan avec hésitation, que même si ça fait, je ne sais pas, quelques années...

— Trois.

— Trois ? Ah oui, je pensais que ça faisait plus longtemps, en fait. En tout cas, je suis vraiment désolé pour Olivia. Vous alliez vous marier, c'est ça ?

— C'est ça.

— Quelle horreur, commenta Stan en faisant la grimace. Ils n'ont toujours pas coincé le taré qui a fait ça ?

— Non.

— Et ce truc qui est arrivé hier soir au Constellation ? C'est pas croyable, putain. Il paraît que c'était une bombe. Tu imagines ? Les types qui étaient chargés de démolir l'écran la semaine prochaine ont totalement merdé.

Victor examina les stylos et l'agrafeuse posés sur le bureau de Stan.

— C'est probablement ce qui s'est passé. C'est assez terrible, oui.

— C'est dingue, je sais, mais, pour être honnête, j'aurais bien aimé être là. Juste pour voir l'écran se casser la gueule. Ça a dû être énorme.

— Tu auras peut-être plus de chance la prochaine fois.

— Quoi ?

— Je dis qu'un jour peut-être tu seras là quand un autre drame se produira. Comme ça, tu pourras dire que tu y étais. J'ai lu quelque part que des gens font croire qu'ils étaient à New York le 11 septembre.

— Tu penses que c'est ce que j'ai voulu dire ? demanda Stan.

— Non. C'est juste une idée qui m'est passée par la tête, expliqua Victor avec un grand sourire. Ça m'arrive souvent, d'avoir des idées qui me viennent de nulle part.

— Eh bien, crois-moi, je ne prie pas pour qu'il y ait d'autres tragédies. Enfin bon, qu'est-ce que tu deviens ? Qu'est-ce qui me vaut l'honneur ?

Victor Rooney eut un haussement d'épaules.

— Comme on ne s'était pas vus depuis longtemps, je suis allé sur la page Facebook du lycée, et j'ai vu ta photo. Je me suis demandé ce que tu devenais, et j'ai eu l'idée de passer.

— Sympa, dit Stan en hochant lentement la tête. C'est sympa, tu sais.

— Et je voulais te donner quelque chose.

Victor sortit de la poche de son blouson une enveloppe décachetée. Il prit la feuille inégalement pliée qu'elle contenait et la tendit à Stan par-dessus le bureau.

— Qu'est-ce que c'est ?

— Mon CV.

— Oh, fit Stan, en posant la feuille sur son bureau. (Une tache de gras avait rendu le papier translucide.) On n'embauche pas en ce moment, Victor.

— Oui, mais je voulais quand même te le déposer. Au cas où. Jettes-y un œil, tu verras que j'ai de l'expérience. Je connais des tas de trucs en mécanique. Je sais comment faire fonctionner les machines, je m'y connais en électricité. Si quelque chose est en panne, je suis capable de le remettre en marche. Et même si je n'ai pas toutes les compétences pour bosser ici, dans ta boîte, j'apprends vite. Je peux assembler à peu près n'importe quoi. Je n'ai pas eu mon diplôme d'ingénieur... j'ai plus ou moins laissé tomber après le décès d'Olivia, mais j'ai beaucoup appris. J'envisage de retourner à la fac pour aller au bout cette fois.

Stan parcourut la page.

— Tu as travaillé un été à la station d'épuration, et je vois ici que tu as rejoint les pompiers de Promise Falls. (Il regarda plus attentivement, fronça les sourcils.) Mais pas longtemps.

— Mais quand j'y étais, j'ai fait du bon boulot. Enfin, du boulot correct, quoi.

— Pourquoi es-tu parti ? Bosser chez les pompiers de Promise Falls, c'est quasiment un emploi à vie.

— Je… J'avais des problèmes à l'époque.

Stan le dévisagea.

— Quel genre de problèmes, Vick ?

— J'imagine que j'essayais toujours de me faire à la mort d'Olivia.

Stan hocha la tête avec bienveillance.

— Bien sûr, je comprends.

— Et donc, j'ai eu une période où… j'étais à côté de mes pompes. Alors j'ai dû partir. Pour aller me faire soigner. Recoller les morceaux, pour ainsi dire.

Un ange passa.

— Et qu'est-ce que ça a donné, Vick ? Tu as la tête sur les épaules maintenant ?

— À ton avis ?

Stan déglutit.

— C'est juste que, excuse-moi de te dire ça, mais tu as une sale tête et les yeux un peu rouges.

— Ils sont toujours comme ça, déclara Victor. Et j'ai commencé à courir hier soir, alors je suis un peu fatigué.

— Courir ?

— Tu sais, pour essayer de retrouver la forme. Je n'ai pas parcouru une grande distance. Huit cents mètres environ. Il paraît qu'il faut y aller progressivement.

C'était la vérité. Mais il avait omis de préciser qu'au bout des huit cents mètres, il avait vomi, et que, une fois de retour chez lui, il avait bu un verre d'alcool.

— Bien sûr, j'imagine que ceci peut expliquer cela, dit Stan en s'efforçant de donner l'impression d'être convaincu.

— Tu ne me crois pas.

— Écoute, je ne suis pas qualifié pour en juger, Vick. (Il souleva la feuille de papier dans ses mains.) Et si je gardais ça sous le coude ? Que je l'archivais ? Comme ça, si quelque chose se présente, je te passe un coup de fil. Mais je n'ai pas besoin de te dire qu'on a connu une grosse baisse d'activité ces derniers temps. Comme tout le monde. Presque tous les gens que je connais s'en sortent moins bien que l'année dernière.

Il leva les mains en l'air dans un geste d'impuissance.

— J'ai dû me séparer de deux gars ces six derniers mois, et si j'embauche à nouveau, ce sont eux que je reprendrai en priorité. J'espère que tu comprends.

Victor se passa la langue à l'intérieur de la joue.

— Ouais, bien sûr.

— Tu devrais peut-être songer à chercher ailleurs. À Albany, Schenectady, Binghamton.

— Je ne quitterai pas Promise Falls, affirma Victor Rooney. C'est ma ville.

— Si tu peux te contenter d'un mi-temps et que quelque chose se présente, je ferai appel à toi, promis.

Il baissa à nouveau les yeux sur le CV.

— J'ai ton numéro là-dessus... parfait.

Il sourit.

Victor se leva.

— Tu ne vaux pas mieux que les autres, dit-il.

— Je suis désolé, je ne sais pas ce que tu...

— Ceux qui ont tout foutu en l'air.

Stan mit un moment avant de comprendre. Et finit par se lever.

— Allons, Vick, c'est plutôt mesquin de ta part.

— Personne dans cette ville n'a les couilles de faire ce qu'il faut.

— Écoute... parfois, les gens veulent réagir, mais ils ont peur. Ils sont comme paralysés. Le temps qu'ils comprennent, il est trop tard.

— Tu parles d'expérience, on dirait. Du coup, je me demande si tu n'étais pas l'un d'eux. Après tous les interrogatoires, la police a conclu qu'il y avait eu vingt-deux témoins oculaires, comme ils disent, mais ils n'ont jamais divulgué les noms. Le journal n'a jamais réussi à les obtenir. Pour ce que j'en sais, tu étais sur la liste.

— Nom de Dieu, Vick, je n'y étais pas.

— Donne-moi un boulot, essaie de te racheter, et je pourrai peut-être te pardonner.

Stan repoussa sa chaise de quelques centimètres.

— Tu peux répéter, s'il te plaît ?

— Je dis que tu pourrais m'embaucher. Faire quelque chose de bien.

— Je ne te dois rien, Vick. Je n'ai aucune raison de te demander pardon. De toute façon, je ne peux pas sortir un boulot de mon chapeau.

Stan secoua tristement la tête.

— Je vais garder ton CV. Si quelque chose se présente dans quelque temps, et que j'aie oublié ce que tu viens de me dire...

Victor le regarda fixement.

— Tu l'as entendue crier ?

— Quoi ?

— Avant qu'Olivia soit tuée, est-ce que tu as entendu ses cris ?

— Vick, tu devrais t'en aller.

— C'est une simple question.

— Je n'étais même pas à Promise Falls à ce moment-là, dit Stan en soupirant. J'étais en Angleterre. Chez ma tante et mon oncle. J'ai travaillé quelques mois là-bas. Je lisais le *Standard* sur Internet. C'est comme ça que j'ai appris la nouvelle. Je n'arrivais pas à y croire, c'était tellement horrible.

— Ben voyons.

— Tu devrais parler à quelqu'un, Vick. Ou retourner voir la personne que tu consultais.

Victor tourna les talons et se dirigea vers la porte.

— Je suis désolé, ajouta Stan Mulgrew. Je sais que tu as vécu un enfer. Je peux peut-être t'aider d'une autre façon. Pourquoi est-ce qu'on ne déjeunerait pas ensemble ? Reviens plus tard… on ira se boire une bière. Enfin, peut-être pas une bière si, comme tu le dis, tu essaies de ne plus toucher à l'alcool et… Je ne voulais pas te blesser. Si c'est le cas, je le regrette.

Victor rejoignit son vieux monospace, claqua la portière et démarra en faisant un doigt d'honneur à Stan qui l'avait suivi jusqu'au parking.

11

Cal

Je devais retrouver Lucy Brighton au domicile de son père dans moins d'une heure.

Ed était sorti de la laverie automatique en titubant. Mes vêtements humides étaient dans le sèche-linge maintenant, et il me restait une trentaine de minutes à attendre, ce qui, supposai-je, lui donnait le temps de me dénoncer à la police, mais, au moment où je finissais de plier mes caleçons, aucun agent de Promise Falls ne s'était manifesté. J'en déduisis qu'Ed n'avait pas porté plainte.

Ce qui était aussi bien, car je ne savais pas vraiment combien il me restait d'amis au commissariat.

J'avais donné une de mes cartes de visite à Sam Worthington en lui recommandant de m'appeler ou d'avertir les flics si Ed revenait la harceler. Elle avait pris la carte sans la regarder. « Ne vous mêlez pas de mes problèmes », avait-elle conclu, avant de retourner nettoyer ses machines.

Chacun exprime sa gratitude à sa façon.

Après avoir déposé mon linge chez moi, j'étais monté dans mon Accord, que je garais derrière la librairie. Lucy Brighton m'avait donné une adresse sur Skelton Drive, une rue qui, dans mon souvenir, se trouvait dans une partie agréable de la ville. La maison – un immense pavillon de plain-pied avec un double garage et, sur le devant, un grand jardin bien entretenu – profitait de l'ombre de plusieurs chênes majestueux qui étaient probablement nés avant Promise Falls.

Comme convenu, Lucy Brighton m'attendait dans l'allée, seule, au volant d'une Buick gris métallisé. Elle en descendit pendant que je me garais.

Lors de notre première rencontre, et malgré mon mètre quatre-vingts, elle m'avait regardé droit dans les yeux à travers ses lunettes ovales à monture métallique. Tout chez elle paraissait vertical : ses cheveux châtains qui lui tombaient sur les épaules, son long nez étroit, son manteau léger qui lui arrivait à mi-mollet et son pantalon noir aux plis impeccables.

Ses yeux marron étaient rougis à cet instant, et elle retira brièvement ses lunettes pour les tamponner avec un mouchoir.

— Cal, merci d'être venu.

— Je suis vraiment navré, dis-je.

— Il ne manquait plus que ça. J'arrive à l'instant de la morgue.

Elle se couvrit la bouche avec la main, le temps de se reprendre.

— J'ai dû identifier mon… C'était horrible. Le frère de Miriam va venir de Providence pour faire la même chose avec sa sœur puisque je ne fais pas officiellement partie de sa famille. C'était tellement… tellement… on n'imagine pas qu'une telle chose puisse vous arriver.

— Non.

— Ils allaient démolir l'écran dans une semaine. Quelqu'un a fait une erreur. Comment peut-on faire une erreur pareille ?

— Je l'ignore. Je suis sûr qu'ils vont tirer ça au clair.

Je commençai à me demander si ce n'était pas pour cette raison qu'elle souhaitait me parler. Pour que je cherche le responsable de la catastrophe du drive-in. Si tel était le cas, elle gaspillerait son argent. La police de Promise Falls obtiendrait très vraisemblablement le soutien de l'État et de Washington. La Sécurité intérieure viendrait peut-être même fourrer son nez dans cette affaire s'ils estimaient que ce n'était pas une simple boulette commise par une entreprise de démolition. Toutes ces enquêtes croisées seraient bien plus efficaces que la mienne.

— Je suis probablement en état de choc, dit Lucy Brighton. J'ai l'impression d'errer dans le brouillard. Comme si rien de tout cela n'était réel. Que ça ne *pouvait pas* être réel.

— Vous avez l'air de tenir le coup.

— Si c'est ça tenir le coup, qu'est-ce que ce serait si je craquais ? Parce que je vous assure que ça ne va pas tarder. Je ne sais pas quand ils vont le transférer au funérarium. Il y a tellement de choses à organiser. De gens à prévenir, les amis, la famille.

Avait-elle quelqu'un sur qui se reposer en ce moment ?

— Votre ex-mari viendra ? demandai-je.

Elle éclata de rire.

— Oui, c'est ça, Gerald. Monsieur Tu-peux-compter-sur-moi.

— J'imagine que c'est un non.

— Il vit à San Francisco. Je l'ai appelé pour lui annoncer la nouvelle : il n'a même pas assez d'argent pour aller à LA en bus, alors prendre l'avion jusqu'ici… Et à vrai dire, c'est préférable. Crystal est très perturbée quand elle le voit, et elle n'a vraiment pas besoin de ça.

Sa fille. Elle m'avait parlé d'elle, mais je ne l'avais jamais rencontrée.

— Perturbée comment ?

— Crystal idéalise son père, elle croit que, s'il ne vit pas avec nous, c'est parce qu'il a des choses plus importantes à faire. Combattre les extraterrestres, sauver les baleines, construire un bouclier thermique gigantesque pour stopper le réchauffement climatique. Elle ne peut pas imaginer que s'il ne vient pas voir sa propre fille, c'est qu'il n'en a tout simplement rien à faire. Non pas qu'elle me parle de ce qu'elle ressent, mais tout ça ressort dans ses dessins.

— Ses dessins ?

Lucy agita la main.

— Ça n'est pas important. Je ne vous ai pas appelé pour vous ennuyer avec ma vie privée.

Et puis, d'un coup, elle se couvrit la bouche des deux mains et se détourna, les épaules secouées de sanglots.

— Je suis désolée, parvint-elle à dire.

Je posai une main hésitante sur son épaule, la laissai là cinq bonnes secondes avant de la retirer.

— Ce n'est rien. Vous êtes submergée. N'importe qui le serait à votre place.

Elle renifla plusieurs fois, se moucha. Elle me tournait toujours à moitié le dos.

— Crystal n'a que onze ans. C'est déjà suffisamment difficile d'expliquer à n'importe quel enfant que les parents ne sont pas toujours là pour vous. Mais expliquer ça à Crystal…

— Je ne comprends pas.

Lucy renifla à nouveau.

— Elle n'est pas comme les autres enfants.

Elle glissa le mouchoir dans son sac à main, se redressa pour montrer qu'elle était déterminée à surmonter cette nouvelle épreuve. Je ne savais toujours pas pourquoi elle m'avait fait venir.

— Bon, dis-je. Et si vous m'expliquiez la raison de votre appel ?

Elle scrutait la maison avec ce qui ressemblait presque à de l'émerveillement. Non, pas de l'émerveillement, de l'appréhension plutôt.

— Quelque chose ne va pas, dit-elle.

— Vous avez dit que vous pensiez à un cambriolage.

— Oui, en effet.

— Vous êtes venue ici ce matin ? Après avoir appris que vos parents avaient été tués au drive-in ?

Elle me lança un regard de reproche.

— Pas mes parents. Mon père et sa femme.

— Adam Chalmers était votre père, mais Miriam...

— Sa troisième femme. Ma mère est morte quand j'étais adolescente. Mon père s'est remarié avec Felicia, ça a duré six ans, ensuite Miriam a débarqué.

— Vous étiez proche d'elle ?

— Non, dit Lucy. Je suppose... Je suppose que je désapprouvais.

— Pourquoi ?

Elle hésita.

— Vous allez penser que je suis...

— Que vous êtes quoi ?

— Un peu coincée, dit Lucy.

Lucy Brighton ne m'avait jamais fait cette impression. Dès notre première rencontre, elle m'avait paru ouverte d'esprit, pas le moins du monde moralisatrice. Elle respirait une sorte de sexualité sportive. Je ne lui avais pas posé la question, mais je la voyais bien ancienne championne d'athlétisme, ou gymnaste. Des pensées non professionnelles me passèrent par la tête : elle avait le physique pour pratiquer toutes sortes d'activités.

— Je doute que vous soyez coincée.

— Ça m'embêtait que Miriam soit plus jeune que moi.

— Quel âge avait-elle ?

— Trente ans. J'ai trente-trois ans, et mon père en a... *avait* cinquante-neuf. Vous n'avez pas idée à quel point c'est étrange, *bizarre* même, d'avoir trois ans de plus que la femme qui prétend être votre belle-mère.

— Je veux bien vous croire.

— La seule femme qui avait l'âge d'être avec mon père, c'était ma mère. Ils avaient vingt-deux ans tous les deux quand ils se sont mariés. Treize ans après, elle mourait, et moins d'un an plus tard, mon père se remariait.

— Avec Felicia.

75

Lucy confirma d'un hochement de tête.

— Elle était plus âgée que moi, elle au moins, mais de cinq ans seulement. Dix-neuf ans. N'importe qui aurait pu deviner que ça n'allait pas marcher. Elle l'a quitté six ans plus tard. Il a fallu un moment pour finaliser le divorce, et, en attendant, papa est sorti avec des tas d'autres femmes, et puis, il y a trois ans, il a rencontré Miriam.

Je me livrai de tête à un rapide calcul pour savoir quelle était la différence d'âge entre Lucy et moi. Dix ans, à peu près.

— Ça arrive, dis-je.

— Je sais. Et j'aurais dû pouvoir faire avec, mais ça me gênait que mon père ne soit pas capable de se comporter comme un homme de son âge. Il s'est ridiculisé. Miriam l'a rendu ridicule. Il a…

J'attendis la suite.

— Il a pu être poussé à faire certaines choses pour lui prouver, pour se prouver à lui-même, qu'il était encore un jeune homme.

Elle avait probablement raison, mais il était temps d'en revenir au motif de son appel.

— Qu'est-ce qui vous fait penser que quelqu'un est entré par effraction ?

Elle respira un grand coup.

— Quand la police m'a annoncé ce qui s'était passé, je suis venue ici. Je ne savais pas vraiment quoi faire d'autre, mais je savais aussi que, tôt ou tard, j'allais devoir prendre des vêtements pour le funérarium, et que se poserait la question de ce que j'allais faire de la maison et…

— Et quoi ?

— Quand je suis entrée dans la maison, j'ai entendu quelqu'un sortir par la porte de derrière.

12

Angus Carlson faisait ce qu'il pouvait, dans la mesure où il n'avait dormi que deux heures.

Il n'était rentré chez lui que peu après 4 heures du matin. Après avoir quitté le drive-in, il s'était rendu à l'adresse enregistrée pour la Mustang décapotable de 2006. Elle appartenait à Floyd et Renata Gravelle, Canterbury Street, mais il était fort peu probable qu'ils se soient trouvés dans la voiture, puisque les victimes, un homme et une femme, semblaient être de très jeunes gens.

Il dut sonner à la porte à deux reprises, en insistant lourdement la seconde fois, pour réveiller la maisonnée. Au bout d'une minute, il entendit quelqu'un crier : « J'arrive ! » Puis, une minute après, un homme en pyjama ouvrit la porte d'entrée, rejoint quelques secondes plus tard par une femme en robe de chambre.

Carlson présenta ses excuses, déclina son identité, se fit confirmer les leurs, et demanda s'ils possédaient une Mustang décapotable.

— Oui, dit Renata, mais notre fils Galen nous l'a empruntée. Est-ce qu'il y a eu… ? Oh, mon Dieu !

— Que s'est-il passé ? demanda Floyd Gravelle.

— Savez-vous si votre fils avait rendez-vous avec quelqu'un ce soir ? Au drive-in ?

Floyd regarda sa femme.

— Il y est allé avec Lisa, répondit celle-ci. Lisa Kroft.

— Vous auriez l'adresse de cette Lisa, madame ?

— Qu'est-il arrivé à notre fils ? insista le père.

Ça s'était mal passé. Et ça n'avait pas été mieux chez les Kroft. Ces deux visites l'avaient totalement rincé, mais il devait encore se rendre chez les Chalmers.

Arrivé sur place, comme ses coups de sonnette répétés et insistants restaient sans réponse, il en déduisit que personne ne vivait avec le couple. Il lui faudrait trouver des membres de la famille proche. Carlson remarqua un autocollant sur une des fenêtres de la maison : elle était protégée par Unyss. Upper New York State Security, une société de surveillance qui couvrait une vaste zone au nord et à l'est d'Albany. Il appela la ligne ouverte vingt-quatre heures sur vingt-quatre de la société, se présenta et expliqua qu'il cherchait à joindre toute personne apparentée à Adam Chalmers. L'employé consulta les fichiers clients et informa Carlson qu'une Lucy Brighton était enregistrée comme contact. Si l'alarme se déclenchait, et qu'Unyss n'arrive pas à joindre M. Chalmers, l'appel suivant était adressé à Mme Brighton.

On ne pouvait pas appeler les gens au milieu de la nuit pour leur annoncer ce genre de nouvelle, alors il googla le numéro sur son téléphone et trouva une adresse dans les quartiers sud de Promise Falls. Une fois encore, après s'être arrêté devant une maison à deux niveaux avec une berline Buick dans l'allée, il dut donner plusieurs coups de sonnette avant de voir apparaître Lucy Brighton dans l'encadrement de la porte d'entrée, suivie par une fillette, les yeux lourds de sommeil, qui se planta devant lui sans prononcer un mot. Sa mère lui demanda d'aller se coucher, et la petite fille lui obéit sans manifester le moindre signe de rébellion.

Le cri de désespoir que cette femme poussa en apprenant la nouvelle provoqua le retour de sa fille.

— Papa m'avait parlé de la dernière séance du drive-in, qu'il y assisterait peut-être. C'est un dingue de cinéma, il a écrit pour le cinéma et... je n'arrive pas à y croire. Ce doit être une erreur. Vous êtes sûr que c'était sa voiture ?

— Il s'agit d'une Jaguar. Un modèle de collection, rouge. Une type E.

Lucy Brighton s'appuya d'une main contre le montant de la porte.

— Elle était immatriculée AFV-5218 ? demanda la fillette.

Sa mère se retourna : jusque-là, elle ne s'était pas rendu compte que sa fille était revenue.

— Oh, Crystal.

Elle tendit le bras et l'attira contre elle.

Carlson jeta un coup d'œil à ses notes.

— C'est bien cette immatriculation, confirma-t-il.

Il regarda la petite fille.

— Tu as une bonne mémoire.

— Il est arrivé quelque chose à la voiture de grand-père ? demanda la fillette.

— J'ai bien peur que oui.

— J'aime cette voiture.

— J'imagine.

— Ma chérie, intervint Mme Brighton, j'essaie juste de comprendre ce...

— Ils sont morts ?

Mme Brighton serra l'enfant dans ses bras, lui caressa la tête.

— Ne t'en fais pas. Ça va aller.

— J'espère qu'ils ne sont pas morts, dit la fillette, impassiblement, en essayant de se dégager de l'étreinte de sa mère. Je suis censée aller là-bas samedi pendant que maman sera à sa conférence. J'aime aller chez mon grand-père. Il a des flippers dans son sous-sol.

Cette dernière phrase était destinée à Carlson.

— Ah oui ? répliqua celui-ci.

— Miriam est gentille avec moi. Ce n'est pas ma grand-mère, mais elle est gentille avec moi.

— Ma chérie, monte te coucher, s'il te plaît. Je viendrai te voir quand le policier sera parti.

— D'accord, dit la petite avant de remonter l'escalier.

— J'aurais juste encore quelques questions, ajouta Carlson.

Il avait aussi des informations à communiquer, concernant notamment l'endroit où seraient transférées les dépouilles.

Dix minutes plus tard, il rentrait chez lui dormir un peu avant de repartir au poste à 8 heures pour donner son rapport. Il essaya de faire le moins de bruit possible en entrant dans la maison, mais, comme chaque fois, les lames de ce foutu parquet grincèrent sous ses pieds, trahissant sa présence.

— Angus ?

La voix venait de l'étage.

— C'est moi. Rendors-toi, Gale.

Une femme d'une trentaine d'années apparut sur le palier du premier étage. Elle alluma une lampe. Ses cheveux étaient courts et méchés, et elle portait une robe de chambre usée jusqu'à la trame.

— Tu aurais dû être rentré depuis longtemps.

Ce n'était pas un reproche, seulement une constatation.

— J'aurais bien appelé mais je t'aurais réveillée.

— Qu'est-ce qui se passe ?

— Un truc de dingue. L'écran du drive-in s'est effondré, il y a des morts.

— Oh, mon Dieu, comment ça a pu arriver ?

Il agita la main, trop fatigué pour trouver l'énergie de lui donner les explications qu'elle attendait.

— Va savoir. Retourne te coucher.

— Je ne dormais pas.

— N'empêche, tu devrais...

— Je réfléchissais.

— Il faut que je mange un morceau, dit-il.

Gale descendit l'escalier, le suivit dans la cuisine et lui demanda ce qu'il voulait manger. Elle pouvait lui réchauffer un reste de bœuf en sauce, ou alors, puisqu'on était plus près du petit déjeuner que du dîner, lui préparer des œufs brouillés.

Il ouvrit le frigo, prit une bière.

— Ça fera l'affaire pour l'instant.

— Je me disais que...

— Je suis vraiment claqué. Ça ne peut pas attendre ?

— Tu ne sais même pas ce que j'allais dire.

— Je ne sais pas ? dit-il avant de boire une gorgée au goulot de la bouteille et de s'essuyer la bouche d'un revers de main. Voyons si j'arrive à deviner.

Il rouvrit le frigo, en sortit de la charcuterie emballée et fourra une poignée de tranches de salami italien dans sa bouche.

— Tu penses qu'on est prêts, tenta-t-il. Ton horloge biologique commence à s'affoler. Si on doit le faire, c'est maintenant ou jamais. Pourquoi attendre ? Un enfant fera de nous une famille. (Il inclina la tête dans sa direction.) Je brûle ?

Les larmes commençaient à brouiller la vision de la jeune femme.

— Tu ferais un père merveilleux, affirma Gale. Je le sais.

— Ce n'est pas ça qui m'inquiète, rétorqua Carlson en enfournant une autre poignée de charcuterie.

— Tu t'inquiètes pour moi ? C'est ça ? Tu es en train de dire que je ne serai pas une bonne mère ?

— Non, ce n'est pas ce que je veux dire, répondit Carlson tout en mâchant son salami.

— Mais c'est ce que tu penses.

— Aucune femme ne fait un enfant en se disant qu'elle ne sera pas une mère formidable. C'est après avoir accouché que certaines d'entre elles se rendent compte qu'elles ne savent pas s'y prendre.

— Je sais qu'on saura, nous.

Angus Carlson la dévisagea.

— Personne n'est jamais sûr de rien.

— Ça ne doit pas forcément se passer comme ça s'est passé pour toi, insista Gale en tendant la main pour toucher le bras de son compagnon. Ce n'est pas parce que ta mère...

Carlson eut un mouvement de recul.

— Il faut que je dorme un peu. Je commence tôt.

Son téléphone sonna deux heures plus tard. Trente minutes après son réveil, il était au poste, prêt à repartir pour le drive-in, mais Duckworth avait d'autres projets pour lui.

— Des experts en explosifs de l'État viennent nous donner un coup de main aujourd'hui et on a tous les agents qu'il faut pour interroger les témoins. Je veux que vous alliez à Thackeray.

— Thackeray College ? Pourquoi ? demanda Carlson.

— L'affaire Mason Helt.

Mason Helt était un étudiant de Thackeray qui avait été abattu par le responsable de la sécurité. Helt avait été tué après qu'il avait agressé Joyce Pilgrim, une vigile. Cette dernière avait servi d'appât dans une opération visant à mettre la main sur l'agresseur de trois étudiantes de Thackeray.

— Le dossier n'est pas bouclé ? demanda Carlson. Ils ont arrêté le type.

— D'après Mme Pilgrim, Helt aurait dit avant de mourir qu'on l'avait incité à faire ça, qu'il s'agissait d'une sorte de prestation, une performance de commande. Je veux qu'on procède à quelques interrogatoires. Il faut qu'on sache si quelqu'un d'autre est lié à cette affaire.

— Vous ne me trouvez pas suffisamment bon pour travailler sur l'affaire du drive-in, suggéra Carlson.

Duckworth lui décocha un regard noir, mais botta en touche.

— Si cet écran ne s'était pas effondré hier soir, c'est moi qui serais à Thackeray ce matin en train de poser des questions.

— Très bien.

Duckworth allait sortir du bureau quand il se retourna vers Carlson.

— À propos de Duncomb…

— Duncomb ?

— Clive Duncomb. Leur chef de la sécurité, celui qui a plombé Helt. Un ancien flic de Boston. Il se prend pour John Wayne. Il aurait dû nous mettre dans le coup dès le début mais il a préféré gérer ça lui-même. Jusqu'à maintenant, il semble avoir l'administration derrière lui, mais Duncomb est le roi des cons.

— D'accord, dit Carlson.

Un silence, puis :

— Merci pour l'info.

Les trois étudiantes agressées par Helt s'appelaient Denise Lambton, Erin Stotter et Lorraine Plummer. Aucune n'avait vu son visage, mais les trois avaient décrit le même vêtement – un sweat à capuche avec le numéro 23 cousu sur le devant.

C'était la fin du semestre, et la plupart des étudiants étaient rentrés chez eux. Erin Stotter était retournée à Danbury, dans le Connecticut, et Denise Lambton s'était envolée pour Hawaï, un cadeau de fin d'études offert par ses parents. Lorraine, elle, était restée sur le campus parce qu'elle s'était inscrite aux cours d'été. Elle avait accepté de rencontrer Carlson dans le réfectoire principal de l'université, une salle au plafond voûté grande comme un stade. Il n'y avait qu'une demi-douzaine d'étudiants quand il entra dans la salle. Lorraine était assise dans un coin et travaillait sur un petit ordinateur portable, un gobelet en carton rempli de café posé à côté d'elle.

— Mademoiselle Plummer ?

— C'est vous, le policier ? demanda l'étudiante.

La jeune fille ne devait pas faire plus d'un mètre cinquante et cinquante kilos toute mouillée. Elle avait des cheveux noirs mi-longs et était vêtue d'un sweat-shirt gris et d'un jean.

Il lui tendit la main, qu'elle serra.

— Carlson, dit-il en s'asseyant en face d'elle.

— Vous voulez me poser des questions au sujet du type qui m'a agressée, c'est ça ?

— J'imagine que vous avez déjà tout dit, mais ça nous aiderait si vous pouviez reprendre vos déclarations.

— Mais ils l'ont tué, non ? Je veux dire, ce n'est pas terminé ?

— Ce que nous voudrions savoir, c'est ce que Mason Helt vous a dit quand il vous a agressée.

— D'accord, eh bien, je marchais au bord de l'étang de Thackeray... Vous connaissez ?

— Oui.

C'était le petit plan d'eau du campus. La plupart des photos de l'université le représentaient avec le reflet des majestueux bâtiments en arrière-plan. Les étudiants aimaient s'y retrouver pour se promener ou courir.

— Je faisais le tour à pied vers 22 heures. Il n'y avait pas un chat, ce qui était stupide de ma part... je m'en rends compte maintenant. C'est au moment où je me suis approchée des arbres que tout à coup ce type a surgi et m'a attrapée. Je ne suis pas bien lourde, et il m'a ceinturée, soulevée et entraînée dans les buissons. J'étais totalement effrayée et j'allais crier, mais il m'a jetée par terre tout en plaquant sa main sur ma bouche. Ensuite, il m'a dit de ne pas avoir peur, que tout se passerait bien.

— Qu'est-ce qu'il vous a dit, exactement ?

Elle réfléchit un moment, but une gorgée de café.

— C'est difficile dans ce genre de situation de se rappeler mot pour mot ce que votre agresseur vous dit, mais c'était quelque chose du genre : « Je ne vais pas te faire de mal. Je ne vais rien te faire. Mais dis-leur ce qui s'est passé. Dis-leur d'avoir peur. » Oui, quelque chose comme ça.

— « Dis-leur d'avoir peur » ?

Lorraine confirma d'un signe de tête.

— Le dire à qui ?

— Il n'a pas vraiment précisé. Tout le monde, je suppose ?

— Deux autres étudiantes de ce campus, Erin Stotter et Denise Lambton, ont subi la même épreuve que vous.

— Oui. Je les connais, mais pas très bien. Elles m'ont dit qu'il leur avait tenu des propos du même style. Mais vous savez probablement déjà tout ça, non ? M. Duncomb, le chef de la sécurité du campus, a dû vous transmettre ces informations ?

Carlson savait surtout que Duckworth lui avait confié que ces informations étaient parvenues tardivement à la police de Promise Falls.

— Qu'est-ce qui vous fait croire ça ? demanda-t-il.

— Eh bien, alors que je voulais me rendre moi-même à la police pour porter plainte, il m'a dit qu'il se chargerait de transmettre la déposition que j'avais faite auprès de lui, et que, si vous vouliez en savoir plus, vous demanderiez à m'interroger directement.

Carlson sourit.

— Et il l'a fait, n'est-ce pas ?

Lorraine hocha la tête.

— J'ai supposé qu'il le ferait. Parce que je le connais un peu, et je pensais qu'il serait sincère avec moi.

— Comment se fait-il que vous connaissiez le chef de la sécurité de votre université ?

— Il m'a invitée chez lui une fois pour me présenter un de ses amis écrivain.

Elle rougit.

— Un écrivain ? demanda Carlson.

— Je me suis totalement ridiculisée. J'ai trop bu et j'ai plus ou moins comaté. Le lendemain, j'étais dans un état bizarre.

Elle hésita un moment avant d'ajouter :

— Mais ils ont été très indulgents avec moi.

— Vous dites qu'il comptait informer la police locale de ce qui s'était passé ?

Elle hocha lentement la tête.

— Je vous remercie, mademoiselle. Si les besoins de l'enquête l'exigent, je reviendrai vous interroger.

— Bien sûr, je comprends. Au revoir, monsieur l'inspecteur.

En sortant du réfectoire, Carlson appela Duckworth sur son portable.

— Je viens de parler à Plummer, l'étudiante.

— Bien.

— Elle voulait aller à la police juste après son agression, mais Duncomb a dit qu'il s'en chargerait pour elle.

— Ce qu'il n'a jamais fait.

— Exact. J'ai pensé que ça vous intéresserait.

Un silence. Puis :

— Je lui en toucherai un mot.

— Je vais aller lui rendre une petite visite.

— Non, dit Duckworth. Laissez-moi m'en occuper. En fait, il se peut que Rhonda veuille le convoquer.

Rhonda Finderman, le chef de la police de Promise Falls.

— Je suis sur place, insista Angus Carlson.

— Non, attendez...

Trop tard, Carlson avait raccroché.

— Je cherche Duncomb, dit Carlson au jeune homme à l'accueil des bureaux de la sécurité du campus.

— Il est en réunion, mais si vous voulez bien vous asseoir, je peux...

Carlson se dirigea vers la porte fermée qui portait le nom et la fonction de Clive Duncomb. Il tourna la poignée et entra.

Duncomb était à son bureau et discutait avec un homme assis en face de lui.

— Oui, c'est à quel sujet ? demanda-t-il en levant les yeux.

— Angus Carlson. Police de Promise Falls.

Il montra rapidement son insigne.

— C'est bien joli, dit Duncomb. Mais je suis en pleine conversation, là, tout de suite.

— C'est important.

Duncomb soupira.

— Désolé, Peter, s'excusa-t-il auprès de son interlocuteur. Tu veux bien attendre dehors pendant que je m'occupe de monsieur ?

Le dénommé Peter pivota sur son siège. Carlson lui donnait une quarantaine d'années. Avec son gabarit poids coq, ses cheveux négligés qui tombaient sur son col, son veston en tweed usé aux poignets, il ne lui manquait plus qu'un badge avec l'inscription « Professeur ».

— Vous êtes de la police ?

— C'est exact.

Peter jeta un regard nerveux à Duncomb.

— Clive, ce ne serait peut-être pas une mauvaise idée de...

Duncomb secoua sèchement la tête.

— Peter, je suis sûr que ce n'est rien. On se reparle tout de suite. Tout ira bien.

— Et pour l'autre sujet...

Duncomb lui lança un regard sévère.

— Je te l'ai dit, on s'en occupe. Ne t'en fais pas.

L'homme se leva avec hésitation et sortit du bureau sans un mot pour Carlson.

— L'inspecteur Duckworth n'est pas avec vous ? demanda Duncomb. Il est parti s'acheter un donut ?

— Qui était-ce ? demanda Carlson, en s'asseyant sur le siège laissé libre par le dénommé Peter.

— Un professeur.

— De quoi voulait-il me parler ?

— Il ne voulait pas vous parler. Il ne veut pas vous parler. Ce n'est rien. Une affaire personnelle. Qu'est-ce que vous voulez ?

Carlson se cala dans son siège, ouvrit son calepin.

— Je viens de parler à Lorraine Plummer.

— Lorraine Plummer, Lorraine Plummer…, répéta-t-il en levant les yeux au plafond, comme s'il cherchait à mettre un visage sur ce nom.

— Une des trois jeunes femmes agressées ici, à Thackeray.

Le visage de Duncomb s'éclaira d'un grand sourire.

— Voilà, c'est ça. Erin Stotter, Denise Lambton et enfin, et surtout, Lorraine Plummer. Les trois étudiantes que Mason Helt a agressées avant que je ne m'occupe de son cas.

— En lui tirant une balle dans la tête.

Les épaules de Duncomb se soulevèrent, retombèrent.

— Ce qui, apparemment, n'a contrarié personne, puisqu'on ne m'a accusé de rien. C'était une situation de légitime défense. J'ai sauvé un membre de mon équipe. Joyce Pilgrim. Helt l'aurait tuée si je n'étais pas intervenu.

— Ce n'est pas mon interprétation.

— Pas *votre* interprétation ? Et quelle est votre interprétation ?

— Qu'il ne lui aurait fait aucun mal.

Duncomb hocha la tête avec ironie.

— Oui, c'est toujours une bonne stratégie quand vous avez affaire à quelqu'un qui vient de vous pousser dans les buissons pour vous arracher votre petite culotte. Le croire quand il vous dit qu'il ne vous veut aucun mal.

— C'est aussi ce qu'il a dit à Lorraine Plummer.

Nouveau haussement d'épaules.

— J'aimerais vous poser une question, si vous le permettez, inspecteur... C'est quoi votre nom, déjà ?

— Carlson. Angus Carlson.

— Angus ? C'est quoi, ce nom ? Ce n'est pas une race de bovins, ça ?

Carlson sentit sa nuque le picoter.

— Depuis combien de temps êtes-vous inspecteur, Angus Carlson ? demanda Duncomb en mettant bien l'accent sur le prénom.

Il hésita.

— C'est une nomination récente. Mais je suis membre de la police de Promise Falls depuis quelques années. J'étais dans l'Ohio avant. Lorraine Plummer m'a dit qu'elle voulait appeler la police, mais que vous l'en avez dissuadée. Que vous lui avez dit que ce n'était pas nécessaire, que vous vous en chargeriez vous-même.

Duncomb resta muet.

— Mais vous ne l'avez jamais fait, poursuivit Carlson. Vous aviez donné à Lorraine Plummer l'assurance que ses déclarations seraient transmises aux autorités compétentes. Elles ne l'ont pas été. Je me demande si la famille de Mason Helt, qui, d'après ce que j'ai entendu dire, intente un procès à l'université, sait que vous avez empêché le lancement d'une enquête qui aurait permis à la police d'appréhender Mason Helt sans violence, et surtout avant que vous ne vous trouviez dans l'obligation de le tuer.

Un tic nerveux agita la joue de Duncomb.

— Autre chose, ajouta Carlson. Quand j'ai mentionné le nom de Lorraine Plummer, vous avez semblé avoir eu du mal à vous souvenir de qui il s'agissait.

— Je ne peux pas mémoriser le nom de tous les étudiants de Thackeray. Même de ceux qui se font remarquer.

— Bien sûr. Sauf qu'elle a dit vous connaître personnellement, que vous l'aviez présentée à un ami écrivain et que vous aviez dîné tous les trois un soir. (Carlson sourit.) Je suis sûr qu'on se reverra, vous et moi.

Après le départ de Carlson, Duncomb se tourna vers son ordinateur, tapa un nom sur son clavier, et la fiche d'un étudiant emplit l'écran. Elle révélait la photographie de Lorraine Plummer, son numéro de téléphone, son adresse mail, la liste des cours qu'elle venait de terminer, et de ceux auxquels elle s'était inscrite pour l'été.

— Petite salope, articula-t-il nerveusement.

13

L'inspecteur Duckworth aurait voulu que les crimes soient mieux répartis dans le temps.

Il n'avait vraiment pas besoin d'une explosion dans un drive-in là, tout de suite. Quitte à faire sauter le Constellation, pourquoi ne pas l'avoir fait au mois de mars ? Ou remettre ça à l'automne ? Pourquoi les méchants du nord de l'État de New York ne le consultaient pas avant de passer à l'acte ?

Il s'assit, fatigué, à son bureau, après qu'Angus Carlson s'était mis en route pour Thackeray College. Pourquoi devait-il se coltiner un petit nouveau ? Pour qui se prenait-il, ce Carlson, qui estimait qu'enquêter sur l'éphémère règne de terreur de Mason Helt était indigne de lui ?

La veille au soir, quand on l'avait informé de la catastrophe du drive-in, il avait déjà plus que son lot de problèmes.

Il était préoccupé par les meurtres d'Olivia Fisher et de Rosemary Gaynor. Le premier, trois ans auparavant, le deuxième ce mois-ci.

Il pensait être sur le point de résoudre l'affaire Gaynor. Il tenait un suspect. Le Dr Jack Sturgess, qui avait organisé le vol de l'enfant nouveau-né de Marla Pickens pour le confier à Bill et Rosemary Gaynor, et qui était également responsable de l'assassinat d'un maître chanteur et d'une vieille femme, faisait effectivement un bon candidat. Il avait un mobile. Rosemary

Gaynor avait fini par comprendre que l'adoption était illégale. De là à penser que Sturgess l'avait tuée pour la faire taire, il n'y avait qu'un pas : si elle avait parlé, il aurait été ruiné.

Ce qui faisait tiquer Duckworth, c'était l'extrême sauvagerie du meurtre de Rosemary comparé à ceux dont il avait la certitude qu'ils avaient été commis par Sturgess. Le maître chanteur, Marshall Kemper, avait été tué au moyen d'une injection létale et la vieille voisine de Kemper, Doris Stemple, avait été étouffée avec un oreiller. Mais Rosemary Gaynor avait été littéralement éventrée.

Cet horrible sourire irrégulier qui allait d'une hanche à l'autre.

Ça ne cadrait pas avec le style du médecin.

Duckworth aurait bien voulu croire que Sturgess avait changé son *modus operandi*, histoire de boucler cette affaire. Il n'avait même pas besoin de chercher les preuves de la culpabilité de Sturgess : le médecin était mort.

Mais il y avait eu ce rendez-vous de travail avec Wanda Therrieult au cours duquel elle avait comparé des photos de l'autopsie de Rosemary Gaynor avec celles d'Olivia Fisher. Les deux femmes avaient été tuées de manière identique. L'entaille qui s'incurvait vers le bas-ventre. Les marques de doigts similaires laissées sur leur cou par leur agresseur.

Si Sturgess avait tué Gaynor, alors il avait dû tuer Fisher. Or, pour l'instant, Duckworth n'avait trouvé aucun lien entre le médecin et Olivia.

Peut-être que Sturgess n'avait tué aucune de ces deux femmes.

Et si tel était le cas, le coupable était toujours dans la nature.

Ces pensées avaient tourné en boucle dans son esprit jusqu'à l'explosion de l'écran du Constellation.

Bon, ce n'était pas tout à fait vrai. Il y avait aussi le numéro 23. Les vingt-trois écureuils pendus à cette clôture. Le numéro 23 sur le sweat à capuche de Mason Helt. Les trois mannequins sur lesquels on avait peint l'inscription VOUS ALLEZ PAYER dans la nacelle 23 de la grande roue de Five Mountains. C'était *peut-être* une coïncidence, mais avant de se pencher sur la signification de ce nombre, il devait trouver l'assassin des deux femmes.

Duckworth avait toujours des doutes à propos de Bill Gaynor. Pas tant au sujet de la mort d'Olivia Fisher que de celle de sa femme. Les maris et les petits amis étaient toujours en haut de la liste des suspects quand une femme était assassinée.

Il avait un mobile. Une police d'assurance d'un million de dollars avait été souscrite au nom de Rosemary.

Le problème était l'opportunité. Bill Gaynor assistait à un week-end de conférences à Boston au moment où sa femme avait été tuée. Sa voiture n'avait pas quitté l'hôtel jusqu'à ce qu'il la récupère pour rentrer chez lui le lundi matin.

Il fallait qu'il se penche une nouvelle fois sur cet alibi. Il allait aussi s'intéresser de bien plus près à la personnalité de Bill Gaynor. Quel genre d'homme était-il ? S'il était vrai qu'il avait aidé Sturgess à tuer Marshall Kemper, ce n'était pas lui qui avait planté cette seringue dans son cou. Jusque-là, Gaynor n'avait jamais eu aucun démêlé avec la justice.

Mais bon, Jack Sturgess non plus.

Il y avait encore beaucoup de travail de terrain sur cette affaire.

Son portable sonna.

— Oui ?

— Barry Duckworth ?

— Lui-même.

— Michelle Watkins à l'appareil. C'est moi, la Madame Explosifs. Je suis au drive-in, mais vous, où êtes-vous donc passé ?

Le travail de terrain sur l'affaire Sturgess allait devoir attendre.

14

Cal

Je ne constatai aucune trace d'effraction au domicile d'Adam et Miriam Chalmers, mais si Lucy avait entendu quelqu'un s'enfuir par la porte de derrière au moment où elle entrait dans la maison, c'est bien qu'on y avait pénétré.

Je fis le tour de la propriété accompagné par Lucy Brighton. La maison avait été bâtie à flanc de colline, avec juste assez de pente sur l'arrière pour construire un sous-sol donnant de plain-pied sur une piscine haricot d'une dizaine de mètres de long. Lucy m'expliqua que si les portes coulissantes étaient verrouillées, c'était parce qu'elle avait sécurisé les lieux après l'incident.

La maison se trouvait à moins d'une vingtaine de mètres d'une étroite bande boisée. De l'autre côté s'alignaient les jardins des maisons de la rue d'à côté, où l'intrus s'était probablement garé.

La serrure de la porte d'entrée ne présentait aucune éraflure. Lucy, utilisant son propre jeu de clés, me fit entrer. Le bip d'un système d'alarme se fit aussitôt entendre. Elle saisit un code à quatre chiffres sur un pavé numérique, et le bruit cessa.

— Vous avez reçu un appel de la société qui gère l'alarme ? demandai-je.

S'il y avait eu effraction et si la société de surveillance avait été alertée, un employé aurait probablement appelé Lucy faute d'avoir pu joindre les Chalmers.

— Non, dit-elle. J'ai eu la visite de la police. Ils ont réussi à me retrouver en passant par la société de surveillance. Ils avaient vu son autocollant sur la fenêtre.

— L'alarme était branchée quand ils sont allés au cinéma hier soir ?

— J'imagine que oui.

— Mais vous n'en êtes pas certaine ?

— Non, mais ce n'était pas le genre de mon père de sortir de la maison sans brancher l'alarme.

— Une fois à l'intérieur, il faut taper le code rapidement si on ne veut pas être dérangé par la police dans un laps de temps très court ?

— C'est exact.

— Et pour entrer, il faut une clé.

— Évidemment.

— Est-ce que, à votre connaissance, votre père ou sa femme avaient confié une clé et le code à quelqu'un d'autre ?

— Non, dit Lucy. Mais c'est possible.

Elle referma la porte derrière nous.

Je n'y connais pas grand-chose en matière de décoration. Il suffit de visiter mon appartement pour s'en persuader. Du temps où j'avais une famille, et un foyer, c'était Donna qui s'occupait de ce genre de choses, et elle faisait ça très bien. Elle n'avait toutefois jamais renoncé à essayer de faire mon éducation quand il était temps de changer le canapé ou la table de la salle à manger. J'étais tout juste capable de distinguer le style *arts and crafts* du style *pop*, ce qui revenait peu ou prou à se vanter de pouvoir différencier un chat d'une mangouste. La maison des Chalmers me paraissait être « contemporaine ». Le mobilier du séjour, aux lignes épurées, offrait diverses nuances de gris et de taupe. Le piétement des chaises était en métal, et, sur une table basse, des exemplaires récents de *Vanity Fair* et du *New Yorker* étaient disposés en un éventail parfait. Les peintures au mur n'étaient pas abstraites au point que je ne puisse pas deviner ce qu'elles étaient censées représenter : une femme assise devant son miroir, en train d'arranger ses cheveux, pour la première ; un cheval galopant au bord d'une falaise, pour la seconde.

— Qu'est-ce qui a disparu ? demandai-je.

Lucy hésita.

— Rien qui me saute aux yeux. Mais ça pourrait être quelque chose que je n'ai jamais vu. C'est pour cela que, lorsque je saurai qui s'est introduit dans cette maison, j'aurai peut-être une idée de ce qu'il cherchait.

— Êtes-vous suffisamment familière des lieux pour remarquer la disparition d'une peinture, ou d'un autre objet de valeur ?

Elle me regarda de travers. Peut-être pensait-elle que j'essayais de me faire une idée de son degré d'intimité avec son père et sa femme.

— Je pense que oui, dit-elle lentement.

— Est-ce que votre père gardait de l'argent dans la maison ? Est-ce qu'il avait un coffre ?

— Pas que je sache. Mais il y a un bureau.

— Commençons par là.

Pour nous y rendre, nous traversâmes la cuisine, qui était tout droit sortie d'une de ces émissions de la chaîne Maison et Jardin, et plus vaste que mon studio. Une pièce tout en longueur avec sept tabourets en cuir alignés d'un côté. De l'électroménager allemand haut de gamme en aluminium brossé. Un réfrigérateur qui aurait pu contenir une vache.

Nous longeâmes un couloir, passâmes devant une grande chambre. Je passai la tête à l'intérieur. Un lit de la taille du Massachusetts, et encore assez de place pour en faire le tour. À première vue, tout semblait à sa place. Aucun tiroir n'était ouvert, et on n'avait pas touché au couvre-lit. J'aperçus la porte d'une salle de bains attenante. Je n'y remarquai rien de particulier non plus.

La pièce suivante était manifestement le bureau. Une table de travail, un grand écran, un clavier, ainsi qu'un ordinateur portable sur le côté. Des livres, deux mugs remplis de stylos. Une imprimante dont le bac à papier était vide, et un emballage de marque Staples qui avait contenu une rame de papier au format lettre.

— Mon père était écrivain, dit Lucy.

Il y avait deux agrandissements de jaquette de livre encadrés sur le mur. L'une portant pour titre *La Racaille de l'Amérique*, l'autre, *À fond la haine*. Les deux illustrations empruntaient à l'imagerie *biker*. On y voyait aussi pas mal d'hémoglobine.

Puis mon regard s'arrêta sur une grande photo en noir et blanc, elle aussi encadrée. Cinq motards barbus, se prenant par les épaules et posant devant leurs Harley.

— Mon père, c'est celui du milieu, dit Lucy.

Je me penchai pour le regarder de plus près. Difficile de savoir à quoi il ressemblait vraiment avec tous ces poils sur la figure et ce bandana sur le front.

Je regardai Lucy.

— Cette maison n'a rien d'une piaule de biker.

— Ça ressemble à quoi, une piaule de biker ?

— À un bunker. Des parpaings avec des barreaux aux fenêtres, c'est comme ça que je verrais la déco.

— Ça faisait des années qu'il ne faisait plus de moto. Il avait tourné la page, commencé une nouvelle vie.

Je jetai un coup d'œil aux jaquettes des livres.

— Mais il écrivait sur le sujet.

Elle confirma d'un mouvement de tête.

— Et il a vendu suffisamment de livres pour s'offrir cette maison, et mener une existence plutôt agréable. Même s'il n'avait rien publié depuis quelques années.

— Il trempait dans quoi, à l'époque ? demandai-je en désignant la photo d'un mouvement de tête. D'illégal, s'entend.

— Des tas de choses, biaisa Lucy. Mais c'était il y a longtemps.

Elle secoua la tête, comme si elle voulait changer de sujet.

— Est-ce qu'il y a quelque chose qui ne vous paraît pas à sa place ici ? demandai-je.

— À première vue, non.

Je me laissai tomber sur la chaise de bureau, inspectai la pièce du regard. Pas grand-chose à voir à part l'ordinateur, des bouchons de feutre Sharpie, quelques livres. Je remuai la souris pour ranimer l'écran. Rien d'autre qu'une photo de la Terre vue du ciel, un fond d'écran Apple standard. La barre d'applications habituelles sur la barre des tâches en bas.

Il y avait des tiroirs de chaque côté.

— Vous êtes sûr de vouloir faire ça ? dit Lucy, alors que je m'apprêtai à en ouvrir un.

— Pourquoi ? Vous pensez qu'ils sont piégés ?

— Non. Mais si quelqu'un s'est introduit ici pour fouiller ce bureau, il y a peut-être laissé ses empreintes. Vous ne devriez pas commencer par... comment appelez-vous ça, le relevé d'empreintes digitales ?

— Je ne suis pas vraiment équipé pour ça, Lucy. Et même si je cherchais des empreintes, je n'ai pas accès aux fichiers nationaux. Je ne suis pas policier et...

— La police est trop occupée par ce qui s'est passé au drive-in.

— C'est précisément là où je voulais en venir, Lucy. Les flics ont des ressources limitées, particulièrement à Promise Falls, et si vous leur dites que quelqu'un s'est introduit dans la maison sans leur donner la liste des objets qui vous ont été dérobés, ils ne pourront rien faire pour vous. Alors...

J'ouvris le tiroir du haut. Des carnets de chèques, des stylos, des trombones. Je passai tous les autres en revue un par un. Reçus, vieilles déclarations d'impôts, quelques recensions de livres découpées dans les journaux. Rien d'intéressant. En même temps, s'il y avait jamais eu quelque chose d'intéressant dans ces tiroirs, ce quelque chose n'y serait plus.

— Continuons à chercher, dis-je. Allons voir au sous-sol.

Lucy me conduisit à un escalier sécurisé par un garde-corps en fer forgé et qui descendait à l'étage inférieur en décrivant un quart de cercle.

— Et Miriam ? demandai-je en chemin. Votre père était écrivain. Et elle, elle faisait quoi ?

— Elle satisfaisait les besoins de mon père.

Le sous-entendu ne nécessitait aucune explication supplémentaire.

— Et avant cela ?

— Elle était photographe. Elle faisait des portraits. Elle a rencontré papa quand son éditeur a demandé une nouvelle photo d'auteur. Ils rééditaient deux de ses premiers livres. Elle est venue à la maison pour la séance photo et y est restée toute une semaine.

Au pied de l'escalier, une bibliothèque d'un mètre cinquante de large se dressait jusqu'au plafond. De grands et beaux livres pour la plupart. J'en examinai quelques-uns, constatai que beaucoup étaient consacrés au cinéma. Des ouvrages sur Orson Welles, Steven Spielberg, François Truffaut, Alfred Hitchcock. Plusieurs volumes sur l'histoire du sexe dans le cinéma. Dont l'un, intitulé sobrement *Obscénité et Cinéma*.

— J'avais demandé à papa je ne sais combien de fois de les mettre hors de portée de Crystal, dit Lucy, mais il me rétorquait qu'elle était trop jeune pour que ça l'intéresse.

— Crystal passait du temps ici ?

— Elle adorait son grand-père. Ce n'est pas une enfant démonstrative, mais ça se voyait. Crystal l'aimait et il l'aimait. Il était patient avec elle, malgré toutes ses manies, alors qu'il ne l'était jamais pour qui que ce soit.

— Qu'est-ce que vous voulez dire par là ?

— Mon père et surtout Miriam… avaient tendance à voir le monde de leur point de vue. Miriam était le genre de personne à écouter sa musique à fond et à ne pas comprendre que les voisins lui demandent de baisser le son. Peut-être qu'ils étaient faits l'un pour l'autre, d'une certaine manière. Des hédonistes typiques.

— Votre père ne se souciait que de lui-même ?

— Essentiellement, même si je pense qu'il faisait des exceptions pour sa fille et sa petite-fille.

Les maisons de style ranch permettaient d'aménager de grands sous-sols, et celle-ci ne faisait pas exception. Je fis quelques pas dans la vaste pièce meublée d'une table de billard, d'une demi-douzaine de flippers alignés contre un mur, d'un baby-foot. Et, ce qui était peut-être le plus impressionnant, du moins pour l'enfant qui sommeillait en moi, d'un circuit de petites voitures sur une table d'environ un mètre cinquante sur trois. Il était entièrement paysagé, avec des collines, des arbres, des constructions, et même des tribunes remplies de personnages miniatures.

— Votre père aimait jouer.

— Oui, dit Lucy Brighton, qui se tenait toujours près de la bibliothèque. Il était resté un petit garçon, au fond.

J'examinai les baies coulissantes qui donnaient accès à la piscine. Une fois l'alarme désactivée, l'intrus n'avait pas dû hésiter à fuir par là. Mais il n'y avait pas de pavé numérique près de la baie vitrée, ce qui m'inclinait à penser que celui qui s'était introduit dans la maison l'avait fait par la porte d'entrée.

— Des caméras ? demandai-je.

— Non. Papa n'avait pas de caméras de surveillance.

Dommage. Je la rejoignis près de la bibliothèque, au pied de l'escalier.

— Je ne sais pas quoi dire, Lucy. Quelqu'un est venu ici, mais il est peu probable que l'on sache si quelque chose a été volé, puisque seuls votre père et sa femme auraient été en mesure de nous le dire.

— Vous devez bien pouvoir faire quelque chose ?

Je m'appuyai contre la bibliothèque.

— Tout ce que je peux faire, c'est...

Le meuble avait bougé.

— Qu'est-ce que... ?

C'était presque imperceptible, mais j'avais senti coulisser la bibliothèque. Au début, j'avais cru qu'elle allait me tomber dessus mais, en réalité, elle s'était déplacée latéralement. Chose difficilement compréhensible, étant donné qu'elle était lourdement lestée de livres.

— Que s'est-il passé ? demanda Lucy.

— Cette bibliothèque..., dis-je en examinant le meuble.

Le côté droit était accolé au mur, contre une cloison verticale qui dissimulait, vraisemblablement, des conduites ou des tuyaux reliés au rez-de-chaussée, au-dessus de nos têtes.

Je remarquai un interstice entre le bord de l'étagère et la cloison. J'y glissai mes doigts et imprimai une légère poussée sur la gauche. La bibliothèque se déplaça de quelques centimètres.

— Comment faites-vous ça ? demanda Lucy.

— Le meuble est sur un rail. Il ne faut pas beaucoup de force pour le déplacer. Il y a une pièce derrière, quelque chose ?

— Pas que je sache, dit-elle. C'est quoi ? Une pièce sécurisée ?

Je ne voyais pas qui, à Promise Falls, aurait eu besoin d'une pièce secrète pour échapper à des intrus malintentionnés. À New York, peut-être. Comme dans ce film avec Jodie Foster. Mais ici ? Enfin, quand on avait été un biker, on avait peut-être un peu plus de soucis et d'ennemis que le commun des mortels.

Je poussai plus fort : la bibliothèque coulissa sur soixante-dix centimètres, puis se bloqua, révélant une ouverture allant jusqu'au plafond, et une pièce plongée dans le noir.

Je tâtonnai pour trouver un interrupteur à l'intérieur, l'actionnai.

La pièce faisait environ cinq mètres de côté. Elle était principalement meublée par un lit double couvert d'un épais édredon soyeux, blanc cassé, et d'au moins une douzaine de très grands oreillers bien disposés contre la tête de lit. Le sol était recouvert d'une épaisse moquette à poils longs, blanche également, ce qui offrait un contraste saisissant avec le papier peint, rouge et velouteux. Un grand écran plat était fixé au mur à un peu plus d'un mètre du pied du lit, et un petit meuble noir placé en dessous. L'élément de décoration le plus saisissant était sans nul doute les six photographies noir et blanc encadrées sur trois murs, montrant toutes des hommes et des femmes nus et enlacés comme s'ils passaient une audition pour un remake de *Caligula*.

Une demi-douzaine de boîtiers de DVD en plastique étaient éparpillés par terre. Tous ouverts, tous vides.

— Je ne pense pas qu'il s'agisse d'une pièce sécurisée, commentai-je.

15

Barry Duckworth repartit pour le drive-in, où il retrouva Michelle Watkins, l'experte en engins explosifs que la police de l'État avait envoyée en renfort.

— Alors, qu'est-ce qui s'est passé ici ? lui demanda-t-il alors qu'ils se tenaient tous deux au milieu des décombres. C'est le type chargé de la démolition qui a merdé ou on a affaire à autre chose ?

— Ce type, Marsden, ce n'est pas lui le responsable de cette catastrophe. Du moins, ce n'est pas l'œuvre d'un professionnel de la démolition.

— Qu'est-ce qui vous fait dire ça ?

— Il y a une grosse différence entre la manière dont un pro s'y prendrait pour faire exploser ce genre de structure, et la manière dont ça a été fait. C'est du bricolage d'amateur. À première vue, on a affaire à des EEI.

— Engins…

— C'est ça : engins explosifs improvisés.

— Il n'y en avait pas qu'un.

— Suivez-moi, dit-elle, avant de jeter un coup d'œil aux pieds de l'inspecteur. Vous n'auriez pas d'autres chaussures, du genre de celles que je porte ?

Elle montra ses propres pieds, protégés par des chaussures montantes à semelles épaisses et à bouts coqués.

— Si vous vous baladez là-dedans avec ces mocassins, vous allez finir avec une demi-douzaine de gros clous dans la plante des pieds.

— Dans la voiture, dit Duckworth.

— Allez les chercher, répondit-elle en sortant son téléphone.

Il revint cinq minutes plus tard, les jambes de son pantalon rentrées dans des chaussures de sécurité.

— Faites quand même attention où vous mettez les pieds, avertit Michelle en s'avançant prudemment sur le tas de gravats.

Duckworth la regarda. Elle n'avait beau être qu'un petit bout de femme, elle semblait n'être faite que de muscles.

— La première chose qu'on a dû faire, évidemment, c'est s'assurer qu'il n'y avait pas d'autres explosifs.

— Je comprends.

— On a envoyé des chiens renifleurs ce matin, on a fait des explorations avec une caméra, et, apparemment, il n'y a rien d'autre.

— Apparemment ?

Michelle fit un grand sourire.

— Rien n'est sûr à cent pour cent dans la vie. Si ce n'est que, à un moment donné, elle s'arrête. Et que tout ce qui est vraiment délicieux est mauvais pour la santé, bien sûr !

— Vous avez travaillé dans quel genre d'endroits ? demanda Duckworth en marchant précautionneusement sur des planches cassées.

— J'ai été démineuse dans l'armée : Irak, Afghanistan, et puis j'ai fini par en avoir ma claque, et j'ai fait valoir mes compétences pour travailler dans les services de l'État.

— Comme dans ce film, dit Duckworth. Comment ça s'appelait, déjà ?

— *Démineurs*.

— Oui, c'est ça. C'était comme ça, là-bas ?

— Mouais, dit-elle avec un haussement d'épaules. Le cinéma, vous savez. S'il n'y a pas George Clooney dans le film, ça ne m'intéresse pas des masses. Bon, notre ami Marsden aurait fait en sorte que le machin s'écroule proprement, en plaçant des charges là, là et là, expliqua-t-elle en pointant le doigt. Mais celui qui a fait ça est loin d'être aussi méticuleux. Ce n'est pas totalement du travail de sagouin, non plus. Il a pulvérisé l'écran, après tout.

— EEI, vous avez dit.

— Ouais, des bombes artisanales.

— Certains ont évoqué l'hypothèse d'un attentat terroriste. Pourtant, je ne pense pas que Promise Falls soit une cible prioritaire pour des terroristes islamiques.

— Je ne vous donnerais pas tort, dit Michelle. EEI est simplement un acronyme un peu pompeux pour désigner une bombe que vous fabriquez vous-même. Ça ne veut pas dire qu'on a affaire à un groupe terroriste moyen-oriental, mais on ne peut pas exclure cette hypothèse non plus. Il y a des tas de sites sur Internet où vous pouvez apprendre à les fabriquer. C'est à la portée du premier péquenaud venu. Rappelez-vous Timothy McVeigh, l'attentat d'Oklahoma City ? C'était un grand amateur d'engrais. N'importe qui de raisonnablement intelligent, et d'un peu bricoleur, est capable d'assembler une de ces bombinettes et de faire beaucoup de dégâts. Celui qui a fait ça a quelques connaissances techniques. Il savait où placer les engins pour faire tomber l'écran de cette façon. À supposer que son intention était bien de le faire tomber sur les spectateurs.

Elle lui montra d'autres choses tandis qu'ils continuaient leur lente progression sur les décombres de l'écran.

— L'écran avait quatre supports principaux, et j'imagine que c'est là que les quatre bombes ont été placées, une sur chaque support, côté parking, de manière à ce que l'écran tombe dans cette direction.

— Est-ce que le poseur de bombe devait se tenir là, à proximité ? Peut-être dans une des voitures.

— Non. J'imagine qu'on va retrouver un retardateur commun aux quatre engins, histoire qu'ils explosent simultanément pour un effet maximal.

— Il pouvait donc être n'importe où. Il aurait pu se trouver à mille kilomètres de là quand les bombes ont explosé.

— Ouaip.

— Et on a pu les poser n'importe quand.

— Double ouaip.

Duckworth se sentit gagné par une vague de découragement. Interroger toutes les personnes présentes sur les lieux au moment de l'explosion n'allait vraisemblablement rien donner.

— Aucun avertissement, aucune menace, aucune revendication ? demanda Michelle Watkins.

— Non, dit-il.

— Bon, on va commencer à rassembler les fragments. Une fois qu'on saura quels composants ont été utilisés pour ces bombes, comment elles ont été assemblées, on comparera avec d'autres attentats pour chercher des similitudes. Ça pourrait finir par nous mettre sur la voie.

— Merci à vous, dit Duckworth, hors d'haleine.

— Ça va ?

— Oui, c'est juste que je n'ai pas l'habitude de passer mes journées à crapahuter dans un chantier pareil.

— Vous devriez peut-être songer à vous mettre au jogging, dit-elle. Histoire de retrouver la forme.

— Merci du conseil.

— Peut-être aussi manger moins de Big Mac.

— J'ai dit merci.

— Pour moi, il est clair que notre poseur de bombe avait l'intention de faire des victimes, poursuivit Michelle, en faisant tomber ce machin à 23 heures, il savait qu'il y aurait du monde pour la dernière séance du drive-in. Si vous voulez mon avis, on a de la chance qu'il n'y ait eu que quatre morts. Si plus de gens s'étaient garés au premier rang, on aurait...

— Pardon, vous avez dit qu'il s'était effondré à quelle heure ?

— L'écran s'est effondré à 23 h 23, exactement.

Duckworth s'était figé sur place.

— Vous êtes encore essoufflé ?

— Non, ça va.

— Qu'est-ce qu'il y a ? On dirait qu'un truc vous chiffonne ?

— Il y a simplement qu'au bout d'un moment on ne croit plus aux coïncidences.

16

Cal

Je pénétrai dans la pièce aux murs rouges.

— Vous dites que vous n'êtes jamais venue ici ? demandai-je à Lucy.

— Je vous le jure, dit-elle en ouvrant de grands yeux. Je ne connaissais pas l'existence de cette pièce.

— Vous avez grandi dans cette maison ?

— Non, papa l'a achetée quand je finissais mon lycée. Une fois que j'ai commencé mes études à la fac, je n'ai jamais plus réellement habité ici. J'y suis revenue des centaines de fois, bien sûr, mais on ne m'a jamais fait visiter cette chambre. Et pourquoi la cacher derrière une bibliothèque ?

Au vu des photos sexuellement explicites accrochées aux murs, du lit, des coussins en satin, la réponse me semblait plutôt évidente.

— Ce n'est pas exactement un atelier d'ébénisterie, répondis-je.

— C'est... C'est complètement inattendu.

La chambre n'avait pas été ajoutée à la maison. Elle se trouvait dans le périmètre des fondations. Peut-être que, à une époque, cela avait vraiment été un atelier où on travaillait le bois, une cave à vin, ou une salle de gym. Chalmers n'avait eu qu'à en masquer l'accès avec cette bibliothèque coulissante pour que personne n'en soupçonne l'existence.

Restait la question du pourquoi.

Il n'y avait rien de honteux à ce qu'un couple vivant sous le même toit partage une chambre, une chambre avec un lit, un lit où il faisait l'amour. Mais personne ne se donnerait autant de mal pour dissimuler ce fait. Je faisais le pari qu'Adam et Miriam Chalmers avaient passé la plupart de leurs nuits dans leur chambre à l'étage, qu'ils réservaient à des ébats moins ordinaires. Aux grandes occasions. C'était une pièce consacrée exclusivement au sexe. On n'y dormait pas. Ce n'était pas là que vous installiez votre tante quand elle venait en visite.

J'observai les photographies érotiques encadrées sur les murs.

— Ce serait le travail de Miriam ? demandai-je.

— Je pense, oui. J'ai vu son travail sur Internet. Quand elle ne faisait pas des portraits et des mariages, elle se prenait pour un Robert Mapplethorpe au féminin.

Je m'approchai prudemment des boîtiers de DVD vides, puis mis un genou à terre devant le petit meuble de rangement poussé contre le mur, sous la télévision à écran plat. Une des portes était à moitié ouverte, et je supposai que les boîtiers venaient de là. Je l'ouvris en grand. Lucy s'était avancée dans la pièce et regardait par-dessus mon épaule, debout derrière moi.

Il y avait deux étagères. Sur celle du dessus, un lecteur de DVD. À côté, un assortiment de crèmes et de lotions, ainsi qu'une boîte à bijoux remplie de préservatifs. L'étagère du bas était jonchée de ce qu'on pourrait ranger sous la catégorie sex-toys : vibromasseurs, phallus en latex, harnachements divers et variés, menottes. Il y avait même une boîte pleine de piles, mais pas de celles que l'on mettait dans les détecteurs de fumée.

Derrière moi, Lucy fut prise d'une sorte de hoquet. Je tournai la tête vers elle.

— Ça va ?

— Oui, dit-elle lentement. Je veux dire, ça fait beaucoup à digérer. Je ne pense pas être quelqu'un de prude. Les gens font parfois l'amour en utilisant quelques petits accessoires, je n'ai rien contre ces pratiques, et que mon propre père s'y soit adonné ne me choque pas plus que ça. (Elle s'interrompit un instant.) Mais ça... je ne sais pas quoi en penser.

Je me retournai vers le lit, remarquai des objets sur la table de chevet. Des télécommandes, pour la télévision et le lecteur DVD.

— Lucy, vous pouvez m'apporter ces télécommandes, s'il vous plaît ?

Elle fit le tour du lit, eut l'air d'hésiter, même si de tous les objets qui se trouvaient dans la pièce, c'étaient ceux que j'aurais touchés avec le moins de répugnance. Elle me les tendit. J'identifiai celle du lecteur DVD, l'allumai, puis appuyai sur la touche EJECT. Le plateau sortit.

Vide.

Soit Adam Chalmers avait l'habitude de sortir le disque de l'appareil quand il avait fini de le visionner, soit celui qui avait fouillé cette pièce était quelqu'un de minutieux.

Mon genou commençant à me faire mal en dépit de l'épaisseur de la moquette, je changeai de position pour prendre appui sur l'autre. Ce faisant, j'aperçus quelque chose sous le lit.

Une mallette noire. En plastique, apparemment.

Je tendis le bras et la tirai vers moi.

— Qu'est-ce que c'est ? demanda Lucy.

Je fis jouer les fermoirs sur le devant et soulevai le couvercle. La mallette était tapissée de mousse grise, avec des découpes pour y loger un appareil et deux objectifs.

Je sortis l'appareil de son logement. C'était un bon modèle, coûteux, qui permettait de prendre photos et vidéos.

— Oh, mon Dieu, dit Lucy.

Je regardai à nouveau les boîtiers vides.

— Oui. On dirait que les vidéos amateurs de votre père ont disparu, dis-je après avoir réfléchi un moment. Mon hypothèse est que l'intrus cherchait un DVD en particulier, vous a entendue entrer, a quitté la pièce en emportant tous les CD, a remis la bibliothèque en place et a pris la fuite par la porte de derrière.

Elle hocha lentement la tête.

— Il pensait probablement avoir le temps de passer les DVD en revue. Ils étaient peut-être étiquetés. Et puis il a entendu la porte s'ouvrir, et il a laissé ces boîtiers éparpillés un peu partout.

Je la dévisageai.

— Vous êtes sûre que vous n'étiez au courant de rien ? Vous n'auriez pas reçu un coup de fil de quelqu'un vous proposant de vous vendre les films après la catastrophe du drive-in ?

Lucy secoua la tête.

— Rien de la sorte. Je le jure.

Ce coup de fil n'avait peut-être pas encore été passé. Mais le chantage était-il vraiment un scénario plausible ? Le maître chanteur ne pouvait s'en prendre qu'à Adam et Miriam Chalmers. Or ils étaient morts.

— Au moins, maintenant, on sait ce qu'il cherchait, affirmai-je. On sait ce qui a été volé dans cette maison. Vous voulez en informer la police ?

Elle ouvrit la bouche, horrifiée.

— Mon Dieu, non.

— Qu'attendez-vous de moi ?

— Que vous trouviez ces DVD. Que vous trouviez celui qui les a pris. Je n'ai aucune idée de ce qu'il y a dessus et je ne tiens pas vraiment à le savoir ni à ce que quelqu'un d'autre les regarde. Mais nous devons les récupérer, et les détruire.

— La réputation de votre père est importante à vos yeux ?

— Ce n'est pas ça, dit-elle. Enfin si, en partie, mais…

— Votre fille.

Lucy acquiesça d'un hochement de tête.

— Si ça s'ébruite, d'une manière ou d'une autre, je survivrai à la honte. Mais Crystal ? Vous savez comment ça se passe de nos jours. Tout devient viral presque instantanément. Et les enfants ne sont pas plus épargnés que les autres. Je ne supporterais pas les moqueries qu'elle pourrait endurer, les humiliations. Ni qu'elle puisse un jour aller sur Internet et tomber là-dessus, si l'intention de la personne qui a volé ces enregistrements est de les poster sur YouTube.

— Je comprends, dis-je.

Je me demandais par où commencer. Qui était susceptible de connaître l'existence de cette pièce secrète ? Celui qui l'avait aménagée, peut-être, même si Adam Chalmers avait pu faire les travaux lui-même. Ou bien une femme de ménage ? Ou un artisan venu effectuer une réparation quelconque ? Mais comment auraient-ils pu connaître l'existence de la chambre ? Qui pouvait avoir intérêt à mettre la main sur les ébats filmés d'Adam Chalmers et de sa femme ? *A fortiori* après leur mort.

Et puis soudain, je compris : Adam et Miriam n'étaient pas les seuls protagonistes de ces vidéos.

17

Angus Carlson avait quitté le bâtiment administratif du Thackeray College et avait presque rejoint sa voiture quand il entendit quelqu'un crier.

— Excusez-moi ! Vous, là-bas !

Puisqu'il était tout seul sur ce parking, il y avait de grandes chances que ce soit à lui qu'on s'adresse. Il se retourna. L'homme qui l'avait interpellé était celui dont il ne connaissait que le prénom, Peter, et qu'il avait catalogué comme professeur dans le bureau de Duncomb.

— Moi ? demanda Carlson en se désignant du doigt.

Peter hocha la tête. Il était essoufflé.

— Désolé de vous courir après, j'attendais que vous sortiez du bureau de Clive, mais j'ai dû vous manquer. Je voulais savoir si vous étiez de la police. Vous êtes inspecteur ?

— C'est exact, dit-il.

Inspecteur *intérimaire*, mais il ne vit pas la nécessité de préciser ce détail.

— Qui êtes-vous ?

— Je m'appelle Peter Blackmore. *Professeur* Blackmore. (Il tendit une main que Carlson serra.) Littérature anglaise et psychologie.

— D'accord.

— J'avais deux ou trois questions à vous poser. De nature plus ou moins hypothétique.

— Bien sûr. Allez-y.

— Si quelqu'un disparaît, combien de temps doit-il s'écouler avant que ce soit officiel ?

— Officiel ?

— Avant que cette personne soit officiellement portée disparue, précisa Blackmore.

— De qui s'agit-il ?

— C'est juste une hypothèse.

— Hypothétiquement, on parle d'une petite fille de quatre ans qui ne s'est pas présentée à la maternelle, d'un homme de quatre-vingt-dix ans qui a fugué d'une maison de retraite, ou d'un mari parti avec sa secrétaire ?

— Rien de tout cela, dit Blackmore en clignant des yeux.

— Ce que j'essaie de vous faire comprendre, c'est que ça dépend. Si un gamin ne se présente pas à l'école, la police est immédiatement sur le coup. Dans ce genre de situation, il faut agir vite. Un vieux qui vagabonde, c'est aussi assez urgent, mais au moins, dans ce genre de cas, il y a moins de risques qu'il soit victime d'un enlèvement. Quant au mari qui file avec sa secrétaire, eh bien, ça ne nous regarde absolument pas. Donc, ça dépend.

— Je vois, dit Blackmore, songeur.

— Si vous étiez plus spécifique, peut-être que… ?

— Le cas que j'évoque ressemble plus au troisième exemple que vous avez mentionné, mais pas complètement. J'ai entendu dire que je devais attendre vingt-quatre heures avant de signaler une disparition, mais n'est-ce pas plutôt quarante-huit heures ?

Carlson secoua la tête.

— C'est un mythe télévisuel. Vous pouvez signaler une disparition quand ça vous chante. S'il y a lieu de croire qu'un crime a été commis, que la personne disparue est en danger, la police interviendra immédiatement. Est-ce qu'un crime a été commis en lien avec cette disparition hypothétique ?

Blackmore marqua un temps d'arrêt, détourna le regard.

— Pas que je sache. C'est juste qu'elle n'est pas rentrée à la maison.

— S'agit-il de votre femme, professeur ? C'est elle qui a disparu ?

Blackmore hésita, puis, la gorge serrée :

— Peut-être. Enfin, oui, c'est ma femme, mais je ne peux pas affirmer qu'elle a effectivement disparu.

— Comment s'appelle-t-elle ?

— Georgina Blackmore.

— Quand l'avez-vous vue pour la dernière fois ? demanda Carlson en cherchant son calepin dans sa poche.

— Euh, hier matin, quand j'ai quitté la maison pour aller à la fac.

— Mme Blackmore a un travail ?

— Oui, oui. Elle est secrétaire juridique. Au cabinet Paine, Kay et Dunn.

— Elle s'est présentée à son travail hier ?

— Oui.

— Vous lui avez parlé dans la journée ?

— Non, mais j'ai eu ses employeurs au téléphone aujourd'hui, et ils m'ont confirmé qu'elle était là hier.

— Mais elle n'est pas rentrée chez vous hier soir ?

— Je n'en suis pas certain.

Carlson pencha la tête de côté.

— Comment pouvez-vous ne pas en être certain ?

— J'ai passé la nuit ici, à l'université, dans mon bureau.

— Vous avez dormi dans votre bureau ?

— Je ne dormais pas, dit-il. Je préparais le cours que je dois donner cet après-midi sur Melville et le déterminisme psychologique.

— Ah oui ?

— C'est ma façon de procéder : quand je prépare un cours, je travaille toute la nuit dans mon bureau. Je ne suis donc pas rentré. J'ai fait une courte sieste vers 5 heures ce matin.

— Avez-vous parlé à Georgina à un moment ou à un autre ? Au téléphone ? Avez-vous échangé des SMS ?

Il fit non de la tête.

— Je n'envoie pas de SMS. Je ne sais pas comment m'y prendre.

— Vous n'avez pas de portable ?

Blackmore sortit du fond de sa poche un vieux modèle à clapet. L'appareil devait avoir au moins dix ans.

— Si, j'en ai un, mais je ne sais même pas si on peut envoyer des SMS avec. Il prend peut-être des photos, mais je ne m'en sers que pour passer et recevoir des appels.

— Donc, vous n'avez pas parlé à votre femme depuis hier matin, et vous n'avez pas essayé de la joindre ?

— Si, ce matin. Après que son bureau m'a téléphoné. Ils voulaient savoir pourquoi Georgina n'était pas venue travailler.

Son menton trembla.

— Je commence à être un peu inquiet.

— C'est déjà arrivé à votre femme de disparaître comme ça ?

Blackmore détourna le regard.

— Pas exactement.

— C'est une question à laquelle on répond par oui ou par non, professeur.

— Non. Ça ne lui était jamais arrivé auparavant.

— Voulez-vous m'accompagner au poste pour que je puisse noter toutes les informations qui concernent votre femme. Une description complète, la marque et le modèle de sa voiture, les gens qu'elle serait susceptible de contacter, et si vous aviez une photo d'elle, ce serait…

— Non, répondit sèchement le professeur. Ça va. Je suis sûr que tout va bien. Elle a probablement eu besoin de se retrouver seule un moment, c'est tout.

— C'est de cela dont vous discutiez avec Clive Duncomb, quand je suis arrivé ?

— Oui. Clive est un bon ami. Et un bon conseiller.

— Mais il ne vous a pas suggéré d'appeler la police ?

— Non... pas tout de suite, admit Blackmore.

— C'est bien son genre, ça.

Blackmore fit un pas en arrière, le regard plein d'appréhension depuis que le nom de Duncomb avait été mentionné.

— Vous savez quoi ? Oubliez cette conversation. Je suis sûr que Georgina va très bien, elle est même peut-être rentrée à l'heure qu'il est. C'est juste que je dramatise trop vite. Et, s'il vous plaît, ne dites pas à Clive que je vous ai parlé. Il peut se montrer assez territorial sur ces questions.

— Et l'autre chose ? demanda Carlson.

— Je vous demande pardon ?

— Au moment de quitter le bureau de Duncomb, vous avez évoqué un autre sujet, et il a dit qu'il s'en occupait, de ne pas vous en faire. Est-ce que c'était en rapport avec votre femme, professeur Blackmore ? Ou est-ce que cela n'avait rien à voir avec elle ?

L'homme pâlit.

— J'ai encore quelques petites corrections à apporter à mon cours, et je le donne dans une heure, alors je ferais bien d'y aller.

Blackmore se retourna et s'enfuit, comme un chien brutalement tiré par une laisse invisible.

18

L'inspecteur Duckworth trouva Lionel Grayson en train de faire les cent pas dans le bureau du drive-in Constellation, le portable collé à l'oreille, en conversation avec un représentant de sa compagnie d'assurances.

— Comment ça, je pourrais ne pas être couvert ? Qu'est-ce que vous me chantez là ? Oui, j'allais démolir l'écran de toute façon, mais je ne vous parle pas de ça. Je me fiche de ça ! Je vous parle des gens qui sont morts ! Sur mon terrain ! Quatre personnes ! Et de tous les autres qui ont été blessés, et des voitures endommagées ! Ces gens parlent déjà de me poursuivre en justice, ils disent qu'ils vont tout me prendre ! Oui, je vais me retourner contre l'entreprise de démolition mais ils n'avaient même pas...

— Monsieur Grayson, intervint Duckworth.

Grayson leva un doigt.

— Écoutez-moi, ils n'avaient encore rien mis en place. Ils n'ont rien à voir avec ça. Quelqu'un a dissimulé des bombes et... Comment ça, je ne pourrais peut-être pas être couvert pour un acte de terrorisme ? Qui a parlé de terrorisme ? Qu'est-ce que vous me racontez ? Vous pensez qu'une bande d'islamistes cinglés d'al-Qaida s'est introduite en Amérique pour faire sauter un drive-in dans un trou comme Promise Falls ? Vous pensez...

— Monsieur Grayson, il faut que je vous parle, insista Duckworth.

— Attendez, écoutez-moi. Je pars à la retraite. J'ai vendu cette propriété pour pouvoir prendre ma retraite. Je ne peux pas perdre tout cet argent si tous ces gens m'attaquent en justice ! Vous autres, les assureurs, vous êtes tous les mêmes ! Tout juste bons à entuber les gens et… Allô ? Allô !

Il cessa ses allées et venues et regarda l'inspecteur.

— Ce salaud m'a raccroché au nez.

— Je veux vous poser deux ou trois questions.

— Quoi ?

— Et si on s'asseyait ?

— Je ne peux pas. Je ne tiens pas en place.

— Je vous en prie. Prenez un siège.

De mauvaise grâce, Grayson s'assit sur une des deux chaises bon marché en aluminium de son bureau. Duckworth s'assit en face de lui, posa les coudes sur ses cuisses et se pencha en avant.

— Ça va ?

— Je suis en train de devenir fou.

Il agitait frénétiquement sa jambe de bas en haut.

— Je comprends, dit Duckworth. C'est horrible. Je veux voir deux ou trois choses avec vous, mais avant, j'ai besoin que vous vous calmiez, pour que vous puissiez vraiment réfléchir à ce que je vous demande.

— D'accord, dit-il en prenant une inspiration. Puis une autre : Je n'y arrive pas. Je suis trop tendu. Allez-y, posez-moi vos questions.

— Très bien. Est-ce que quelqu'un aurait pu vouloir vous nuire ? À vous, ou à votre entreprise ?

— Non, personne. Et qui aurait intérêt à nuire à mon affaire alors que je mets la clé sous la porte ?

— Soit, mais vous n'avez eu aucun problème avec un fournisseur, ou peut-être un client en colère, quelqu'un avec qui vous auriez eu un différend ?

119

Grayson réfléchit.

— Je ne vois pas, non. Juste les embrouilles habituelles. Rien de bien sérieux. Je veux dire, parfois vous avez des gens qui ne sont pas contents du film et qui veulent être remboursés.

— Vous leur rendez leur argent ?

La question le sidéra.

— Bien sûr que non ! Je ne garantis pas la qualité du film. Ils n'ont qu'à lire les critiques. S'ils n'aiment pas le film, qu'ils écrivent une bafouille à Tom Hanks ou à Nicole Kidman pour demander à être remboursés.

— Vous avez eu ce genre d'incident dernièrement ?

— Il y a deux semaines, un homme, il était très remonté parce qu'il y avait des scènes de nu et des grossièretés dans le film, et sa fille de cinq ans était dans la voiture. Mais c'était le dernier film de la soirée. Ils s'adressent toujours à un public plus adulte. Quand les gens amènent leurs enfants, en général, ils dorment à cette heure-là. C'est pour ça qu'on projette le film pour enfants en premier.

— Il a demandé à être remboursé ?

— Non, ça, il s'en fichait. Il a dit qu'il allait me dénoncer aux autorités.

— Quelles autorités ?

— Allez savoir ! dit Grayson en riant. Je n'en ai plus jamais entendu parler. Les cons sont légion, on ne peut rien y faire.

— L'homme vous a-t-il donné son nom ?

— Non, fit Grayson.

Puis il ouvrit de grands yeux :

— Mais... attendez. Ça vient de me revenir, j'ai noté son numéro d'immatriculation. Je fais ça parfois, avec les gens qui font des histoires, les jeunes qui font la nouba ou qui boivent. Je l'ai là quelque part.

Il se leva de sa chaise et se mit à farfouiller dans des papiers sur son bureau.

120

— Le voilà ! dit-il, et il tendit un bout de papier, avec un numéro de plaque et le mot « Odyssey » griffonnés dessus.

Duckworth y jeta un coup d'œil, releva la tête.

— Odyssey ?

— La voiture. Une Honda.

Duckworth empocha le morceau de papier.

— Et en dehors du travail, monsieur Grayson, personne n'aurait une dent contre vous ? Vous n'avez aucun problème personnel ?

— Non. Aucun. Vous devez trouver celui qui a fait ça. Et ne mettez pas ça sur le dos de terroristes, ou ma compagnie d'assurances risque de me planter.

— Une dernière chose, dit Duckworth. Est-ce que le nombre 23 a une signification particulière pour vous ?

Grayson fit une grimace d'incompréhension.

— Quoi ?

— L'écran s'est effondré à 23 h 23. Est-ce que cela vous paraît avoir une signification quelconque ?

L'homme secoua la tête.

— Vous me faites marcher, là ?

Ce n'était pas son intention.

Duckworth ne croyait plus au hasard. Le nombre 23 surgissait bien trop fréquemment ces derniers temps.

Il se passait quelque chose.

Il avait déjà effectué des recherches sur Internet. Ce nombre apparaissait au cinéma dans la série des *Matrix*. Il était sur le maillot de Michael Jordan quand celui-ci jouait pour les Bulls. C'était le numéro atomique du vanadium (Wanda Therrieult savait ce que c'était). C'était le neuvième nombre premier. Il y avait un psaume 23.

Ce nombre pouvait avoir un rapport ou non avec n'importe laquelle de ces occurrences, mais il avait la conviction qu'il revêtait une signification toute particulière pour quelqu'un.

Il signifiait quelque chose pour la personne qui avait pendu ces écureuils et mis en marche cette grande roue. Si Mason Helt, qui portait un sweat à capuche avec ce numéro, était encore vivant, Duckworth s'intéresserait de très près à son cas. Mais l'explosion au drive-in s'était produite après sa mort. Il existait néanmoins un lien, c'était évident.

La question était maintenant de savoir s'il fallait diffuser cette information, aussi hypothétique fût-elle. Il était peut-être temps de mettre la population à contribution. Quelqu'un, quelque part, savait peut-être quelque chose. Un individu perturbé faisait une fixation inexplicable sur ce nombre. Si cela avait un rapport avec le psaume 23 – « Quand je marche dans la vallée de l'ombre de la mort, je ne crains aucun mal » –, c'était peut-être l'œuvre d'une espèce de fanatique religieux.

Il fallait qu'il en parle à son boss, Rhonda Finderman. Et vite.

Mais le numéro 23 n'était pas son seul sujet de préoccupation. Il y avait aussi Olivia Fisher.

Il y avait un lien entre Jack Sturgess et Olivia Fisher, et il voulait le découvrir. La personne qui pourrait être en mesure de l'aider dans ce sens était le père d'Olivia, Walden.

S'il y avait une connexion – si Sturgess, par exemple, se révélait être le médecin de famille des Fisher –, Duckworth serait peut-être moins réticent à le considérer comme le meurtrier des deux femmes.

Il soulagerait certainement Rhonda s'il trouvait le moyen de mettre tous les meurtres sur le dos de Sturgess – ce serait l'occasion pour elle de boucler deux affaires – et elle aurait raison de l'être, le meurtre d'Olivia Fisher avait été son affaire après tout, à l'époque où elle était encore inspecteur. Si elle avait suivi l'affaire Gaynor dans ses premiers développements, elle aurait forcément relevé les similitudes avec le meurtre d'Olivia Fisher. Duckworth aurait souhaité que sa supérieure se montre juste un peu plus réactive sur ce coup-là, mais il gardait cette opinion pour lui.

Il gara sa voiture devant la maison de Walden Fisher, une construction blanche de plain-pied à ossature en bois avec un garage pour deux voitures à l'arrière du terrain. Il sonna à la porte.

— Oui ? dit Fisher en toisant Duckworth à travers la porte entrebâillée.

Duckworth lui montra son insigne.

— Barry Duckworth, police de Promise Falls.

Fisher examina la plaque en plissant les yeux.

— Duckworth ?

— C'est ça.

— C'est à quel sujet, inspecteur ?

— J'ai quelques questions à vous poser, monsieur, au sujet de votre fille Olivia. Je me demandais si je pouvais m'entretenir avec vous et Mme Fisher.

— Elle est décédée, dit-il en finissant par ouvrir la porte.

Duckworth grimaça intérieurement.

— Je suis navré. Je l'ignorais. Je comprends qu'il vous soit douloureux de répondre à des questions concernant Olivia, mais j'essaierai de ne pas trop abuser de votre temps.

— Oui, bien sûr, entrez.

Il introduisit l'inspecteur dans la cuisine et l'invita à s'asseoir. Un exemplaire du quotidien d'Albany était posé sur la table, ainsi qu'une lime à ongles en métal avec un manche en plastique. Walden était peut-être en train de se faire une manucure.

— Je viens de faire du café. Vous en voulez ?

— Avec grand plaisir.

— Vous êtes allé au drive-in ? demanda Walden. Ils ne parlent que de ça aux infos.

— Oui. J'en viens. Mais je voulais vous parler d'Olivia.

123

— Quelle tragédie, continua Walden en prenant deux mugs dans le placard. C'est inimaginable. Vous allez voir un film, et l'écran s'effondre et vous tue.

Il remplit les deux mugs, les apporta à la table. Il écarta le journal, glissa la lime à ongles dans la poche de sa chemise, et frotta son index contre son pouce.

— Je me ronge les ongles, dit-il. Mauvaise habitude. Je ne le faisais jamais avant le décès d'Olivia. Et puis j'ai perdu ma femme, et c'est devenu encore pire à cause du stress.

Duckworth saisit le mug entre ses mains et but une gorgée – le café était très chaud et très fort –, et il se retint de faire une grimace.

— Que vouliez-vous me demander ? dit Walden Fisher. Vous avez découvert quelque chose ? Vous avez trouvé qui a tué Olivia ?

Duckworth esquiva la réponse à cette question.

— Avez-vous déjà entendu parler d'un médecin du nom de Jack Sturgess ?

Fisher but une gorgée de café.

— Sturgess ? Je n'ai pas vu quelque chose sur lui aux infos ?

— Probablement.

— Au sujet de cette jeune femme et de son bébé ? Il a volé le bébé et l'a donné à quelqu'un d'autre ?

— Oui, c'est bien lui.

— Il est mort, non ? La femme qui dirigeait l'hôpital, c'est elle qui l'a tué, et puis elle s'est suicidée.

— Vous m'avez l'air bien informé, remarqua Duckworth.

— Ce n'est pas aussi facile qu'avant, maintenant que le *Standard* a disparu. Mais j'écoute la radio et je regarde les infos d'Albany, dit-il en montrant le journal d'un mouvement de tête. Quand le *Standard* a bu le bouillon, j'ai commencé à acheter le quotidien d'Albany, mais il n'y a pas beaucoup d'infos sur ce qui se passe ici.

— J'imagine alors que vous savez que le Dr Sturgess est un suspect possible dans la mort de Rosemary Gaynor.

Walden opina de la tête.

— Savez-vous si Olivia consultait le Dr Sturgess en tant que patiente ou si elle le connaissait, tout simplement ?

Le père de la jeune femme assassinée secoua lentement la tête.

— Je l'ignore. Nous avions un médecin de famille, le Dr Silverman. Ruth Silverman. C'était le médecin de ma femme, et je pense qu'Olivia la voyait. Je continue moi-même à la consulter. Tous les matins, je me réveille avec un nouveau problème de santé, et pourtant, dans ma tête, j'ai encore seize ans. Vous voyez ce que je veux dire.

— Tout à fait.

— Je suis pratiquement sûr de n'avoir jamais entendu parler de ce Sturgess avant que son nom ne soit partout dans les journaux. (Il se pencha au-dessus de la table.) Vous pensez qu'il aurait quelque chose à voir avec ce qui est arrivé à Olivia ?

— Non, pas directement, mais je cherche un lien éventuel.

— Quel genre de lien pourrait-il y avoir ?

Duckworth esquissa un sourire.

— Il se pourrait qu'il n'y en ait aucun. J'étudie simplement toutes les possibilités.

— Vous ne me direz rien, alors ?

— Je ne tiens pas à formuler d'hypothèses qui pourraient se révéler sans fondement.

Walden Fisher hocha lentement la tête.

— Et si c'était ce médecin ? Si c'était lui qui a tué notre Olivia ?

— Je vous le répète, pour l'instant, rien ne laisse penser que c'est lui l'assassin de votre fille.

— Mais si c'était lui, il ne paiera jamais pour ce qu'il a fait, n'est-ce pas ? Il ne sera pas puni.

— Que vous répondre, monsieur Fisher ? Je sais que vous avez retourné ça dans tous les sens avec l'inspecteur Finderman il y a trois ans.

— C'est elle la chef de la police, maintenant.

— C'est exact.

— Elle a trop à faire, j'imagine, pour continuer à enquêter sur le meurtre de ma fille.

— Je ne dirais pas cela. Ce n'est pas parce qu'elle a été promue que nos services n'enquêtent plus activement. Ce que je voulais vous demander, c'est si vous connaissiez quelqu'un qui aurait pu vouloir du mal à Olivia ? Un problème personnel qu'elle aurait pu avoir avec quelqu'un ?

— Non, je ne vois pas.

— Et avec la loi ? Elle n'a jamais eu aucun ennui de ce côté-là ?

Walden fronça les sourcils, offusqué par la question.

— Olivia ne s'est jamais attiré le moindre ennui. Elle a bien eu un PV pour excès de vitesse un peu avant sa mort, et on aurait dit qu'elle avait cambriolé une banque tellement elle s'en voulait.

Les yeux de Walden Fisher s'embuèrent. Il écarta sa tasse de café et serra les poings.

— Je vis avec ça tous les jours, vous savez. En fait, je suis sûr que c'est la mort d'Olivia qui a tué Beth.

— Votre femme ?

Walden hocha la tête.

— Je veux dire, officiellement, c'est le cancer, mais c'est le chagrin qui l'a rongée de l'intérieur. Ça, et que justice ne soit pas faite.

Duckworth resta silencieux.

— Chaque jour, depuis trois ans, j'ai espéré que quelqu'un finisse par payer pour nous avoir arraché Olivia. Si j'apprends que cette personne est déjà morte, je ne sais pas comment je le prendrais. Qu'est-ce qu'on fait dans ces cas-là ? On va pisser sur sa tombe ? C'est comme ça qu'on est vengé ?

Duckworth but une dernière gorgée de café.

— Si vous trouvez ou vous rappelez quoi que ce soit qui pourrait relier votre fille au Dr Sturgess, vous voudrez bien me le faire savoir ?

Il posa une carte de visite sur la table. Walden la fit glisser vers lui, y jeta un coup d'œil.

— Oui, bien sûr.

— Et je vous tiendrai au courant si des faits nouveaux apparaissent.

— Je suis inquiet pour Victor, laissa échapper Walden.

— Victor ?

— Victor Rooney. Il sortait avec Olivia à l'époque. Il ne s'en est jamais totalement remis.

— Qu'est-ce que vous voulez dire ? demanda Duckworth alors qu'il repoussait sa chaise.

— Cela fait trois ans, et il n'a jamais vraiment tourné la page. Il boit trop. Il a du mal à garder un boulot. Il considère que tous les habitants de Promise Falls sont responsables de ce qui est arrivé.

Walden regarda Duckworth droit dans les yeux.

— Il y a beaucoup de culpabilité en lui.

— Quel genre de culpabilité ? Vous pensez qu'il a quelque chose à voir dans la mort d'Olivia ?

Cette question prit Walden de court.

— Mon Dieu, non, pas directement. Enfin, je ne pense pas. Il était avec un ami quand c'est arrivé. Un copain de beuverie. Il avait un alibi. Il était censé retrouver Olivia mais il a été retardé. À moins que...

— À moins que quoi ?

— À moins que ce copain de beuverie ait menti pour lui.

Walden regarda son jardin par la fenêtre.

— Et que tout ce qu'il a vécu ces derniers temps, reprit-il, toutes ces lamentations qu'il a poussées, cette incapacité à

127

aller de l'avant, soit une sorte de numéro d'acteur. (Il secoua la tête avec dédain.) Non, c'est impossible. Victor n'est pas parfait, mais il serait incapable d'une chose pareille.

Duckworth s'était levé et longeait le couloir qui menait sur le devant de la maison quand, passant devant la porte ouverte d'une petite salle de bains, une idée lui vint à l'esprit.

— Je voudrais vous poser une question concernant quelqu'un d'autre, dit-il. Est-ce que vous ou Olivia connaissiez un certain Bill Gaynor ?

— Gaynor ? Le même nom que la femme qui a été assassinée ?

— Rosemary était sa femme.

— L'enfoiré ! Ils étaient mariés ? Bill était notre assureur.

19

Randall Finley et Frank Mancini étaient convenus de se retrouver pour le déjeuner au Clover, un restaurant chic – du moins selon les critères de Promise Falls – à la périphérie de la ville. Finley aurait été davantage à l'aise dans un endroit comme le Casey's, un bar sur Charlton, mais lorsqu'il avait un rendez-vous d'affaires important, le Clover, avec ses nappes en lin blanc, sa porcelaine fine, et un personnel de service moins enclin à vous envoyer balader, était toujours son premier choix.

Il avait réservé son box préféré, avec des sièges à hauts dossiers et une cloison de séparation qui offrait une certaine intimité avec la table voisine. Il n'excluait jamais d'avoir à dire quelque chose de strictement confidentiel.

Il était déjà attablé quand Mancini entra dans l'établissement. L'homme était petit et trapu, sans être gros, une sorte de bouche à incendie sur pattes. Et bien habillé avec ça. Mancini avait fait toute sa carrière dans le bâtiment, mais il ne se promenait pas pour autant avec un casque de chantier sur la tête. Il portait un costume bleu foncé – un Armani, supposa Finley – avec une chemise blanche impeccable et une cravate rouge.

— Ne te dérange pas, dit Mancini alors que Finley commençait à s'extraire difficilement du box.

Finley resta assis, serra la main de Mancini et attendit que celui-ci prenne place en face de lui.

— Qu'est-ce que je peux t'offrir ? demanda Finley.

— Un scotch.

Finley fit signe à la serveuse, sur le badge de laquelle on lisait son prénom : KIMMY.

— Vous êtes nouvelle, Kimmy ? l'interrogea l'ancien maire lorsqu'elle leur tendit les menus.

La jeune femme sourit.

— C'est ma première semaine.

Finley sourit à son tour et secoua la tête d'un air admiratif.

— Alors qu'on pensait que le Clover ne pouvait pas trouver de jolies serveuses, voilà qu'ils vous embauchent. Elle n'est pas adorable, Frank ?

Mancini sourit.

Kimmy accepta le compliment avec un sourire embarrassé.

— Qu'est-ce que je vous sers, messieurs ?

Finley commanda deux scotchs. Après que la serveuse se fut esquivée, Mancini se tourna vers lui.

— Un type qui s'est fait pincer une fois avec une prostituée mineure devrait se calmer avec les petites jeunes, non ?

— Je lui faisais un compliment. Et cette affaire remonte à des années.

— Elle t'a coûté ta place.

— Une place que je vais retrouver. Les électeurs ont une grande capacité à pardonner, surtout le genre de péquenauds qu'on a dans cette ville. Plus personne ne se soucie de ce genre de chose de nos jours. Regarde Clinton. Il se tape une stagiaire, et c'est aujourd'hui le plus populaire des anciens présidents.

Mancini soupira.

— Tu te considères comme *clintonesque*, c'est ça ?

Finley gloussa.

— Bon, d'accord, je ne suis peut-être pas aussi populaire que ce vieux Bill, mais les habitants de cette ville ne sont pas foutus de se rappeler ce qu'ils ont bouffé au petit déjeuner, *a fortiori* ce qui les a choqués il y a des années.

— Continue à les mépriser comme ça ! Bon sang Randy, tu ne seras jamais réélu si les électeurs savent que tu les prends pour des demeurés.

— Je n'ai jamais dit ça. Ce sont des gens bien, dit Finley en souriant. Et on ne me changera pas. Tu voudrais que je sois quelqu'un que je ne suis pas ?

— Randy, j'aimerais presque que tu sois n'importe qui d'autre. J'aimerais mieux être assis là avec Al Capone. Je me sentirais plus en sécurité.

Finley rit. Mancini, pas tellement.

— Tu aimes bien me chercher, dit Finley, avant de baisser d'un ton : Alors, raconte, c'était quoi l'histoire au drive-in ?

— De quoi est-ce que tu parles ?

— De quoi je parle ? Tu déconnes ? L'explosion ? L'écran qui se casse la gueule ? Les quatre morts ?

— Une tragédie, voilà ce que c'était, dit Mancini.

— Ouais, ouais, je sais, on est tous effondrés. Mais entre nous, c'était toi ?

— Putain, tu te fous de moi ? dit Mancini, suffisamment fort pour être entendu des tables voisines.

— Bon sang, moins fort, dit Finley. Donc tu dis que tu n'as rien à voir là-dedans ?

— Et pourquoi j'aurais fait ça ? Ça doit être l'entreprise de démolition. Ils ont merdé.

— Ce n'est pas ce que j'ai entendu dire. J'ai aussi entendu dire qu'ils n'avaient même pas démarré leur chantier.

— Que veux-tu qu'ils disent d'autre ? Ils se couvrent.

— Je ne sais pas. Le fait est qu'un type comme toi serait parfaitement qualifié pour ce genre de travail.

— Randy, tu es devenu complètement cinglé ? On a acheté le terrain, et le contrat stipule que Grayson doit démolir les constructions avant qu'on en prenne possession. Qu'est-ce que j'aurais à gagner en faisant tout sauter et en tuant des gens ? Elle serait où, la logique ?

Finley resta silencieux un moment.

— Je dois admettre que je n'en vois aucune. À moins que ça ne te donne un motif de rupture de contrat... ensuite Grayson revient à la charge en réduisant considérablement son prix de départ pour pouvoir fourguer son terrain.

— Il n'y a pas d'intention cachée. Je n'ai rien à voir là-dedans. C'est l'entreprise de démolition. Tu peux me croire sur parole. Passons à autre chose. Parlons de toi et de ce que tu vas faire pour moi.

— Je dois d'abord être élu.

— Tu ne t'es même pas officiellement porté candidat.

— C'est imminent.

— Il faut que tu te bouges. Il faut que tu remportes ces élections. Je n'ai aucune chance tant que cette Amanda Croyton sera assise dans le fauteuil du maire. Je dois la virer de là. C'est une salope d'écolo. On pourrait penser qu'elle m'appuierait, mais chaque fois que quelqu'un a proposé un projet similaire, on parle de risques de nuisances sonores, tout le monde s'inquiète pour la pollution des sols, la contamination de l'eau potable, toutes sortes de conneries qui n'arrivent jamais, ou alors qui sont moins graves qu'on ne le prétend. J'ai réalisé un très gros investissement, Randy, en achetant ce terrain. Il faut que tu me vires cette bonne femme et que tu reprennes les choses en main.

— Chaque chose en son temps. Et arrête ton char, tu n'as jamais acheté un bien immobilier sans savoir si tu obtiendrais toutes les autorisations ? Ça fait partie du business. Et il arriverait quoi, au pire ? Si d'aventure je ne suis pas élu, si Amanda reste en place, tu pourras toujours construire des maisons. On ne te cherchera pas d'emmerdes pour ça.

— Les maisons n'offrent pas une source de revenus réguliers, expliqua Mancini. Une maison, tu la construis, tu la vends, tu prends ta marge, et tu passes à autre chose. Mais une usine de recyclage de métaux, c'est de l'argent qui rentre vingt-quatre heures sur vingt-quatre, sept jours sur sept, et pendant des années. Des emplois, aussi.

— Des emplois, bien sûr. Mais comme tu l'as dit, il y a du fric à se faire. Une fois que je serai dans la place, je pourrai mettre à profit mes relations. Je connais des gens, je pourrai graisser quelques pattes, faire approuver certaines choses. Je ne te promets pas que ce sera un long fleuve tranquille, mais ça se fera.

Les consommations arrivèrent.

— C'est super, ma jolie, dit Finley à Kimmy.

— Vous êtes prêts à commander ? demanda-t-elle.

— Steak frites, saignant, dit Finley. Et toi, Frank ?

— Je n'ai même pas regardé le menu.

— Prends le steak.

— Je ne sais pas si j'ai envie d'un steak.

— Tu es homo ou quoi ?

Tout sourire, Finley lança un coup d'œil à Kimmy.

— Je plaisante. Je n'ai absolument rien contre les homos.

— Très bien, va pour le steak, dit Mancini. Bien cuit.

Kimmy repartit.

— Je me demande si elle a un petit ami, conjectura Finley.

— Tu ne te dis jamais que tu surestimes peut-être ton pouvoir de séduction ?

— Les femmes sont attirées par le pouvoir.

Mancini éclata de rire.

— Tu as été maire de Promise Falls, pas ministre de la Défense.

— N'empêche, les gens me connaissent. Ils savent qui je suis.

— Ils savent ce que tu es, rectifia Mancini. C'est ça qui m'inquiète quant à tes chances de réélection.

— Je suis relativement confiant. Ce que j'ai à faire, c'est convaincre tout le monde que je suis le sauveur de cette ville.

— Quoi, comme Jésus ?

— Oui mais avec des mocassins Florsheim en guise de sandales. (Finley se pencha plus près de Mancini.) Cette ville a une dette envers moi, Frank. Cette ville me doit une seconde chance. Je me suis fait baiser. Ces gens m'ont laissé tomber, et je vais leur donner l'occasion de se faire pardonner. J'ai été victime d'une campagne de diffamation. Purement et simplement.

— Ce sont les médias de gauche qui ont forcé cette pute à te sucer ?

Finley balaya l'argument de Mancini d'un revers de main.

— Les gens font comme si ça les intéressait, ils adorent lire ce genre de reportages dans la presse, mais, au fond, ils n'en ont rien à foutre. Ils savent que je suis l'un d'eux. Un type ordinaire. Qui comprend leurs préoccupations. Que je ne suis pas un peigne-cul élitiste qui les prend de haut.

— Tu es riche, Randy. Tu possèdes une entreprise d'embouteillage florissante. Tu fais partie des un pour cent.

— Ouais, peut-être bien, mais ce n'est pas comme ça que les gens me voient, et c'est ça qui compte. Tout est affaire de perception.

Finley informa Mancini qu'il avait pris quelqu'un pour l'aider à gérer son image, planifier une campagne préélectorale. Ce n'était pas exactement James Carville, mais, pour Promise Falls, il n'était pas mal. Un ancien journaleux, qui avait bossé pour le *Standard* avant qu'on ne le débranche. S'ensuivit une discussion de dix minutes sur le fait qu'on avait les coudées bien plus franches quand la feuille de chou locale n'était pas là pour surveiller vos faits et gestes.

— Plus de gros titres sur des pots-de-vin, ironisa Mancini.

— C'est un point de vue très cynique, Frank, rétorqua Finley, l'air sincèrement fâché. Moi, je suis un facilitateur. Je débloque les situations. Tu veux monter un business qui non seulement sera profitable pour toi, mais aussi pour notre communauté. Je peux faciliter ça. Et je peux raisonnablement m'attendre à être récompensé de mes efforts. Que cette récompense soit matérielle ou politique. Le système a été conçu pour fonctionner ainsi.

Kimmy revint avec leurs deux steaks frites.

— Je pourrais avoir un autre scotch, et un verre d'eau ? demanda Mancini.

— Du robinet, ou en bouteille.

— Je ne prendrai pas d'eau du robinet, dit Finley avant que Mancini ait pu répondre. L'eau du robinet, jamais de la vie. Sauf pour se brosser les dents. Ma jolie, vous avez de la Finley Springs, non ?

— Je n'en suis pas sûre, dit-elle. Je crois qu'on a de la San Pellegrino, et probablement de l'Évian.

Finley pencha la tête de côté.

— Vous êtes sûre de ça ?

— Euh, je crois, oui.

— Vous feriez bien d'aller vérifier, dit Finley d'une voix devenue subtilement menaçante.

Kimmy s'éloigna.

— Tu nous fais une scène, dit Mancini. Qu'est-ce que ça peut faire qu'ils n'aient pas ton eau ? Il y a des tas de marques d'eau en bouteille.

— Une fois que je serai élu, cet établissement ne coupera pas à une visite de l'inspection sanitaire... et des pompiers.

— C'est ce que je veux dire. Tu es encore capable de te laisser piéger par des petites histoires à la con.

— Regarde, elle est en train de parler au gérant, dit Finley.

Quelques secondes plus tard, un homme corpulent et dégarni, dans un costume noir, s'approcha de la table.

— Monsieur Finley, quel plaisir de vous voir aujourd'hui.

— Carmine. Comment allez-vous ?

— Très bien. Il faut excuser Kimmy. Elle est nouvelle, et elle n'avait pas conscience de servir un de nos plus chers clients. Elle est allée chercher une bouteille de Finley Springs pour votre ami.

— Oh, Carmine, ça m'est complètement égal. Ce n'est pas moi qui vais vous dire comment gérer votre restaurant.

Carmine sourit.

— Si vous avez besoin de quoi que ce soit, n'hésitez pas à me solliciter directement.

Quand il fut parti, Finley se tourna vers Mancini.

— Tu veux parier que quelqu'un est en train de courir au 7-Eleven là, tout de suite ?

— Qu'est-ce que ça va me coûter ? demanda Mancini.

— On a déjà réglé la question de mon dédommagement dans cette affaire, Frank.

— Je te parle des faux frais. Ces pattes qu'il faudra graisser.

Finley haussa les épaules.

— Difficile à dire. Certaines personnes sont meilleur marché que d'autres. Certaines, si tu as des infos sur elles, ne te coûteront pas un kopeck. Les frais de lancement sont toujours imprévisibles.

Mancini coupa un morceau de son steak et le mit dans sa bouche.

— En tant qu'homme politique, du temps où tu étais maire, est-ce que tu as un jour fait quelque chose qui soit strictement dans l'intérêt des gens, parce que tu pensais bien agir ?

— Le bien-être de mes administrés a été et restera ma première préoccupation, Frank, mon principe directeur, en quelque sorte.

— Tu as réussi à garder ton sérieux en prononçant cette phrase, ça me plaît.

— C'est un don, dit Finley.

À la table voisine, séparée de celle de Finley et Mancini par un claustra en bois, David Harwood avait commandé une salade maison. Le steak n'était pas dans ses moyens.

Il connaissait les habitudes de Randall Finley chez Clover, et avait téléphoné pour réserver la table la plus proche de son box. On lui avait d'abord proposé celle qui se trouvait juste de l'autre côté de l'allée, parfaitement visible de l'endroit où seraient assis Finley et Mancini. David avait donc demandé la table qui était de l'autre côté de la séparation.

Il n'avait pas tout saisi de la conversation des deux hommes, mais il en avait entendu suffisamment pour s'en faire une idée précise. Il n'était pas choqué. Il n'était même pas sûr d'être horrifié. Quand on acceptait de travailler pour un individu tel que Finley, il ne fallait s'étonner de rien.

La question était de savoir s'il serait capable de le supporter.

Carmine posa le porte-addition en cuir près de son coude.

— En vous remerciant, dit-il.

David l'ouvrit, jeta un coup d'œil au montant, sentit son cœur se serrer. Si c'était le prix d'une salade, combien lui aurait coûté le steak frites…

Il avait l'intention d'inviter Sam à dîner, mais dans un endroit peut-être moins cher que celui-ci.

Encore eût-il fallu qu'elle daigne répondre à ses appels.

20

Cal

Avant de tomber sur la chambre secrète, j'étais pratiquement certain de ne rien pouvoir pour Lucy Brighton. Je ne voyais absolument pas pourquoi on avait voulu s'introduire dans la maison de son père, ni ce qu'on avait pu y chercher.

J'avais à présent une idée assez précise de ce que l'intrus voulait s'approprier.

Quelqu'un connaissait l'existence de cette pièce secrète, savait ce qui s'y trouvait. À savoir ces DVD qui, supposais-je, étaient des vidéos pornos amateurs. L'idée me traversa l'esprit que l'intrus devait être un des acteurs de ces vidéos. Et, partant, qu'il connaissait Adam et Miriam Chalmers.

Qu'il les connaissait même très bien.

Après m'être assis derrière le bureau d'Adam, je demandai à Lucy de chercher un carnet d'adresses et des factures téléphoniques. Elle se rendit dans la cuisine où, me dit-elle, son père, qui ne se fiait pas au paiement en ligne, conservait ses vieilles factures de téléphone dans le tiroir de la table. Je cliquai sur l'icône timbre, mais une fenêtre apparut aussitôt pour me demander de saisir un mot de passe. Je tentai « Lucy », en vain.

— Lucy ?

— Oui ? dit-elle.

— Il me faut un mot de passe. J'ai essayé votre prénom, ça ne marche pas.

Il y eut un moment de silence.

— Essayez « Crystal ».

J'essayai. Sans plus de succès.

— Ça ne marche toujours pas ! criai-je.

Un autre bref silence.

— « Miriam ».

Je tapai les lettres. Là encore, sans résultat.

— Vous auriez d'autres idées ?

— Je réfléchis.

Ce devait au moins être une satisfaction pour elle, que son père n'ait pas choisi le prénom de Miriam.

— Essayez « Devil's Chosen ». C'était le nom du gang de motards dont il était membre.

Je tentai le coup. La première fois, avec un « s » apostrophe, sans succès. Je réessayai sans, avec le même résultat. La troisième fois, j'utilisai un D et un C majuscules.

Bingo.

— C'est bon, dis-je.

Je parcourus rapidement l'application de messagerie. Il y avait des dizaines de mails dans la boîte de réception, le dossier des messages envoyés et la corbeille. Il me faudrait des heures pour les passer tous en revue, mais la réponse que je cherchais pouvait se trouver parmi eux.

Le plus récent – il était arrivé de bonne heure la veille et n'avait pas été lu – était d'un certain Gilbert Frobisher.

J'ai entendu la nouvelle ce matin sur CNN au sujet de l'explosion au drive-in. Wouah. J'espère qu'il n'y avait personne que tu connaissais. C'est une bien étrange façon de faire connaître Promise Falls ! J'ai parlé à ton ancienne éditrice chez Putnam, elle a dit que si tu avais quoi que ce soit en chantier, la moindre idée, ils seraient prêts à discuter, mais elle ne s'est pas montrée excessivement optimiste. Cela fait cinq ans que tu n'as pas sorti de bouquin, ta notoriété n'est plus ce qu'elle était, mais elle m'a dit que si tu avais quelque chose de bon, elle y jetterait quand même un œil. Néanmoins, elle ne pourrait pas te garantir un à-valoir à la hauteur de ce que tu as pu obtenir dans le passé. Il ne faut donc pas compter sur une grosse avance, mais avec un bon bouquin tu pourrais te refaire sur les ventes. Alors, commence à réfléchir. On se reparle.

Ce mail répondait à un message précédent d'Adam :

Gilbert, mon pote, j'aurais bien besoin de bonnes nouvelles. Si on ne touche pas quelques dollars sous peu, je vais devoir commencer à brûler les meubles. J'ai besoin de conserver le train de vie auquel je me suis habitué, et Miriam aussi. Tu ne pourrais pas recommencer à faire circuler certains de mes premiers bouquins dans les studios, voir si ça intéresse quelqu'un ? Dieu sait que je ne compte pas sur une adaptation, mais un contrat d'option me maintiendrait à flot. Et retourne voir Debra chez Putnam. Sonde-la. Dis-lui que j'ai un pitch d'enfer, une idée sensas, mais que je veux voir un peu d'argent sur la table avant de lui en dire plus. Je sais que c'est un pari pour elle, mais elle m'est redevable.

Le message suivant, qui avait été ouvert, était arrivé la veille, en fin d'après-midi. Il provenait de Felicia Chalmers.

— L'ex-femme de votre père, vous avez dit qu'elle s'appelait comment, déjà ? demandai-je.

— Felicia, répondit Lucy, avant d'ajouter, tout excitée : J'ai trouvé les factures de téléphone et un carnet d'adresses.

— Cherchez les numéros qui reviennent souvent.

Je cliquai sur le mail de Felicia. Il était bref.

Ça m'a fait plaisir de te parler. J'aimerais te dire que vous allez trouver une solution, mais tu as un certain passif en la matière, tu sais. Elle a peut-être juste besoin d'un peu de temps pour réfléchir. Appelle-moi si tu veux, mais tu n'as pas besoin de ma permission. Affectueusement, Felicia.

Ce que j'aurais voulu trouver, c'était un mail qui aurait dit : « Salut, Adam, j'ai une clé. Je passerai prendre les DVD. » Mais les choses n'étaient jamais aussi simples. Toutefois, il était intéressant qu'Adam Chalmers ait gardé le contact avec son ex.

Le mail suivant provenait d'un admirateur qui avait lu un de ses livres, et qui voulait savoir si Chalmers accepterait de lui dédicacer son exemplaire et de le lui renvoyer. Adam n'avait pas répondu. Et il y avait un mail de Lucy :

Salut, papa. Est-ce que Crystal peut venir samedi ? J'ai un atelier-conférence auquel je dois vraiment assister, et si elle pouvait passer l'après-midi avec toi, ce serait super. À condition que Miriam et toi n'ayez rien prévu. J'apprécierais beaucoup. Je la déposerais vers onze heures et viendrais la chercher pour quatre heures.

On avait répondu au message. Je regardai dans le dossier des messages envoyés, trouvai un petit mot d'Adam à sa fille :

No prob.

Je parcourus rapidement certains messages envoyés récemment. Deux réponses à d'autres fans qui avaient lu et apprécié un de ses livres. Une sollicitation d'un écrivain en herbe qui demandait à Chalmers de lire son manuscrit et auquel celui-ci avait fait cette réponse :

Je ne vois pas ce qui pourrait me faire plus plaisir que de sacrifier sept ou huit heures de mon temps, sans aucune espèce de dédommagement, pour lire un livre dont je ne sais rien, écrit par un parfait inconnu. Vous n'auriez pas des amis qui auraient aussi écrit des livres et que vous pourriez m'envoyer avec le vôtre ? Si vous vouliez bien en faire un lot et me les expédier,

141

mais je veux des manuscrits papier parce que je sais d'expérience que ceux envoyés par mail prennent beaucoup moins bien quand on les met dans la cheminée.

Je continuai à lire rapidement ses mails, y compris ceux qui se trouvaient dans la corbeille. Elle ne contenait pas grand-chose. Adam avait effacé la plupart des messages supprimés. Il n'en restait qu'une vingtaine, le plus ancien remontant à six jours.

Je n'étais guère avancé.

Lucy entra dans le bureau.

— Il y a trois numéros qui apparaissent assez souvent sur la facture de portable de mon père. Quatre, en fait. Mais le quatrième est le portable de Miriam, ce qui est logique.

— Et les autres ?

Elle me lut le premier. Je googlai le numéro. Si c'était celui d'une ligne fixe, et qu'il n'était pas sur liste rouge, il y avait de bonnes chances pour que le nom de la personne à qui il était attribué apparaisse.

Felicia Chalmers.

— Parlez-moi de Felicia, dis-je.

— C'est son numéro ?

Je hochai la tête.

— Elle habite toujours à Promise Falls, pour autant que je sache. Je veux dire, je n'ai rien à voir avec elle. Nous n'avions rien à nous reprocher l'une l'autre, mais, après que papa et elle se sont séparés, je n'avais aucune raison de garder le contact. Je crois qu'elle a un appartement dans une résidence près d'ici. Si elle s'était remariée, je pense que papa en aurait parlé.

— Ils étaient manifestement restés en contact. Est-ce que votre père avait des obligations financières à son égard ?

— Il devait lui verser une prestation compensatoire, mais rien de mirobolant. Je ne serais pas surprise qu'il lui ait donné un peu d'argent de temps en temps. Mais elle n'avait pas d'enfant à charge. Et c'est elle qui avait insisté pour mettre fin à leur union.

— Elle a gardé son nom d'épouse.

— Son nom de jeune fille est Dimpfelmyer. Vous auriez fait quoi à sa place ?

Ma requête Google m'avait fourni une adresse sur Braymore Drive. Je la notai dans mon calepin. Peut-être lui confiait-on encore une clé. Et le code du système d'alarme. Peut-être que la vie sexuelle d'Adam et Miriam incluait Felicia. Un plan à trois. Je comprenais que Felicia puisse vouloir récupérer ces DVD. Si elle avait appris qu'Adam et Miriam avaient été tués au drive-in, elle voulait sans doute éviter que la personne qui aurait à vider la maison – Lucy, en l'occurrence – ne tombe sur ces vidéos amateurs. Elle avait donc déboulé ici, pris les films, et s'était enfuie par-derrière quand elle avait entendu Lucy ouvrir la porte d'entrée.

La théorie n'était pas mauvaise. Et c'était un bon point de départ.

— C'est quoi le numéro suivant ? demandai-je.

Je fis une nouvelle recherche sur Google, qui ne donna rien. Probablement un portable.

— Jetons un coup d'œil au carnet d'adresses, dis-je.

Lucy me le tendit. Je commençai à le feuilleter, cherchant un numéro qui aurait correspondu à celui qu'elle venait de me donner.

Je passai tout le carnet en revue sans résultat, mais je me promis d'y revenir plus tard.

— Quel est le dernier ? demandai-je.

Je le notai en même temps que Lucy me le lisait, mais, cette fois encore, je fis chou blanc. Probablement un autre portable. Je comparai de nouveau avec le carnet d'adresses.

Et là, j'eus plus de chance.

— Vous avez déjà entendu parler d'un certain Clive Duncomb ? demandai-je.

Lucy fit non de la tête.

Je me tournai de nouveau vers mon ami, M. Google.

— Wouah, m'exclamai-je en voyant un certain nombre d'articles apparaître.

— Quoi ?

— C'est le responsable de la sécurité à Thackeray. Et, il y a quelques jours, il a tué un étudiant d'une balle dans la tête.

— Mon Dieu. Pourquoi ?

— Si c'est pour une histoire de plagiat, le règlement intérieur s'est considérablement durci depuis mon époque.

Je décidai de commencer par Felicia Chalmers.

Elle vivait dans un appartement des Waterside Towers, à moins d'un kilomètre en aval des chutes, dans le centre-ville. Appeler cela une tour était très exagéré. C'était un immeuble de cinq étages, lequel, à l'exception du château d'eau, était ce qui se faisait de plus élevé à Promise Falls.

Je me garai sur un emplacement visiteur et pénétrai dans le hall de l'immeuble. Il n'y avait pas de gardien, mais cela ne signifiait pas que l'on pouvait entrer ici comme dans un moulin. Il y avait un répertoire et une rangée de boutons près de la seconde porte. Je trouvai Felicia Chalmers au 502, numéro qui correspondait au dernier étage.

Je détestais les interphones. Si elle n'avait pas envie de me parler, rien ne l'obligeait à m'ouvrir. Il était bien plus facile de refuser d'ouvrir la porte aux gens quand vous ne les aviez pas en face de vous. Et je ne tenais pas à devoir expliquer, à travers un haut-parleur, la raison de ma visite.

Quelqu'un approchait sur le trottoir, se dirigeant vers la porte de l'immeuble. Une femme entre deux âges, un trousseau de clés à la main.

Je me collai à la rangée d'interphones, faisant mine de retirer mon doigt de l'un d'eux et, au moment où la femme entrait dans l'immeuble, j'articulai d'une voix forte :

— Bon, très bien, j'arrive dans une seconde.

Je me retournai, sourit à la femme. Elle ouvrit la porte avec sa clé, me jeta un regard.

— Entrez donc, dit-elle en me tenant la porte.

— Oh, merci.

Je m'exécutai, puis m'effaçai poliment pour la laisser marcher devant moi jusqu'à l'ascenseur. La femme descendit au troisième, et je montai au cinquième. Une fois sorti de l'ascenseur, je pris le temps de m'orienter, et lorsque je compris que le 502 se trouvait sur la gauche, je longeai le couloir moquetté jusqu'à l'appartement de Felicia Chalmers.

J'entendis de la musique à l'intérieur quand je frappai à la porte.

Cinq secondes plus tard, une chaînette coulissa, puis la porte s'ouvrit. Je dus ajuster mon regard vers le bas. En talons hauts, elle aurait peut-être fait un mètre soixante, mais elle était pieds nus et le sommet de sa tête m'arrivait à peine au niveau du menton. Ses cheveux blonds étaient ramenés en queue-de-cheval, et elle était vêtue d'une sorte de tenue de fitness turquoise. Des filets de sueur coulaient sur ses tempes.

— Oui ? demanda-t-elle.

En fond sonore, je reconnus « Does Anybody Really Know What Time It Is ? », de la comédie musicale *Chicago*.

— Madame Chalmers ? Felicia Chalmers ?

— Comment êtes-vous entré dans l'immeuble ?

Je sortis ma pièce d'identité.

— Je m'appelle Cal Weaver. Je suis détective privé. Je souhaiterais vous poser quelques questions.

— À quel sujet ? demanda-t-elle, la main sur la hanche.

— Au sujet de votre ex-mari, Adam Chalmers.

Elle eut un haussement de sourcils.

— Mon Dieu, qu'est-ce qu'il a fait ? Attendez, laissez-moi deviner. Cela concerne une femme. Cela concerne toujours une femme d'une manière ou d'une autre.

Merde.

— Madame Chalmers, vous ne savez pas ?

— Qu'est-ce que je ne sais pas ?

— Je peux entrer ?

Une expression inquiète s'afficha sur son visage. Elle ouvrit la porte en grand, me laissa entrer et la referma. Elle alla couper le son d'un iPod posé sur une chaîne Bose et traversa la pièce pour aller fermer la porte de ce que je supposais être sa chambre à coucher.

Puis elle demanda :

— Que se passe-t-il ?

— L'accident d'hier soir ? Au drive-in Constellation ?

— Quel accident ? À quel drive-in ?

— Vous n'avez pas allumé la télévision ce matin, vous n'êtes pas allée sur Internet ? Facebook, Twitter ? Vous n'avez pas vu les infos ?

Elle secoua lentement la tête.

— Je ne regarde pas les infos. On n'y annonce que de mauvaises nouvelles. Et je ne suis pas sur les réseaux sociaux. Je ne me sers pratiquement que des mails. S'il vous plaît, dites-moi ce qui se passe.

— Il y a eu une explosion hier soir, au drive-in. L'écran s'est effondré sur deux voitures. L'une d'elles appartenait à Adam Chalmers. Il était dans la voiture avec sa femme Miriam.

— Quoi ?

— M. Chalmers et sa femme ont été tués. Je suis navré d'avoir à vous annoncer ça.

— Adam est mort ?

— Je pensais qu'on vous aurait avertie. Ou que vous l'auriez appris d'une manière ou d'une autre.

— C'est impossible. Oh, mon Dieu, c'est affreux ! C'est incroyable. Je lui ai parlé hier encore. Enfin, pas au téléphone, mais par mail. Mon Dieu, j'ai besoin d'un verre. Allez me chercher quelque chose à boire.

Elle désigna la cuisine du doigt.

— Qu'est-ce que vous voulez ?

— Il y a une bouteille de rouge dans le casier. Les verres sont sur la droite. Remplissez-en un à ras bord !

Elle se laissa tomber sur un très grand canapé, ramena ses jambes sous elle.

— Prenez un verre, vous aussi.

J'allai dans la cuisine, où je remarquai trois bouteilles de bière vides posées dans l'évier. Étonnant, elle ne me semblait pas être le genre de personne à aimer la bière. Peut-être qu'elle prenait du vin dans la matinée et des bières dans la soirée. L'hypothèse de la bière fut confortée par le sachet de Doritos « spicy » entamé et refermé au moyen d'un élastique. Même si cela ne collait pas avec l'exercice physique, dont elle paraissait être une fervente pratiquante.

Je revins avec un verre de vin rouge bien rempli. Elle en descendit la moitié, puis me le tendit en disant :

— Refaites le niveau.

J'avais apporté la bouteille, et je la servis. Je pris un siège en face d'elle.

— Vous ne buvez pas ?

— Ça ira, merci.

— Je vous dirais bien que je déteste boire seule, mais comme vous êtes détective, vous vous rendriez vite compte que je mens.

Elle lança un regard furtif à la porte close de la chambre, puis se tourna vers moi, l'air légèrement suspicieux.

— Bon sang, c'est incroyable. Racontez-moi ce qui s'est passé.

Je lui dis ce que je savais.

— Oh, mon Dieu. Ils ont été écrasés tous les deux ? Dans cette vieille Jag ? Oh, bon sang, il adorait cette voiture. S'il était là avec nous, il dirait que c'est ce qu'il y a de plus tragique dans l'histoire. Bien sûr, que Miriam se fasse tuer, c'est moche, mais il était vraiment fou de cette bagnole.

Je ne savais pas quoi dire, mais Felicia m'épargna la peine de trouver une repartie.

— Qu'est-ce que vous faites ici ? demanda-t-elle.

— Je me pose des questions concernant la mort de M. Chalmers. Comme vous êtes son ex-femme, il se peut qu'elles aient certaines incidences sur vous.

Elle fit la moue. Ma réponse sembla la satisfaire.

— Vous savez, je pouvais m'imaginer Adam mourir de bien des façons, mais écrasé par un écran de cinéma ?

— De quelles autres façons l'imaginiez-vous mourir ?

— Un vieux biker surgi du passé qui l'aurait tué parce qu'il l'avait arnaqué, peut-être. Un mari jaloux qui n'aurait pas apprécié qu'Adam baise sa femme. Ou encore une ex-femme comme moi fatiguée d'écouter ses salades. Je ne sais pas. Faites votre choix.

— Il aurait arnaqué un ancien pote biker ?

— Il y en a probablement eu des tas. Sauf qu'Adam aurait été suffisamment malin pour couvrir ses traces, ou recouvrir le type qu'il avait arnaqué avec suffisamment de terre pour qu'il ne vienne jamais lui réclamer de comptes, si vous voyez ce que je veux dire.

— Je pense, oui.

Elle se pencha en avant.

— Je ne veux pas que vous vous fassiez de fausses idées. Adam était un chic type. Il avait juste un très lourd passé, c'est tout.

— Pourquoi avez-vous divorcé ? J'ai cru comprendre que c'est vous qui avez voulu partir.

Elle prit une autre gorgée de vin.

— Et pourquoi, au juste, devrais-je répondre à cette question ? Je ne vous connais pas et je ne sais même pas ce que vous foutez ici exactement. Pour des *questions en rapport avec sa mort* ? C'est quoi, ces conneries ?

Je souris.

— Quelqu'un s'est introduit au domicile de votre ex-mari. Après qu'on a annoncé sa mort dans l'accident.

Elle ouvrit de grands yeux.

— Il faut être malade pour faire une chose pareille ! J'ai déjà entendu une histoire dans ce genre. Des tarés qui avaient cambriolé une maison pendant que ses habitants assistaient à un enterrement. Ils savaient qu'il n'y aurait personne. Les gens sont rentrés chez eux, totalement dévastés par la cérémonie, et leur écran plat et leurs bijoux avaient disparu.

— Ce n'était pas tout à fait ça. Le voleur en question cherchait quelque chose de très particulier, dans un endroit très particulier.

Felicia Chalmers cligna des yeux.

— Oh, fit-elle.

— Je pense que celui qui s'est introduit dans la maison devait avoir une clé, et savait comment désactiver le système d'alarme. Cette personne avait la confiance d'Adam ou de Miriam, ou des deux.

Felicia hocha lentement la tête.

— Je vois. Et vous vous demandez si je suis cette personne ?

— Je me demande si vous avez une idée de qui cela pourrait être.

— Eh bien, ce n'est pas moi, je peux au moins vous affirmer ça. Adam a dû faire changer les serrures après notre divorce. Enfin, probablement. Même si je ne crois pas qu'il se soit jamais méfié de moi. Mais quand il a épousé Miriam, j'imagine qu'elle a voulu s'assurer que je ne mettrais plus jamais les pieds dans cette maison.

— Vous n'avez jamais essayé ?

— Bien sûr que non. Je n'avais aucune raison de le faire. J'ai probablement encore une clé quelque part, mais je ne pourrais pas vous dire si elle fonctionne encore.

— Vous pourriez la retrouver ?

— Maintenant ?

J'acquiesçai de la tête.

Un soupir. Elle se leva du canapé et alla dans la cuisine. Je l'entendis farfouiller dans un tiroir.

— Je l'ai peut-être jetée, dit-elle, assez fort pour que je l'entende. Oh, attendez, je crois que c'est ça. On dirait que j'en ai encore deux, en fait.

Elle revint au salon en tenant une clé entre le pouce et l'index.

— Puis-je vous l'emprunter ? demandai-je. J'aimerais l'essayer.

Felicia hésita.

— Si vous souhaitez appeler sa fille, Lucy Brighton, pour confirmer que je suis réglo, je n'y verrai aucun inconvénient.

Elle hésita encore une seconde, puis décida qu'il était moins compliqué de me faire confiance que de prendre le temps de se voir confirmer la vérité par Lucy.

— Tenez, prenez celle-là. Je n'en ai pas besoin.

Ce que je fis, la glissant dans la poche de ma veste.

— Je vous repose la question : pourquoi Adam et vous avez divorcé ?

Elle me dévisagea quelques secondes, puis elle haussa les épaules comme pour dire : « Et puis qu'est-ce que ça peut faire ? »

— Je ne pouvais plus supporter ça. Vraiment plus.

— Supporter quoi ?

— Le *lifestyle*.

— Je vous demande pardon. Quel *lifestyle* ?

— *Le* lifestyle.

C'était à moi de secouer la tête à présent.

— Je ne comprends pas. Êtes-vous en train de me dire qu'Adam Chalmers était gay ?

— Non, non, non. Même s'il est possible qu'il ait été bisexuel, jusqu'à un certain point. Je veux dire, vous êtes plus ou moins obligé.

— Vous me parlez d'échangisme, là ?

Elle fronça les sourcils.

— C'est le terme qu'on utilisait autrefois. Mais il n'est plus très politiquement correct. Il fait passer les femmes pour des cartes de base-ball. Ce n'est pas un échange de femmes, mais un partage de partenaires.

— Une partouze, quoi ?

Felicia me regarda comme si j'avais cinq ans.

— Vous venez d'où ? De Mayberry[1] ?

— Éclairez-moi.

— Le *lifestyle*, c'est un couple qui rencontre un autre couple pour le sexe. Bon, ça peut être trois couples. Au-delà, je suppose qu'on pourrait parler d'orgie. Adam préférait toujours limiter ça à deux autres couples. Ce qui fait six personnes, et permet pas mal de permutations, *a fortiori* si les hommes sont branchés hommes et les femmes branchées femmes. Ou au moins disposés à tenter l'expérience. Tout est librement consenti, plus ou moins, enfin, c'est ce qu'ils prétendent. Tout le monde couche avec tout le monde, ouvertement, personne ne se trompe en cachette. En théorie. L'ouverture d'esprit, la liberté renforceraient même les relations. C'est un moyen de satisfaire vos pulsions. D'assouvir vos fantasmes avec la bénédiction de votre partenaire.

— En théorie.

— Certaines épouses jouent le jeu pour faire plaisir à leur partenaire. Elles se persuadent que ça les branche, elles aussi. Mais… pas tant que ça, en fait.

---

1. Toile de fond d'une célèbre série télévisée des années soixante, Mayberry est devenue l'archétype de la petite ville provinciale américaine.

— Comme vous.

Felicia haussa les épaules et but une autre gorgée.

— On pourrait penser que, puisque tout se passe au grand jour, cela supprimerait le besoin d'une liaison extra-conjugale. Pourquoi coucher dans le dos de votre femme quand vous pouvez baiser quelqu'un d'autre sous son nez ? Mais avec Adam, c'était justement le côté secret qui lui plaisait, qui l'excitait. Alors, même s'il se tapait la femme de son meilleur ami juste devant lui, son truc, c'était de le faire ailleurs en l'absence de l'ami en question.

— Adam faisait ce genre de chose ?

Elle sourit d'un air triste.

— Oh, oui. Il fallait qu'il voie des femmes en dehors de la salle de jeux. Quand je l'ai appris, j'en ai eu ma claque. J'ai voulu arrêter.

— La salle de jeux.

Felicia prit un moment pour me jauger. Elle devait sans doute se demander ce que je savais exactement.

— Vous l'avez trouvée ?

— Oui.

Elle ferma les yeux, comme pour la visualiser.

— Tout ça paraît tellement idiot quand on y pense. Et un peu sordide, j'imagine. Adam estimait que ces activités méritaient d'être reléguées dans une pièce spéciale. Comme pour ne pas contaminer le reste de la maison. Mais la pièce devait être cachée. Il ne voulait pas qu'on puisse tomber dessus par mégarde.

— J'ai vu le lecteur DVD. Et le matériel vidéo sous le lit.

— Adam aimait bien enregistrer les séances, dit-elle en rouvrant les yeux. On se les repassait parfois, avec des invités. C'était un peu comme de revoir les meilleurs moments d'un match de football.

— Donc, tout le monde se savait filmé ? La caméra n'était pas cachée ?

Felicia fit non de la tête.

152

— Les DVD ont disparu, dis-je.

Elle écarquilla les yeux.

— Quoi ?

— C'est ce que notre intrus devait chercher. Ces DVD.

— Nom d'un chien.

— Cela vous inquiète ?

— Pas personnellement. Quand nous nous sommes séparés, Adam m'a donné toutes les vidéos qu'il avait de moi, de nous, soit seuls, soit avec d'autres.

— Comment savez-vous qu'il n'a rien gardé ? Qu'il n'a pas fait des copies ?

— Parce que je le sais. Adam, malgré tous ses défauts, était plus ou moins un type honnête. Du moins avec moi. S'il a dit qu'il m'a tout donné, c'est que c'est vrai. Et il ne mettait jamais rien sur Internet, ne créait jamais de fichiers informatiques. Il savait que ce genre de chose finissait toujours par être piratée ou envoyée par erreur. Il préférait les supports physiques, sans mauvais jeu de mots.

— Et vous les avez détruits ? Les disques qu'il vous a donnés ?

— Oui.

— Vous en êtes sûre ?

Elle se renfrogna.

— Je viens de vous le dire.

— Parce que j'essaie de mettre la main dessus, ou de m'assurer qu'ils n'existent plus.

— Pour le compte de qui ? Non, attendez, vous avez déjà mentionné Lucy.

Je hochai la tête.

— C'est elle qui les veut ?

— Elle serait soulagée de les savoir détruits. Elle n'a pas besoin de les récupérer. Mais pour avoir ce genre de certitude, nous devons découvrir qui les a pris.

Felicia se radoucit.

— Bien sûr. Écoutez, je vous dis la vérité. Adam m'a donné tous les disques du temps où on était ensemble, et je les ai cassés en mille morceaux. Ils sont partis à la poubelle il y a des années de cela.

— On y voyait qui d'autre ?

Je me disais que si les couples qui avaient « échangé » avec Adam et Felicia s'étaient « ébattus » ensuite avec Adam et Miriam, j'aurais là quelques suspects tout désignés pour le vol des DVD.

Felicia secoua la tête.

— Je comprends ce que vous vous dites, mais je ne pense pas que ça vous avancera. On voyait deux autres couples à l'époque. L'un est parti pour Paris à peu près au même moment... elle s'est fait muter, et je ne pense pas qu'ils soient rentrés. Et avec l'autre couple, il y a eu une sorte de grosse brouille parce que c'était cette femme qu'Adam voyait en cachette. Comme j'étais sur tous les enregistrements de cette période où apparaissaient ces gens, tous ces DVD, je les ai détruits.

— Lorsque vous étiez mariée à Adam, lui est-il arrivé de faire suffisamment confiance à un autre couple pour lui donner un double des clés ?

Elle acquiesça d'un mouvement de tête.

— Celui qui est parti en France. Adam leur avait donné une clé. Quand nous étions absents, et qu'il ne voulait pas déranger Lucy, ils étaient chargés de passer à la maison voir si tout allait bien.

— Est-ce que vous savez avec qui Adam et Miriam étaient intimes dernièrement ?

— Comment le saurais-je ?

— Parce que Adam et vous continuiez à communiquer. Au moins par mails.

Elle écarquilla les yeux une demi-seconde.

— C'est vrai, mais je ne pense pas que Miriam était au courant. Elle aurait été furieuse.

— J'ai lu le mail que vous avez envoyé hier. Vous disiez que quelqu'un avait besoin de temps pour réfléchir. De qui s'agissait-il ?

— Eh bien, vous êtes vraiment détective, vous. Je parlais de Miriam. Ils avaient des hauts et des bas.

— Du même genre que ceux que vous avez connus ? Une autre femme ?

— Il n'est pas entré dans les détails, mais oui, sans doute. C'est peut-être pour cette raison qu'il l'avait emmenée au cinéma : pour essayer d'arranger les choses. Mon Dieu, il l'a peut-être emmenée au drive-in pour ranimer la flamme, et ils y ont laissé leur peau.

— Vous pensez qu'Adam avait envie de recommencer une relation avec vous ?

Elle manqua de s'étouffer avec le vin.

— Pas vraiment. C'est bon, j'ai déjà donné.

Je regardai la porte close de la chambre avec un peu d'insistance.

— Et vous êtes passée à autre chose, de toute façon.

Felicia suivit mon regard, sourit.

— Je suis passée tellement souvent à autre chose que je ne les compte plus.

Elle porta le verre à ses lèvres et le vida.

— Est-ce qu'Adam vous donnait de l'argent ?

Elle me regarda comme si je venais de lui demander son poids.

— De l'argent ?

— En plus de l'accord conclu au moment du divorce.

— C'était une prestation compensatoire forfaitaire. Mais… (Elle s'interrompit le temps de se resservir du vin.) Mais, de temps à autre, quand j'étais un peu juste, il répondait présent. Simplement, il ne voulait pas que Miriam le sache.

— Vous avez continué à avoir des relations intimes ?

Elle fit un large sourire.

155

— C'est vraiment délicieux. *Relations intimes*. Vous vous demandez si on continuait à baiser, c'est ça ?

— Oui.

Elle fit une moue provocante, puis se figea, prenant peut-être conscience qu'elle ne remettrait jamais plus le couvert avec son ex.

— Ça nous arrivait à l'occasion, concéda-t-elle. Mais, en général, il préférait discuter.

Son expression se fit sombre.

— Il avait le sentiment que j'étais l'une des rares personnes à le comprendre. À savoir que, même s'il se comportait mal, ce n'était pas quelqu'un de mauvais. C'était juste un gamin. D'accord, il avait des problèmes. Certains lui auraient probablement collé une étiquette sur le dos, auraient dit qu'il avait un problème d'addiction au sexe. Mais si vous voulez mon avis, il voulait juste avoir encore dix-neuf ans. Je pense qu'il avait la nostalgie de sa période biker, mauvais garçon.

— Qu'est-ce qu'il faisait en ce temps-là ?

— Vous ne le savez pas ?

— Non.

— Il faisait bosser des filles. Prostitution. Ça lui a rapporté un max de fric. Il a toujours aimé les dames, d'une façon ou d'une autre.

— Je l'ignorais.

En dépit de son chagrin, elle parvint à sourire.

— C'est comme ça qu'on s'est rencontrés, dit-elle. Adam n'était pas le seul à s'être réinventé.

21

L'amphithéâtre, qui pouvait accueillir plus d'une centaine d'étudiants, n'en comptait pas plus d'une trentaine. Mais c'était un cours d'été, l'auditoire était donc beaucoup plus clairsemé qu'à l'ordinaire. Le Pr Peter Blackmore fit son entrée au moment où les étudiants s'installaient, ouvraient leurs ordinateurs sur les minuscules tables pliantes en forme de goutte, ou sortaient leurs téléphones portables pour enregistrer le cours. Blackmore n'en vit pas un seul avec un stylo et une feuille de papier.

Il y a dix ans de cela, une autre époque, il serait arrivé avec une serviette pleine de copies, une demi-douzaine de livres et une sortie papier de son intervention. Mais ce jour-là, il n'avait qu'une simple tablette numérique dans sa poche. Il s'était envoyé par mail son cours sur Melville et le déterminisme psychologique, et une fois qu'il aurait pris place devant le pupitre, il n'aurait plus qu'à ouvrir le fichier et à faire défiler le texte avec son index. Il ne possédait peut-être pas un téléphone dernier cri, ne savait peut-être pas comment envoyer des SMS, mais quand il s'agissait de donner un cours, il était de plain-pied dans le XXIᵉ siècle.

— Si vous voulez bien vous asseoir…, commença-t-il.

Quelques étudiants continuaient à bavasser. Selon toute probabilité, ils ne devaient discuter ni de Melville, ni de déterminisme psychologique, ni d'aucun autre sujet académique d'ailleurs. Ils faisaient plus vraisemblablement des plans pour plus tard : où allaient-ils se retrouver pour boire un verre. Qui était partant pour commander une pizza. Ou bien ils échangeaient des potins pour savoir qui couchait avec qui.

Pour sa part, il était en train de se dire qu'il aurait dû parler de Georgina à l'inspecteur.

— Bon, j'espère que tout le monde a bien avancé sur *Moby Dick*, dit Blackmore ou, à tout le moins, sur la version abrégée et commentée.

Quelques ricanements nerveux résonnèrent dans l'amphithéâtre.

Il sortit sa tablette de la poche de sa veste. Appuya sur la touche du bas, fit glisser son doigt sur l'écran pour le déverrouiller.

— Je vous demande une seconde, dit Blackmore.

Clive Duncomb serait furieux s'il apprenait qu'il avait parlé à Angus Carlson. Duncomb aimait gérer les problèmes lui-même. Pas uniquement ses problèmes, mais les problèmes de ceux qui lui étaient proches.

Duncomb n'appréciait pas d'avoir affaire à la police locale. Il les prenait pour une bande de bouseux. Un inspecteur à Promise Falls, se plaisait-il à dire, ne pourrait pas retrouver son propre cul dans une tempête de neige.

Blackmore n'était pas certain d'avoir une aussi piètre opinion de la police locale. Non qu'il ait souvent eu affaire à elle, mais il n'avait jamais eu à déplorer son incompétence. Un professeur de lettres n'avait après tout pas souvent l'occasion d'interagir avec la police.

Des flics, il en était venu tout un tas sur le campus après que Duncomb avait abattu cet étudiant qui agressait des jeunes femmes.

Duncomb lui avait fait sauter la cervelle sans que ça le perturbe le moins du monde, apparemment.

Bien sûr, on pouvait soutenir que le chef de la sécurité avait eu la bonne réaction, mais n'aurait-il pas dû éprouver quelque chose après coup. Après avoir ôté la vie d'une autre personne. Non, il se comportait comme si avoir mis fin à la vie de ce jeune homme faisait partie de la routine.

Ce n'était pas si étonnant, vu son pedigree. Ou celui de sa femme, Liz, d'ailleurs. Des infos avaient fini par fuiter au cours de ces dernières années. Duncomb était affecté à la brigade des mœurs de la police de Boston quand il avait rencontré Elizabeth Palmer. Il avait accumulé des preuves sur le service d'escorts qu'elle dirigeait, dans l'espoir de la prendre au piège, mais c'est lui qui avait fini par tomber dans ses filets.

Les flics de Boston n'étaient pas les seuls à s'intéresser à Liz. Il y avait le fisc, pour commencer. Duncomb, en sabotant l'enquête conduite par son propre service, avait aidé Liz à détruire des preuves. Des dossiers avaient été passés à la déchiqueteuse puis brûlés. Des gens avaient été soudoyés. Duncomb avait démissionné, épousé Liz – par amour mais aussi parce qu'ils n'auraient ainsi jamais à témoigner l'un contre l'autre – et le couple s'était installé à Promise Falls quand il avait obtenu ce boulot de chef de la sécurité de l'université.

De là à supposer qu'un homme tel que lui puisse recourir à des mesures extrêmes, il n'y avait qu'un pas.

— Professeur ?

— Hmm ?

C'était une étudiante au premier rang. Trish, ou Tricia, quelque chose comme ça.

— Quelque chose ne va pas ?

Il se rendit compte qu'il était resté planté là, sans dire un mot, enfermé dans sa bulle pendant quinze bonnes secondes. Peut-être davantage.

— Désolé, dit-il. C'est mon côté Ned Brainard[1].

Quelques ricanements. La plupart de ses étudiants n'avaient probablement jamais entendu parler du film. Une référence qui s'était perdue.

— Très bien, dit-il en posant la tablette sur le pupitre. Le texte apparut comme par magie. Il avait augmenté la taille des caractères de manière à pouvoir lire sans ses lunettes.

Il avait de nouveau essayé de joindre Georgina quelques secondes avant de pénétrer dans l'amphithéâtre. Il l'avait appelée à la maison et sur son portable. Aucune réponse. Il avait passé un coup de fil au cabinet d'avocats dans lequel elle travaillait sans plus de succès.

Elle était probablement à la maison. Elle devait être furieuse contre lui, et refusait de lui répondre.

Pour le faire souffrir.

Eh bien, sa stratégie fonctionnait à merveille !

— Euh… quand nous parlons de déterminisme psychologique, de quoi parlons-nous exactement ? C'est une expression alambiquée, je vous l'accorde, mais elle va au cœur de… au cœur de…

Il avait sauté dix paragraphes en faisant glisser son doigt un peu trop énergiquement. Il tenta de reprendre le fil de son texte.

— Euh, attendez un instant, attendez…

Elle est tombée. Mon Dieu, elle s'est fait mal.

Cela paraissait tellement évident. Terriblement évident. Jusqu'ici, il avait supposé qu'elle essayait de lui donner une bonne leçon. Qu'elle s'était fait héberger chez une amie. Elle l'avait déjà fait, quand il l'avait contrariée pour une raison ou pour une autre.

Il avait dû lui dire quelque chose qu'il n'aurait pas dû. L'accuser injustement.

---

1. Personnage de fiction, professeur de sciences si absorbé dans ses recherches qu'il en oublie de se rendre à son propre mariage.

Elle l'avait mal pris.

Il y avait donc tout lieu de penser qu'elle était partie quelque part pour se calmer. Mais ce n'était pas son genre de s'absenter aussi longtemps. Elle avait déjà claqué la porte, pour revenir une ou deux heures plus tard.

Pas le lendemain matin.

Et elle n'avait jamais été fâchée après lui au point de ne pas aller à son travail.

Mon Dieu, j'ai vraiment été idiot. Il aurait dû rentrer quand son bureau avait appelé. Elle avait pu tomber dans l'escalier. Glisser en sortant de la baignoire. S'électrocuter d'une manière ou d'une autre.

Il fallait qu'il retourne chez lui. *Immédiatement.*

Blackmore regarda ses étudiants, leurs trente visages perplexes.

— Je regrette, dit-il. Je ne peux pas faire cours aujourd'hui.

Il reprit sa tablette, la fourra dans sa poche et se dirigea vers la sortie.

Il rejoignit en hâte sa Volvo à la carrosserie rouillée, vieille de vingt ans, et sortit en trombe du parking de la faculté dans un nuage de fumée d'échappement.

Les Blackmore habitaient une maison de plain-pied de style victorien, en brique rouge, dans le quartier historique de Promise Falls. Ces dix dernières années, depuis que Georgina et lui étaient mariés, ils avaient œuvré pour redonner à cette maison son lustre d'antan. Ils avaient remplacé les lambrequins et les balustrades de la petite galerie couverte en façade. Refait la toiture. Changé la chaudière.

La voiture de Georgina, une Prius vieille de quatre ans, était garée sur le côté de la maison. Il reprit espoir en la voyant.

Il s'approcha de l'entrée qui donnait sur le côté en tripatouillant son trousseau de clés. Mais, avant d'introduire la clé, il essaya d'ouvrir la porte. Une fois sur deux, Georgina laissait la maison ouverte quand elle était là.

Le bouton tourna dans sa main.

Il poussa la porte en appelant : « Georgie ! Georgie ? »
Pas de réponse.

La porte ouvrait sur un palier entre deux volées de marches. Quatre en haut pour aller dans la cuisine, quatre en bas au sous-sol.

Il décida de commencer par la cuisine. Ce qu'il y vit le cloua sur place.

Des tiroirs sortis, des placards ouverts. Des plats, des tasses et des ustensiles déplacés, jetés sur le plan de travail.

— Bon sang, dit-il tout bas. (Puis, en criant :) Georgina !

Il alla jusqu'à l'escalier et gravit les marches deux à deux. Il se dirigea droit vers leur chambre. La pièce était dans le même état que la cuisine. On avait sorti les tiroirs de la commode, éparpillé des vêtements, tiré des valises de sous le lit. La porte de la penderie était ouverte, et on avait ouvert et jeté des boîtes à chaussures.

— Mon Dieu, souffla-t-il.

La chambre d'amis avait été retournée de la même manière. Quelqu'un avait fouillé la maison de fond en comble.

— Oh mon Dieu, oh mon Dieu, oh mon Dieu.

— Calme-toi, prononça une voix derrière lui.

Blackmore se retourna. Clive Duncomb se tenait dans l'embrasure de la porte.

— Bon sang, mais qu'est-ce qui se passe ? s'écria Blackmore.

— Je suis passé pour chercher Georgina, répondit Duncomb, calmement.

— Où est-elle ? Où est Georgina ?

— Je ne sais pas.

— Sa voiture est là. Si sa voiture est là, où peut-elle bien être, elle ?

— Je n'ai pas trouvé de sac à main.

— Son sac ?

— Je ne l'ai pas trouvé.

— Georgina a probablement une demi-douzaine de sacs.

— Oui, sans doute. Mais celui dont elle se sert en ce moment doit contenir ses clés de voiture, son portefeuille et son permis de conduire. Et je ne l'ai pas trouvé.

Blackmore agita les bras pour désigner la pagaille.

— Regarde-moi ça. Il s'est passé quelque chose ici. Quelqu'un a retourné cette maison de fond en comble. Peut-être que Georgina a pris un cambrioleur sur le fait. Oh non. Peut-être qu'on l'a kidnappée, ou même...

— C'est moi qui ai fait ça, déclara Duncomb.

— Quoi ?

— J'ai mis cette maison sens dessus dessous. Je viens de finir de fouiller le sous-sol. Si elle l'a pris, et qu'il est là, il est bien planqué.

— Clive, qu'est-ce que tu racontes ?

— Il m'est venu à l'esprit que ça pourrait être Georgina. Cet enregistrement l'a toujours mise mal à l'aise. Il y avait de quoi, d'ailleurs. Peut-être qu'elle est allée chez Adam avant moi. Ou peut-être qu'elle l'avait récupéré il y a longtemps.

— Enfin merde, Clive, tu n'avais qu'à me demander. Si Georgina l'avait pris, elle me l'aurait dit.

— Vraiment ? Peut-être qu'elle aurait eu peur de le faire. Peut-être qu'elle a fait ça de sa propre initiative.

— Même si... Même si tu dis vrai, elle ne l'aurait pas caché. Elle l'aurait détruit.

Duncomb hocha la tête, songeur.

— Probablement. Ce serait bien qu'elle l'ait fait, mais je dois m'en assurer.

Blackmore se passa les doigts dans les cheveux, puis garda les mains plaquées sur son crâne, comme pour empêcher sa tête d'exploser.

— Mais qu'elle l'ait pris ou non, ça ne nous dit pas où elle est en ce moment. Où a-t-elle bien pu aller, merde !

— C'est bien ce qui m'inquiète, dit Clive Duncomb. Peut-être qu'elle l'a, et qu'elle est en train de se demander ce qu'elle va en faire.

Blackmore mit un moment avant de comprendre où Clive Duncomb voulait en venir.

— Elle n'irait pas à la police. Impossible. Ça n'aurait aucun sens. C'est ma *femme*. Elle causerait notre perte à nous tous, y compris la sienne. C'est absolument impossible. C'est inconcevable.

— J'espère que tu as raison. Parce que, la dernière chose dont on a besoin, c'est d'une vidéo qui nous montre en train de baiser une fille qu'on a retrouvée morte.

— Nous n'avons rien à voir avec ce qui est arrivé à Olivia Fisher, dit Blackmore en scrutant le visage de Duncomb. N'est-ce pas ?

— Bien sûr que non. Mais ce n'est pas le genre de chose que je voudrais avoir à prouver.

22

La porte de la chambre de Felicia Chalmers s'ouvrit. Apparut un homme mince, un bon mètre quatre-vingts, des dragons tatoués sur les bras, ne portant rien d'autre qu'un boxer avec de petits avions imprimés, et se grattant la fesse droite. Il cligna des yeux de façon répétée, pour accommoder sa vision à Felicia et à l'appartement.

— Le Corbin se lève, dit Felicia, qui venait de raccompagner l'inspecteur, son verre de vin rouge presque vide à la main.

— J'ai entendu des gens parler, dit Corbin.

— Tu n'as pas entendu la musique, mais tu as entendu la conversation ?

— La musique, j'ai l'habitude. Je peux dormir avec Metallica à pleins tubes. Mais tu jacassais avec quelqu'un et ça m'a réveillé. Il y a un problème ?

— Adam est mort.

— C'est qui, déjà, Adam ?

Felicia fronça les sourcils.

— Mon ex-mari.

Cela acheva de le réveiller.

— Merde ! Comment c'est arrivé ?

Felicia le lui raconta.

— Désolé, bébé. Tu veux un câlin ?

Il ouvrit les bras.

— Non, je n'en ai pas besoin, dit-elle avant d'aller dans la cuisine.

Elle posa son verre à vin et fouilla dans un tiroir jusqu'à ce qu'elle trouve un carnet d'adresses.

— Qu'est-ce que tu cherches ?

— Le numéro du type qui s'est occupé de mon divorce. Arthur Clement. À Albany.

— Tu as besoin de lui pour quoi faire ? demanda Corbin. Tu étais déjà divorcée de ton mec. Et maintenant il est mort.

— Exactement, dit-elle. Et il n'est pas le seul.

— Je ne te suis pas.

Elle trouva le numéro qu'elle cherchait, posa son index entre deux pages en guise de marque-page, et se tourna vers l'homme presque nu qui se tenait sur le seuil de sa cuisine.

— Le contraire m'aurait étonné.

— Allez, aide-moi un peu, là.

— Sa femme a été tuée elle aussi, expliqua Felicia. Et sa première femme est morte il y a des années. Alors j'ai peut-être droit à quelque chose.

— Tu ne m'avais pas dit qu'il avait une fille ? Une grande fille ?

— Lucy, dit Felicia. Oui. Mais elle ne devrait pas hériter de tout.

— Il était aussi friqué que ça ?

— Peut-être pas. Mais il y aura quelque chose. Il y a la maison. Il avait probablement fait des investissements, ce genre de trucs. Et comme je suis sa seule ex-femme sur-vivante, je dois bien avoir droit à *quelque chose*. Qui sait, peut-être qu'il m'a couchée sur son testament ?

— Il t'en avait parlé ?

Felicia se mordit la lèvre.

— Pas exactement.

— À mon avis, tu perds ton temps, Felish. Tout ce qu'il possède ira probablement à sa gosse. Je ne suis pas avocat, mais...

— Non, tu es barman.

— Je te donne juste mon avis.

— Si ça ne te dérange pas, je vais solliciter un avis plus professionnel.

Corbin s'appuya contre le montant de la porte, se passa la langue sur les dents.

— Tu sais, Felish, je ne suis pas sûr que ça colle, nous deux.

Elle avait ouvert le carnet d'adresses et tendait le bras pour prendre le téléphone.

— Mmh mmh.

— Je trouve que tu ne me respectes pas.

Elle composait le numéro, le combiné à la main.

— Te respecter ? Bien sûr que je te respecte. Je te respecte exactement pour ce que tu es. Tu es... Allô ? (Felicia tourna le dos au jeune homme.) Il faut que je parle à Arthur... Non, il faut que je lui parle tout de suite. C'est urgent... C'est ça. C'est Felicia Chalmers à l'appareil. Vous lui dites qu'il y a eu un décès... Vous lui dites ça... Oui, je ne quitte pas.

Felicia se retourna pour dire quelque chose à Corbin, mais celui-ci avait disparu. Elle entendit un bruit de chasse d'eau.

— Allô ? Monsieur Clement ? Vous vous étiez occupé de mon divorce d'avec Adam Chalmers... ? C'est bien ça. Eh bien, il s'est produit un grave accident ici à Promise Falls hier soir et... Oui, le drive-in. Mon ex-mari et sa nouvelle femme, Miriam, ont été tués. Ce qui fait de moi sa seule ex-conjointe survivante... Oui, oui, il y a une fille, mais je devrais avoir droit à quelque chose... Et si j'étais en mesure de prouver que j'ai été un soutien moral pendant tout ce temps ?... J'ai des mails. Des tas de mails et de sms qui le prouvent. Et ce n'est pas tout, nous avions toujours des relations physiques. Je continuais de remplir mon devoir conjugal en quelque sorte. Ça doit bien compter pour quelque chose et...

Elle le laissa parler.

— Oui, oui.

Le laissa parler encore.

— Oui, oui.

Puis :

— Eh bien, je me fiche que ce soit l'opinion qui vous vienne spontanément à l'esprit. Mon instinct à moi me dit que je pourrais avoir droit à quelque chose, surtout maintenant que Miriam est morte. Quand puis-je venir vous voir ? La semaine prochaine ? Ça me laissera le temps de rassembler tous mes papiers. Et en attendant je pourrai me faire une idée de la valeur de la maison. Entendu. Très bien, merci. Alors je vous dis à bientôt.

Felicia raccrocha. Quand elle se retourna, Corbin était revenu, une serviette autour de la taille.

— J'ai bien fait de ne pas écouter le barman, dit-elle.

23

Samantha Worthington, qui était en train de réapprovisionner le distributeur automatique avec de petits paquets de lessive, sursauta quand le téléphone portable glissé dans la poche de son jean se mit à sonner. Elle était à cran depuis qu'Ed lui avait rendu visite dans sa laverie automatique ce matin, et il n'aurait pas fallu grand-chose de plus que cette sonnerie pour qu'elle fasse une crise cardiaque.

Elle sortit son téléphone, regarda le numéro appelant.

David Harwood.

Bon sang, il ne voulait pas lâcher l'affaire, celui-là. Mais il avait au moins le mérite de la persévérance. Elle laissa sonner.

Un cercle rouge avec un 1 à l'intérieur apparut sur l'écran. Il avait laissé un message. Est-ce qu'elle avait envie d'entendre ce qu'il avait encore à dire ?

Elle tapota le cercle, colla le téléphone à son oreille.

« Sam, c'est David. Écoute, je comprends que tu ne veuilles pas prendre mes appels. Tu penses que je t'ai piégée pour une raison ou pour une autre, et moi je te jure que non. Peut-être que… merde, je ne sais pas, mais si on pouvait en parler… peut-être dîner ensemble ? Quelque chose de simple. On pourrait même… si tu es d'accord… Carl pourrait venir à la maison et passer un moment avec Ethan. Mes parents seraient là. Ou alors… je ne sais pas.

Écoute, je ne rappellerai pas. Je ne veux pas être un con qui te harcèle. C'est juste que… tu me plais. On a tous les deux un paquet de problèmes, et peut-être que ta barque est pleine, mais je… je dois y aller. Si tu es partante pour dîner, ou autre chose, appelle-moi. Salut. »

Sam se vit offrir le choix entre appuyer sur sept pour effacer le message, ou neuf pour le sauvegarder. Son pouce hésita au-dessus du neuf, puis pressa le sept.

David Harwood avait raison. Elle avait suffisamment de problèmes pour l'instant.

À commencer par Ed. La guerre avec ses beaux-parents pour la garde de Carl était en train de s'intensifier.

Bien entendu, les hostilités avaient commencé dès le divorce. Ils n'avaient eu de cesse d'essayer de lui enlever Carl depuis que leur fils, Brandon, son ex-mari, avait été condamné à six ans de prison pour le braquage d'une agence de la Revere Bank. Le tribunal lui avait collé deux années supplémentaires parce qu'il s'était servi d'une arme à feu.

Quel abruti. Au moins il n'avait flingué personne.

Ses parents, et surtout Yolanda, l'avaient toujours détestée, à plus forte raison quand elle avait demandé le divorce, avant que Brandon ne se lance dans le braquage de banque. Mais cette haine s'était développée de manière exponentielle après que Carl et elle avaient quitté Boston. Cela avait signifié pour eux qu'ils ne verraient plus leur petit-fils aussi souvent – il avait déjà été difficile de couper complètement les ponts quand ils habitaient tous la même ville –, et c'était le genre de personnes qui avaient l'habitude d'obtenir ce qu'elles voulaient. Garnet était directeur d'une autre agence de la Revere Bank – cette histoire ne manquait pas d'ironie – et Yolanda se comportait comme si elle était mariée au ministre des Finances.

Sam ne leur avait pas annoncé qu'elle comptait déménager. Elle aimait imaginer la surprise sur leurs visages la première fois qu'ils étaient passés à l'improviste et qu'ils avaient trouvé d'autres locataires dans l'appartement. Cela avait dû les faire enrager.

Le fait que Brandon ait braqué non seulement une banque, mais une agence Revere, était tellement embarrassant, surtout pour Garnet, que sa femme et lui tenaient absolument à en rejeter la responsabilité sur Sam.

Leur théorie, qu'ils partageaient avec tous les gens qu'ils croisaient, y compris un journaliste du *Boston Globe*, était que Brandon s'était mis à braquer des banques pour reconquérir le cœur de Sam. Garnet et Yolanda Worthington racontaient que leur fils avait cru pouvoir regagner l'affection de Sam s'il avait assez d'argent pour lui offrir tout ce qu'elle désirait.

C'était une forme de démence passagère, soutenaient-ils. Ce fut la ligne de défense adoptée par l'avocat de Brandon devant le tribunal, mais il ne réussit pas à convaincre le jury. Malgré cela, les parents de son ex-mari étaient restés fidèles à cette version des faits.

Ce n'était pas leur faute. Ce n'était pas celle de Brandon.

C'était celle de leur ex-belle-fille.

Du grand n'importe quoi.

Sam voulait mettre quelques centaines de kilomètres entre elle, Carl et les parents de Brandon. Si elle en avait eu les moyens, elle serait partie vivre en Australie, mais elle ne pouvait pas se permettre d'aller plus loin que Promise Falls. Une tante y avait vécu et, adolescente, elle y avait passé trois étés. Bien que sa tante soit décédée, elle pensait que Carl et elle pourraient y refaire leur vie.

Elle avait sous-estimé la détermination de ses ex-beaux-parents.

À leur demande, des avocats lui avaient envoyé des lettres comminatoires pour exiger la garde de leur petit-fils. Sam les avait ignorées, déchirées et jetées à la poubelle. Elle se persuada qu'ils ne pouvaient pas avoir le droit de lui enlever son propre enfant.

Néanmoins, ils étaient passés à la vitesse supérieure.

Ils avaient envoyé quelqu'un pour l'espionner, la surprendre dans une situation compromettante.

Ils étaient allés jusqu'à coller un appareil photo sous sa fenêtre au moment où elle s'envoyait en l'air avec David Harwood, dont le fils, Ethan, était dans la même classe que Carl à la Clinton Public School. Cela avait vraiment été un truc impulsif et imprudent, de faire l'amour avec cet homme. Et même pas dans la chambre, mais dans la cuisine, comme s'ils rejouaient la fameuse scène du *Facteur sonne toujours deux fois* !

Elle se demandait si c'était Ed qui avait pris la photo. Si c'était lui qui avait regardé à travers la fenêtre. Une main sur l'appareil, et l'autre probablement très occupée aussi.

Elle soupçonnait encore Harwood d'être dans la combine. De l'avoir piégée d'une manière ou d'une autre.

Et pourtant...

N'était-ce pas elle qui avait pris l'initiative ? Quand elle lui avait demandé : « Ça fait combien de temps ? » Faisant allusion à la dernière fois où il avait couché avec quelqu'un.

Un bon bout de temps, pour tous les deux, en fait.

Celui qui les avait épiés à travers la fenêtre avec son appareil photo avait manifestement été en contact avec Garnet et Yolanda peu de temps après, car, moins de vingt-quatre heures plus tard, elle recevait un mail de Yolanda avec une photo en pièce jointe.

Sam n'en avait pas cru ses yeux.

Et il y avait le message de Yolanda : *C'est donc comme ça que la mère de Carl occupe son temps chez elle. Quel genre de mère se comporte de la sorte ?*

Et puis, ce matin, le vieux copain de son ex-mari, Ed, était venu l'intimider sur son lieu de travail. C'était donc comme ça qu'ils comptaient la jouer ? En la terrorisant jusqu'à ce qu'elle finisse par leur abandonner Carl.

Jamais de la vie.

Son fils n'avait que neuf ans, mais il comprenait la situation. Elle lui avait demandé d'être vigilant au cas où il verrait ses grands-parents ou un des vieux copains de son père. Sam avait peur que, un jour, ils aillent trop loin, qu'ils passent les bornes et tentent de l'enlever pour le ramener à Boston.

Elle l'accompagnait très souvent à l'école en voiture et venait le chercher à la fin de la journée.

On n'était jamais assez prudent.

Elle tenait la carte que cet homme sympathique, mais triste, lui avait donnée après l'altercation avec Ed. Il venait une fois par semaine pour faire sa lessive. Elle lui souriait à l'occasion, et lui avait même parlé du bouquin qu'il était en train de lire, mais elle ne connaissait toujours pas son nom, et encore moins ce qu'il faisait dans la vie.

Alors que tout était là, sur la carte : *Cal Weaver. Enquêtes privées.*

Et un numéro de téléphone. Au départ, elle avait été tentée de la mettre à la poubelle. Elle n'avait pas envie de mêler des inconnus à ses affaires personnelles. Mais il n'était peut-être pas inutile d'avoir un détective privé dans ses relations. Non pas qu'elle ait l'intention de l'engager, mais un homme qui exerçait ce métier pouvait connaître des gens susceptibles de l'aider. Un avocat spécialisé en droit de garde, par exemple.

Aussi avait-elle conservé la carte dans la poche de son jean, à côté du téléphone.

Elle avait eu du monde aux alentours de midi, mais les choses s'étaient tassées en milieu d'après-midi. Il n'y avait personne, aucune machine ne tournait et elle en avait profité pour réapprovisionner le distributeur de lessive. Un coup d'œil à la pendule lui indiqua que Carl avait presque terminé sa journée d'école. Il était temps d'aller le chercher.

C'est alors qu'ils entrèrent.

Garnet et Yolanda.

Sam se figea. Elle n'en revenait pas qu'ils aient fait le trajet depuis Boston pour l'affronter.

Garnet avait l'air distingué dans son costume plus adapté aux couloirs de sa banque qu'à une laverie automatique de Promise Falls. Yolanda était tout de noir vêtue, à l'exception du rang de perles à son cou. Chemisier de soie sophistiqué, pantalon, talons de sept centimètres, crinière de cheveux argentés.

Sam les dévisagea sans rien dire. Ce fut Garnet qui parla le premier.

— Samantha, comment ça va ? demanda-t-il d'une voix douce, sans agressivité. Sa voix de banquier.

Yolanda lui adressa un petit sourire qui lui parut remarquablement sincère.

— Cela fait plaisir de te revoir, Samantha. Tu as l'air en forme.

Après avoir passé sept heures à travailler dans ce cloaque surchauffé, Sam savait qu'elle ressemblait à une noyée repêchée dans la rivière, et qu'elle avait probablement aussi la même odeur.

— Quelle... Quelle surprise, dit-elle.

— Yolanda et moi pensons qu'il est temps d'essayer de faire la paix, dit Garnet. De mettre fin à ces chamailleries et à ces coups en traître. Ce n'est bon pour aucun d'entre nous, et certainement pas pour Carl, et c'est lui qui compte vraiment dans cette histoire. (Il montra du doigt trois chaises en plastique.) Tu permets qu'on s'assoie ?

Sam, ébahie, hocha la tête. Garnet disposa les chaises en V de façon à ce qu'ils puissent tous se faire face. Avant de s'asseoir, Yolanda considéra longuement la chaise et l'essuya du revers de la main.

— Nous sommes conscients d'avoir été trop loin dernièrement, poursuivit Garnet. Rétrospectivement, nos méthodes me paraissent disproportionnées.

— Prendre des photos de moi à travers une fenêtre, vous voulez dire ? demanda Sam, qui commençait à retrouver ses esprits. Quand j'étais avec quelqu'un ?

— *Avec*, dit Yolanda dans sa barbe.

Garnet posa la main sur le genou de sa femme.

— Allons, ma chérie, nous avons promis d'être compréhensifs.

— Je suis désolée, dit la mère de Brandon. Et je regrette de t'avoir envoyé cette photo. C'était… déplacé ?

— Vous croyez ? dit Sam. Ça ne vous dérangerait pas que j'engage quelqu'un pour vous espionner ? Je suis sûre que vous et Garnet continuez à fricoter de temps à autre. Est-ce que ça fait de vous de mauvaises personnes ?

Yolanda tressaillit. Elle semblait prête à répliquer, mais elle retrouva son calme.

— Tu as tout à fait raison, Samantha.

— Et aujourd'hui ? Envoyer ici cette brute d'Ed ? C'était quoi, l'idée ?

Garnet fit la grimace.

— Qu'est-ce que tu racontes ? Ed est venu ici ?

— Vous ne le saviez pas, peut-être ?

Son ex-beau-père secoua la tête d'un air douloureux.

— Il prend des initiatives malheureuses parfois. Il croit savoir ce que l'on veut, mais, vraiment, il n'aurait pas dû t'importuner. Nous sommes sincèrement désolés, n'est-ce pas, Yolanda ?

— Absolument.

— Nous voulons juste que tout le monde soit heureux ou, si c'est trop demander, que tout le monde se respecte, ajouta Garnet. Et avant que j'oublie, Brandon m'a demandé de te saluer et vous souhaite plein de bonnes choses, à Carl et toi.

— Vous l'avez vu ?

— Nous lui rendons visite chaque semaine.

— Il te pardonne, dit Yolanda.

— Il me pardonne ?

— Il te pardonne de l'avoir entraîné sur une voie dangereuse.

La gorge nouée, Sam serra le poing.

— Ce que cet homme a fait, c'était son choix et uniquement son choix et je n'avais absolument rien à y voir. Même s'il avait volé les bijoux de la couronne pour moi, je ne serais pas retournée avec lui. Il m'a fait vivre dans un climat de peur perpétuelle. Il lui arrivait d'être violent, et je savais que, tôt ou tard, ce serait moi qui prendrais.

— Cela m'étonnerait fort, déclara Yolanda. Pas mon fils. Il a toujours été un enfant très doux et…

Garnet lui saisit le genou et le pinça suffisamment fort pour la faire taire.

— Nous nous éloignons un peu du sujet, ma chérie. Ne perdons pas de vue la raison pour laquelle nous sommes venus voir Samantha.

Sam jeta un coup d'œil à la pendule. Il était l'heure pour elle d'aller chercher Carl.

— Je ne sais pas pourquoi vous avez fait toute cette route, mais il faut vraiment que j'y aille, leur dit-elle.

— Encore une minute, plaida Garnet. Je sais que tu ne nous fais pas confiance. Je sais que si j'invitais notre petit-fils à venir passer une semaine ou deux cet été dans notre maison de Cape Cod, tu te méfierais. Je comprends ça. Alors on se demandait si tu ne voudrais pas être des nôtres, toi aussi. Carl et toi, vous pourriez venir tous les deux. Vous pourriez dormir dans la chambre d'amis. Cela te conviendrait ? Tu adorerais l'endroit. Je sais qu'on vous avait déjà invités avec Brandon, et que vous n'aviez jamais pu trouver le temps, mais c'est vraiment beau et reposant. On pourrait prendre le ferry pour Martha's Vineyard. Aller à Edgartown.

Sam regarda à nouveau la pendule.

— Je ne pense pas que la cohabitation se passerait très bien, dit-elle, les yeux rivés sur Yolanda. Et je ne sais pas

176

si le propriétaire pourrait trouver quelqu'un d'autre pour faire tourner la boutique si je m'absentais.

Yolanda balaya les lieux du regard avec une expression narquoise.

— Ça ne devrait pas être bien difficile de trouver quelqu'un pour faire ce travail.

Garnet jeta à sa femme un regard noir, puis sourit à Sam avec bienveillance.

— Eh bien, dans ce cas, si c'était nous qui venions ici ? On pourrait réserver un hôtel, ou peut-être louer dans une résidence de vacances du côté de Saratoga. Un endroit proche de Promise Falls. On pourrait offrir à Carl quelques jours de vacances près de chez lui. Et on pourrait aussi te réserver une chambre. Suffisamment près d'ici pour que tu puisses faire le trajet en voiture tous les jours et t'assurer que tout marche comme sur des roulettes.

Sam était perturbée. Pourquoi ce revirement ? Garnet et Yolanda jouaient-ils vraiment franc jeu ?

— Et toutes ces tentatives pour m'enlever Carl ? Il n'en serait plus question ?

Garnet sourit.

— Ça n'a pas été très fructueux, n'est-ce pas ? Nous pensons qu'il doit y avoir une meilleure approche.

— Et Brandon aimerait voir son fils, ajouta Yolanda.

Le regard que lui lança Garnet suggérait que ce n'était pas à l'ordre du jour.

— Un garçon de neuf ans n'a rien à faire dans une prison, décréta Sam. Un jour, quand Brandon sera libéré, on rediscutera pour chercher une solution et organiser des visites. En dépit de ce que vous pouvez penser de moi, je ne veux pas monter mon fils contre son père.

Elle jeta un nouveau coup d'œil à la pendule.

— Je ne peux pas rester une minute de plus. Je dois aller chercher Carl.

Garnet leva la main.

— Attends. Ce que tu dis est très sage, très honorable, dit-il. Je suis content de te l'entendre dire. Ce que nous nous demandons, c'est...

— Vous ne m'écoutez pas, dit Sam. Carl va guetter ma voiture si...

Sam s'interrompit. Elle venait de comprendre ce qu'ils étaient en train de faire.

Ils la retardaient.

Elle se leva, courut jusqu'au bureau, au fond de la laverie, pour prendre son sac à main.

— Samantha ! appela Garnet en se levant. S'il te plaît ! Nous voulions te dire autre chose !

Elle prit son sac et sortit dans la ruelle où elle garait sa voiture. Le véhicule donnait de la bande : les deux pneus côté conducteur étaient totalement à plat.

— Non, non, dit-elle. Je n'y crois pas.

Derrière elle, dans l'encadrement de la porte de service, Garnet et Yolanda Worthington souriaient.

— On t'a bien eue, espèce de garce, dit Yolanda.

Ils ont envoyé Ed. Ils ont envoyé Ed à l'école pour enlever Carl et le ramener à Boston.

24

Cal

Une fois remonté dans ma voiture après être sorti de chez Felicia Chalmers, je pris mon calepin en quête des numéros trouvés sur la facture téléphonique d'Adam Chalmers.

Il y en avait un que nous n'avions pu associer à personne. Je me décidai à le composer quand même.

Le numéro sonna quatre fois, puis bascula sur messagerie.

« Bonjour, c'est Georgina. J'aimerais vraiment vous parler, mais je ne peux pas répondre à votre appel, alors laissez un message ! »

Une voix enjouée. Je ne laissai pas de message. J'appelai Lucy.

— Alors, dit-elle en décrochant. Vous avez parlé à Felicia ?

— Oui. Mais je voulais vous demander, Georgina, ça vous dit quelque chose ?

— Non, rien.

— Très bien, c'était juste pour savoir. Je ferai le point avec vous plus tard, d'accord ?

Je mis le cap sur Thackeray, dans la lointaine banlieue de Promise Falls. Le trajet me prit presque vingt minutes.

C'était la première fois que je mettais les pieds sur le campus depuis que j'étais de retour à Promise Falls. J'y avais passé un certain temps au tournant de la vingtaine, jamais en tant qu'étudiant. J'avais fait deux ans à l'université d'État à Albany avant d'abandonner. J'aurais pu y faire des étincelles s'il avait existé un diplôme de joyeux fêtard. J'avais alors suivi une formation de six mois à l'école de police de l'État de New York, toujours à Albany. Une fois reçu à l'examen, j'avais réussi à entrer dans la police de Promise Falls où j'étais resté jusqu'à ce que je foute tout en l'air, et que j'emmène ma femme, Donna, et mon fils Scott, vivre à Griffon, une petite ville au nord de Buffalo, et me mette à mon compte.

Nous y avions passé quelques bonnes années, peut-être les meilleures que j'aie jamais eues et que j'aurais jamais, avant que les ténèbres ne me les enlèvent tous les deux.

Quand j'étais gamin, il y avait « nous » et « eux », les étudiants de Thackeray. Une bande de snobinards qui se la racontaient d'un côté, les petits gars du coin débrouillards de l'autre. Jusqu'à ce que, évidemment, beaucoup d'entre nous finissent par aller à la fac. Et même avant cela, on ne dédaignait pas de faire la tournée des bars du campus pour essayer de lever les filles de Thackeray.

J'en avais trouvé une, prénommée Donna, qui était prête à partager sa vie avec moi. Jusqu'à ce que cette vie prenne fin.

Je roulais donc vers le campus avec des sentiments contradictoires. Je n'étais pas d'humeur à m'attendrir sur mes souvenirs. Celeste avait sans doute raison quand elle me reprochait de refuser d'affronter ce qui était arrivé à Donna et à Scott. J'avais pourtant l'impression de le faire. En enterrant mon passé, à défaut de pouvoir le changer.

Je me garai sur le parking payant proche du bâtiment de l'administration, et trouvai le chemin des bureaux de la sécurité. Le jeune homme à l'accueil prit une de mes cartes de visite et entra dans le bureau de Clive Duncomb.

Après avoir fait quelques recherches sur lui, j'avais appris qu'il venait d'abattre un étudiant prédateur sexuel et que, jusqu'à maintenant, aucune charge n'avait été retenue contre lui. Quelques secondes plus tard, un homme, que je reconnus pour avoir vu sa photo sur Internet, sortit du bureau, la main tendue.

— Monsieur Weaver ? dit-il, en tenant ma carte par les bords, entre le pouce et l'index.

— Monsieur Duncomb ?

— Que puis-je faire pour vous ?

— Cela ne vous fait rien qu'on discute dans votre bureau ?

Il hésita.

— Vous voulez bien me dire de quoi il s'agit ?

— On pourrait en parler dans votre bureau ? répétai-je.

Avec une certaine réticence, il m'y fit entrer et me désigna une chaise.

— Je ne pense pas qu'on se soit déjà rencontrés, fit-il observer.

— Non. Je ne suis revenu à Promise Falls que récemment.

— Mais vous êtes du coin ?

— Oui. J'y ai grandi.

— Où étiez-vous parti ?

— À Griffon. Au nord de Buffalo.

— Il n'y avait plus assez de femmes jalouses à Griffon qui voulaient faire espionner leurs maris ?

Je me forçai à sourire.

— Et vous ? Je crois détecter une pointe d'accent.

— Quand on est de Boston, on ne peut pas le cacher, dit-il. Laissez-moi deviner le motif de votre visite. C'est à propos de la fusillade.

— Mason Helt ?

— C'est ça. Vous travaillez pour la famille ? La compagnie d'assurances ? L'un ou l'autre ? Peu importe... Ma réponse sera la même : j'étais dans mon droit. Ce fils de pute était sur le point de tuer un de mes agents et si je n'avais pas fait ce que j'ai fait, Dieu sait ce qui serait arrivé à Joyce ?

— Joyce ?

— Pilgrim. Joyce Pilgrim. Je vais vous dire une chose : on m'a déjà reproché de m'être servi d'elle pour débusquer

181

ce type, mais si je ne l'avais pas fait, il serait toujours dans la nature, et, qui sait, il aurait peut-être assassiné d'autres pauvres filles ?

— Ce n'est pas la raison de ma présence ici.

— Ah bon, dit Duncomb, qui paraissait presque déçu. Pourquoi êtes-vous venu me voir, alors ?

— Adam Chalmers.

— Chalmers ? L'écrivain ?

— C'est ça.

— Que voulez-vous savoir ?

— Je ne sais pas si vous êtes au courant, mais M. Chalmers et sa femme ont été tués hier soir dans l'explosion du drive-in.

— Nom de Dieu, vous plaisantez ?

— Non.

Duncomb secoua lentement la tête.

— Je n'arrive pas à y croire. Merde alors. Quand j'ai appris la nouvelle, j'ai tout de suite pensé qu'il y avait peut-être des étudiants de Thackeray parmi les morts ou les blessés. Pour autant que je sache, il n'y en a eu aucun. J'ai entendu dire que deux jeunes avaient été tués, mais ils n'étaient pas étudiants ici, même si ça n'en est pas moins tragique. Mais, bon Dieu, j'ignorais totalement qu'Adam... et Miriam... Des gens bien... Des gens sympathiques. (Nouveau mouvement de tête incrédule.) Vous savez s'il y aura une cérémonie ? Dans quel funérarium leurs corps ont-ils été amenés ?

— La fille d'Adam Chalmers va s'occuper des formalités concernant son père aujourd'hui. Quant à Miriam Chalmers, elle a un frère qui habite à Providence. Il ne va pas tarder à arriver.

— Bon sang ! dit Duncomb.

Puis, une fois remis de ses émotions, il demanda :

— Quel est votre rôle là-dedans ? Pourquoi êtes-vous venu me parler ?

— J'ai cru comprendre que vous et Adam, M. Chalmers, n'étiez pas des étrangers l'un pour l'autre ?

Duncomb ne répondit pas immédiatement. Je sentis qu'il me jaugeait.

— On se connaissait un peu, oui.

— Suffisamment bien pour appeler sa femme par son prénom.

Nouvelle hésitation.

— Je les connaissais tous les deux. C'est exact. Comme je l'ai dit, c'étaient des gens bien.

— Est-ce que vous et votre femme fréquentiez Adam et Miriam ? demandai-je.

— Je vous ai dit que j'étais marié ?

— Je l'ai supposé, en voyant l'alliance à votre doigt.

Duncomb baissa les yeux sur sa main gauche.

— Oui, Liz et moi comptions parmi leurs amis. Laissez-moi vous poser une question, monsieur Weaver.

— Je vous écoute.

— Vous avez été flic autrefois ?

— Oui.

— J'ai moi-même fait partie de la police de Boston. J'ai donc suffisamment de bouteille pour savoir que vous avez une idée derrière la tête, alors si vous arrêtiez de tourner autour du pot ?

— Je m'intéresse aux circonstances de la mort de M. et Mme Chalmers.

— Oh, très bien, les *circonstances*. Je comprends mieux. Pourquoi n'avez-vous pas commencé par là ?

J'hésitai une seconde ou deux. J'avais laissé le cours de cet entretien m'échapper.

— J'avais dans l'idée que vous seriez peut-être en mesure de m'aider compte tenu du fait que M. Chalmers et vous étiez très souvent en contact... Comme le montrent ses relevés téléphoniques.

Duncomb se renversa dans son fauteuil, la tête relevée, comme s'il humait l'air.

— Je vous l'ai dit, nous étions amis. Mon Dieu, je n'arrive toujours pas à y croire.

— Comment avez-vous fait sa connaissance ?

Duncomb s'éclaircit la voix.

— Il était venu parler à des étudiants qui participaient à un atelier d'écriture. On a bavardé, et quand il a appris que j'avais été dans la police, il m'a demandé s'il pourrait éventuellement m'appeler pour me poser des questions sur mon ancien travail. Et on est devenus amis. C'est aussi simple que ça.

— Sur quel sujet a-t-il eu besoin de vos lumières dernièrement ?

— Pardon ?

— La dernière fois qu'il vous a appelé, dans quel domaine de votre expertise réclamait-il vos lumières ?

— Les empreintes digitales, répondit Duncomb sans hésitation. Pouvait-on relever des empreintes sur du tissu et différentes surfaces ? C'est de cela dont nous avons discuté.

— Il travaillait donc sur un livre.

— Bien sûr.

— Parce que j'ai lu un mail qu'il a envoyé à son agent littéraire et j'ai cru comprendre qu'il n'avait rien en chantier.

Duncomb fit la moue.

— Peut-être qu'il n'a pas tout dit à son agent.

— Ça ne vous semble pas bizarre qu'il vous en ait parlé à vous avant d'en discuter avec son propre agent ?

Il eut un rire forcé.

— Qu'est-ce que j'en sais, moi ? Son coup de fil au sujet des empreintes date peut-être un peu. Parfois Adam appelait juste pour tailler une bavette. Nous étions *amis*. Je ne vous l'ai pas déjà dit ?

— Quand êtes-vous allé voir Adam et Miriam pour la dernière fois ?

— Je n'en sais rien. Ma femme et moi, on a dîné chez eux il y a quelque temps.

— C'est une sacrée maison.

184

— Si vous le dites.

— Vous ne vous êtes jamais occupé du domicile des Chalmers pendant leur absence ? La sécurité, ça vous connaît, et si je devais m'absenter, je serais rassuré de vous confier celle de ma maison.

Duncomb me dévisagea avec curiosité.

— Vous me demandez quoi, là ?

— C'est une question très simple pourtant.

— Il n'y a rien de simple là-dedans. Crachez le morceau, Weaver. Qu'est-ce que vous voulez savoir ?

Je me levai.

— J'ai un message de la part de la fille d'Adam. Elle voudrait être certaine que ce qui a été dérobé dans la maison ne sera pas utilisé pour salir la mémoire de son père. Elle veut soit le récupérer, soit obtenir l'assurance que tout a été détruit.

Duncomb demeura impassible.

— C'est tout ?

Je hochai la tête.

— Eh bien, merci d'être passé.

J'allais faire remarquer que, puisqu'il ne me demandait pas de quoi je lui parlais, c'était qu'il le savait déjà, mais je fus interrompu par un appel.

Je sortis mon portable, jetai un coup d'œil au numéro. Inconnu au bataillon.

— Allô ?

— Ils vont s'en prendre à Carl ! Tout ce numéro, cette comédie, c'était une ruse ! Ils vont me le prendre !

C'était une femme, et elle était totalement affolée. Je n'arrivais pas à mettre un nom sur sa voix. Et qui était ce Carl ?

— Qui est à l'appareil ?

— Bon sang, c'est Sam ! Vous m'avez donné votre carte ! Ils m'ont crevé les pneus ! Le type qui est venu me menacer dans ma laverie, il va enlever Carl !

25

David Harwood retrouva Randall Finley dans son usine d'embouteillage d'eau minérale.

— Comment s'est passé votre déjeuner ? lui demanda-t-il.

— Bien, un bon déjeuner, répondit Finley.

— Rappelez-moi avec qui vous aviez rendez-vous ? Frank Mancini ?

— Ouais. Un type bien. Et un bon businessman. Alors, vous avez mis le truc en place à la banque ?

— Oui. Vous pouvez maintenant faire un don au fonds de solidarité de la catastrophe du drive-in Constellation pour aider les victimes et les familles touchées par la tragédie.

— Et vous l'avez appelé le Fonds de solidarité Randall Finley ?

Harwood soupira intérieurement. Il n'aimerait rien tant que se désolidariser de Randall Finley.

— Non, ce n'est pas le nom que je lui ai donné. Je l'ai appelé le Fonds du 17 mai. En référence au jour où c'est arrivé. Cette date restera gravée dans la mémoire des gens d'ici. On s'en souviendra.

Finley fut incapable de masquer sa déception.

— Je suppose que ça fera l'affaire.

— On vous aurait accusé de servir vos propres intérêts si vous lui aviez donné votre nom. Mais les gens sauront. Vous pourrez le leur rappeler dans vos discours. Leur demander de mettre quelques dollars sur le compte que vous avez ouvert.

— Bien sûr, j'entends bien votre argument.

— On dirait que je vous ai retiré votre jouet préféré.

— Non, vous avez raison.

Il sourit et gratifia Harwood d'une tape dans le dos.

— C'est pour ça que je vous ai choisi, David. Vous êtes futé. Vous savez comment me refréner. Comment m'empêcher de passer pour encore plus con que je ne suis.

— C'est pour ça que vous me donnez autant de fric.

Finley éclata de rire.

— Il faut qu'on parle du meilleur moment pour annoncer officiellement ma candidature. Je me sens prêt. Il reste encore plus de cinq mois avant l'élection, mais il faut du temps pour créer une dynamique. Vous comprenez ce que je veux dire ?

— Bien sûr.

— Ça ne sert à rien d'attendre. On fonce. On convoque une conférence de presse, aujourd'hui ou demain, et on fait le lien avec le fonds de solidarité. Ça montrera que j'ai bon cœur. Que je suis attaché à cette ville. Au début, je me disais qu'on irait doucement. Qu'on ferait une annonce pour faire savoir que j'allais déclarer ma candidature. (Il rit.) Des préliminaires en quelque sorte.

— Je vois.

— Mais maintenant je pense davantage à une approche à la hussarde, crac boum hue, merci, au revoir.

— C'est vous le patron, rappela David, mais je ne sais pas trop qui viendra assister à cette conférence de presse. On dépend plus que jamais de médias d'Albany désormais, maintenant que le *Standard* n'existe plus.

— Vous vous débrouillerez comme un chef !

Puis, fronçant les sourcils, la main toujours posée sur l'épaule de David :

187

— Est-ce que tout va bien ?

— Oui.

— J'ai comme l'impression que vous n'êtes vraiment pas chaud à l'idée de travailler pour moi, dit-il en souriant. Je me trompe ?

— Je fais mon boulot. C'est pour ça que vous me payez, pas pour que je vous apprécie.

— Certainement pas. Je suis sûr qu'il n'y a pas assez d'argent dans le monde pour que ça arrive. Non, vous n'êtes pas obligé de m'apprécier, David, vous devez juste me faire élire à la mairie.

David fit un pas en arrière, forçant Finley à lui lâcher l'épaule.

— Alors il faut qu'on parle de votre programme. Si vous avez l'intention de déclarer votre candidature, les gens doivent savoir ce que vous proposez.

— Hmm.

— Un plan en cinq points pour la ville, par exemple. Cinq raisons pour lesquelles les habitants de Promise Falls devraient vous donner une nouvelle chance.

Finley hocha la tête, avant d'éclater de rire.

— Ça me plaît, ça. Vous croyez qu'on va arriver à en trouver autant ?

— Pourquoi ne pas inverser la perspective ? Au lieu de cinq raisons de voter pour vous, donnez-moi cinq raisons pour lesquelles vous voulez redevenir maire.

— D'accord, d'accord. Pourquoi n'irions-nous pas dehors ?

Alors qu'ils sortaient du bâtiment par les quais de chargement, Finley avisa un jeune homme en train de charger des packs d'eau à l'arrière d'un fourgon.

— Trevor ! appela Finley. Comment ça va ?

Trevor Duckworth se retourna, aperçut Finley, lui adressa un vague signe de la main.

— Vous connaissez Trevor ? demanda Finley à David.

Comme David secouait négativement la tête, Finley fit les présentations : David, voici Trevor Duckworth. Trevor, David Harwood.

— Bonjour, fit Trevor.

— Duckworth ? releva David. Vous ne seriez pas parent avec Barry Duckworth, l'inspecteur ?

— C'est mon père, répondit le jeune homme d'une façon peu enthousiaste.

— On s'est croisés, lui et moi, dit David. Pas toujours dans les meilleures circonstances, mais on s'est croisés. C'est un type bien.

Trevor ne commenta pas cette affirmation.

— David va gérer ma stratégie de campagne, dit Finley et, à l'attention de David, il ajouta : Ici, c'est un secret de Polichinelle que je reviens en politique.

— J'ai une tournée à faire, dit Trevor, qui referma le hayon arrière du fourgon. J'ai été ravi de faire votre connaissance.

— Moi de même, dit David.

— Ce n'est pas un foudre de guerre, dit Finley tandis que le jeune homme s'asseyait au volant, mais j'aime donner un coup de pouce aux gens dans la mouise.

— Comment ça, dans la mouise ?

— Cela faisait un certain temps que le gamin cherchait du boulot, et je lui en ai donné un. Ça devrait être une de mes cinq raisons. Pourquoi je veux être maire ? Parce que j'aime bien aider les gens.

— Noté, dit David.

Ils descendirent les quelques marches en béton qui conduisaient à l'aire de stationnement, s'approchèrent d'une table de pique-nique installée à l'ombre d'un grand chêne. Finley se laissa tomber sur le banc et, avec quelques difficultés, fit passer ses jambes épaisses sous la table. David s'assit en face de lui.

— Et si on trouvait une deuxième raison ?

— Je veux que Promise Falls se tourne vers l'avenir.

— Ça veut dire quoi, ça ?

— Ça ne veut pas nécessairement dire quelque chose, David. C'est un programme de campagne. Combien de temps avez-vous travaillé pour les journaux, au juste ?

— Une troisième ?

Finley réfléchit.

— Qu'est-ce que vous dites de ça ? Pour moi, c'est une forme de rédemption. Je suis un homme plein de défauts, j'ai fait des erreurs, mais j'ai toujours voulu me mettre au service de mes concitoyens. Et je veux qu'on me donne une autre chance de le faire.

David fut pris de court.

— C'est plutôt pas mal, en fait.

— Et vous savez pourquoi ? Parce que ça vient du cœur.

C'est à cet instant précis que David comprit que cet homme avait du charisme. Il avait la capacité d'établir un lien émotionnel avec les gens. Il doutait de la sincérité de Finley, mais celui-ci parvenait à faire illusion. L'électeur lambda le croirait. L'électeur lambda se dirait : *Ouais, d'accord, c'est un connard, mais qui ne l'est pas, finalement ? Et après tout, je préfère l'avoir lui qu'un autre type qui se croit mieux que moi.*

— Vous devriez noter ça, dit Finley.

— Je m'en souviendrai. Il en manque encore deux.

— D'accord. Euh, que dites-vous de l'emploi ? Je veux créer des emplois à Promise Falls.

— C'est un peu comme le premier argument. Vouloir aider les gens.

— Ah, oui. C'est un peu pareil. Et que pensez-vous de Five Mountains ?

David tressaillit intérieurement. Le parc d'attractions lui rappelait de mauvais souvenirs. C'était là que sa femme avait

190

disparu cinq ans auparavant. On avait fini par la retrouver, mais il n'y avait pas eu de *happy end*.

— Quoi, Five Mountains ?

— Je veux le faire rouvrir, dit Finley. Je veux couvrir de honte les propriétaires pour qu'ils renoncent à leur projet de fermeture. Et s'ils persistent, quelqu'un d'autre reprendra l'affaire. Le parc rapportait un paquet de dollars à la ville. Il aurait dû rester ouvert.

— Et selon vous, quelle est la probabilité qu'ils changent d'avis ?

— Oh, zéro. Aucune chance. J'ai déjà essayé de discuter avec Gloria Fenwick. Je lui ai même offert un petit encouragement, dit Finley avec un grand sourire, mais elle a refusé.

— Bon sang, un pot-de-vin ?

Finley soupira.

— Oh, David, c'est bon ! Quoi qu'il en soit, je veux que ça figure dans mon programme.

— Mais si vous ne pouvez rien y faire…

— Ce n'est pas parce que c'est impossible que je ne peux pas dire aux gens que je veux que cela soit fait. Vous avez entendu Amanda évoquer le sujet ?

Amanda Croydon, le maire en poste, qui, d'après ce que David avait entendu dire, envisageait de se représenter.

— Je pourrai la niquer en lui reprochant de n'avoir même pas essayé.

— Lors de vos prochains discours, j'éviterais des expressions comme « la niquer » à votre place.

Un autre sourire.

— Alors, il nous reste quoi ? On en est où ? Il manque une raison pour laquelle je veux être maire.

Il fit une petite grimace ridicule. Il séchait, apparemment.

— Peut-être que la véritable raison est plus difficile à admettre publiquement, dit David.

— Je vous demande pardon ? demanda Finley, les yeux plissés.

— Je dis simplement que certaines de vos motivations ont peut-être moins à voir avec l'intérêt général qu'avec votre intérêt personnel.

— Où voulez-vous en venir, David ?

David posa ses paumes à quelques centimètres l'une de l'autre sur la table de pique-nique, comme s'il se préparait mentalement.

— Quel était l'objet de votre rendez-vous avec Frank Mancini ?

— Pourquoi cette question ?

— Parce que vous n'avez pas voulu me le dire. Je suis censé travailler pour vous, mais vous me cachez des choses.

— Vous n'avez pas besoin de tout savoir.

— Supposez qu'on me pose la question ? Je suis votre porte-parole. Si quelqu'un veut savoir pourquoi vous avez rencontré Mancini, qu'est-ce que je dois lui dire ?

— Qui va demander ça ?

— Moi. Là, tout de suite.

— C'est un promoteur. Le genre de type qui crée des emplois et met de l'argent sur la table. C'est normal que je veuille parler avec lui.

— Quel argent et quelle table ? demanda David.

Finley plissa les yeux.

— Vous avez quelque chose sur le cœur ?

— Je dis simplement que Mancini a acheté le terrain sur lequel quatre personnes ont trouvé la mort hier soir. Cette propriété, pour un tas de raisons, va être scrutée à la loupe pendant un certain temps. Il faut que vous y pensiez.

— Vous avez l'air de préconiser une politique d'ouverture et de transparence. C'est bien cela, David ?

— Il est toujours préférable d'anticiper les mauvaises nouvelles. De cette manière, vous êtes en mesure de les gérer quand elles vous tombent dessus. Alors, oui, la transparence pourrait être un de vos cinq arguments de campagne. Vous voulez diriger une mairie transparente et irréprochable.

Finley hocha lentement la tête.

— Et c'est la politique que vous avez adoptée avec votre petit garçon ? Ethan ?

— Quoi ?

— Vous le lui avez dit, alors ?

David se demanda ce que son fils de neuf ans pouvait bien avoir affaire là-dedans.

— Je vous demande pardon ?

— Vous avez parlé à Ethan de sa mère ? De Jan ?

— Quoi, Jan ?

— Qu'elle n'était pas exactement qui elle prétendait être. Une grande partie de l'affaire n'a jamais été rendue publique, mais on entend des choses. Une histoire tragique, ça ne fait aucun doute[1], pourtant certains pourraient dire que Jan l'avait cherché. Tuée par l'homme à qui elle avait coupé la main. Elle était venue ici pour vivre une vie normale, avait épousé un type normal, vous. Mais elle se cachait, n'est-ce pas ? Le problème, c'est que le passé vous rattrape toujours. Oh, oui, l'histoire a circulé. J'ai entendu des commentaires ici et là. Je dois dire que ses exploits me feraient passer pour un amateur.

— Vous êtes vraiment un cas.

— J'essaie juste de vous démontrer que nous cachons tous quelque chose. Cela a peut-être été une bonne chose que la mère d'Ethan connaisse une fin brutale. Comme ça, il n'y a jamais eu ni inculpation ni procès. Trois petits articles et puis s'en vont.

— Mon fils avait quatre ans quand sa mère est morte. Bien sûr que je ne lui ai pas raconté toute l'histoire à ce moment-là.

— Et depuis ? Ça lui fait quel âge maintenant ? Neuf, dix ans ?

---

1. *Ne la quitte pas des yeux*, Belfond, 2012, traduction d'Irène Offermans.

— Je finirai par lui expliquer.

Finley se pencha vers David.

— Si ça peut vous rendre service, je pourrai le lui dire, moi.

— Ne vous aventurez pas sur ce terrain-là, Randy.

— Ce serait ma façon à moi d'alléger votre fardeau.

Il ouvrit les bras dans un geste faussement chaleureux.

— C'est le genre de chose que je fais, ajouta-t-il.

David sentit la colère lui chauffer le visage.

— Vous savez que ça me plaît, reprit Finley. On sait se parler, on s'entend bien. On peut jouer cartes sur table. Vous pouvez me dire le fond de votre pensée, et moi le mien. Je pense que c'est de bon augure pour la suite. Quoi qu'il en soit, voici la raison numéro cinq : ne plus se raconter d'histoires. C'est tout moi, ça. Je veux arrêter les conneries. Je pense que les électeurs apprécieront.

Finley se leva et retourna à son bureau, laissant David enfoncer ses ongles dans la table de pique-nique.

26

Après son entrevue avec le père d'Olivia Fisher, Barry Duckworth s'arrêta dans un Burger King pour manger un morceau.

Il commanderait une de leurs salades. Ils proposaient une salade composée toute simple, et deux autres au poulet. Et puis des wraps fourrés avec des tonnes de laitue, et encore du poulet. Toutes choses préférables à sa commande habituelle : un Whopper avec des frites.

Il fallait qu'il limite sa consommation de ce genre d'aliments. Qu'il change ses habitudes. Qu'il maigrisse du ventre. Les médecins ne disaient-ils pas que c'était le type de graisse le plus nocif ? Ce gras qui s'accumulait au niveau de la taille ? Mais bon, est-ce qu'il existait plusieurs sortes de graisse ? Est-ce qu'on voyait des gens se balader avec de bonnes grosses cuisses, de gros bras, et des abdos en tablette de chocolat ?

Duckworth aurait pu passer par le drive-in, mais il n'avait pas envie de manger dans sa voiture. Il finirait par tacher sa chemise avec du ketchup et de la moutarde. Il gara donc sa voiture banalisée, entra dans le restaurant et s'approcha du comptoir.

— Je vais prendre un Whopper et une petite frite... Avec un Coca Light.

— Du fromage sur le Whopper ? demanda la jeune femme derrière le comptoir.

— Bien sûr.

Après s'être attablé avec son plateau et avoir déballé son burger, il sortit son téléphone.

Six sonneries, puis : « Vous êtes sur la messagerie de Rhonda Finderman, veuillez laisser un message après le bip. »

— C'est Barry. Il y a quelque chose que selon moi on devrait rendre public, mais je dois d'abord en discuter avec toi. Appelle-moi quand tu auras un moment.

Il posa son téléphone et fourra quatre frites dans sa bouche avant d'attaquer le sandwich. Chaque bouchée s'accompagnait d'une petite dose de culpabilité. Quand il eut fini, il ressentit quelque chose de plus sérieux que ça.

Une légère douleur au côté. Il se leva en se tenant à la table pour ne pas tomber. Peut-être était-ce une indigestion, ou une douleur musculaire ? À force de rester tout le temps assis, soit dans la voiture soit au bureau, et même ici, au Burger King.

Duckworth respira profondément à plusieurs reprises.

— Ça ne va pas ?

La jeune femme qui débarrassait les tables le regardait avec inquiétude.

— Tout va bien, dit-il, merci.

Et il était pratiquement sûr que c'était le cas. La douleur s'estompait. Il vit qu'il avait laissé une dernière frite. Il la fourra dans sa bouche avant de retourner à sa voiture.

De retour au poste, il entra le numéro que Lionel Grayson avait noté sur un bout de papier dans le fichier des immatriculations. C'était celui du fourgon Honda appartenant à l'homme qui s'était plaint agressivement d'un film jugé inapproprié pour ses enfants.

Pouvait-on envisager qu'un individu mécontent du contenu d'un film fasse sauter un cinéma en plein air ? Pas vraiment. Et pourtant, *quelqu'un* avait bien eu une raison de le faire. Il savait que le mobile du poseur de bombe, quel qu'il soit, ne serait pas rationnel. Alors papa Furax était un point de départ qui en valait bien un autre.

Le véhicule était enregistré au nom d'un certain Harvey Coughlin, 32, Riverside Drive. Lorsque Duckworth tapa le nom dans Google, un profil LinkedIn apparut. Harvey Coughlin, en supposant qu'il s'agissait bien du propriétaire de la Honda, était le directeur de PF Lumber and Building Supplies. Duckworth connaissait l'endroit. Quelques années auparavant, quand il s'était essayé à la construction d'une terrasse à l'arrière de sa maison, il avait acheté tout son bois et sa quincaillerie chez PF Lumber. Et l'artisan qui était venu démonter et refaire le tout s'était également fourni chez PF.

Duckworth estima qu'il avait davantage de chances de trouver Coughlin au travail qu'à son domicile.

Une fois qu'il lui aurait parlé, il lui resterait encore une personne à voir.

— Harvey doit être dans la cour quelque part, dit la femme à la caisse.

Duckworth remarqua un micro sur le comptoir devant elle, dont elle pourrait se servir, supposa-t-il, pour appeler le directeur du magasin.

— Vous ne pourriez pas vous servir de ça ?

La femme jeta un coup d'œil au microphone.

— Je pourrais.

— Vous voulez bien le faire, s'il vous plaît ?

Elle soupira, se saisit du micro et sa voix retentit dans tout le magasin. « Harv est demandé à la caisse. Harv, à la caisse. »

— Il devrait être là dans une minute, dit-elle en regardant Duckworth.

Il en fallut trois. Un homme petit et baraqué en jean et chemise à carreaux, et portant un badge au nom de HARVEY, s'approcha à grandes enjambées.

— Monsieur Coughlin ? demanda Duckworth.

— Oui ? dit-il avec bien plus de bonne humeur dans la voix que la caissière.

— Je suis Barry Duckworth, dit-il, ajoutant à voix basse : police de Promise Falls.

— Oh, bonjour, dit Harvey, visiblement surpris. Heureux de vous rencontrer.

Il tendit la main et Duckworth la prit.

— C'est au sujet des vols ?

D'un geste, Duckworth lui suggéra de s'éloigner de la caisse afin qu'ils puissent discuter tranquillement.

— Vous avez eu des ennuis ?

— Oui. Deux fois au cours des trois derniers mois. Des types qui débarquent dans la nuit du samedi au dimanche. Et qui repartent avec des piles de contreplaqué. Ce n'est pas évident de faire ça sans attirer l'attention. Vous avez attrapé quelqu'un ?

— Je regrette mais ce n'est pas la raison de ma présence ici.

— Vous êtes là pourquoi, alors ?

— Il y a quelques semaines, vous avez emmené votre famille au Constellation.

— Le drive-in ?

— C'est cela. Vous êtes au courant de ce qui s'est passé hier soir.

— Au courant ? Tout le monde ne parle que de ça. Mais comme vous avez dit, j'y étais il y a quelques semaines, mais pas hier soir. Je peux demander autour de moi, si c'est des témoins que vous cherchez.

— Vous savez qui est Lionel Grayson ?

Harvey Coughlin parut déconcerté.

— Aucune idée.

— C'est le gérant, ou plutôt c'était le gérant du Constellation. Il prétend que vous avez eu une petite altercation la dernière fois que vous êtes allé dans son drive-in parce que vous étiez mécontent d'un film que vous jugiez inapproprié pour vos enfants.

Il blêmit.

— C'est pas vrai, vous êtes ici pour ça ?

— Je voulais vous interroger sur cette conversation. M. Grayson dit que vous étiez très remonté.

— Je... enfin, oui, j'étais en colère. Mais ça n'avait rien de sérieux. Je veux dire...

— M. Grayson, lui, a jugé cela suffisamment grave pour relever votre immatriculation.

— J'y crois pas.

— Pourquoi ne me donnez-vous pas votre version des faits ?

— Vous... Vous ne pensez quand même pas sérieusement que j'aie quelque chose à voir avec ce qui vient d'arriver ?

— Racontez-moi simplement ce qui s'est passé.

Il rassembla ses souvenirs.

— Ce n'était rien. Je... bon sang, j'ai simplement estimé que ce n'était pas bien de montrer un film avec tout un tas de grossièretés après avoir projeté un film destiné aux enfants. Ma fille, Tiffany, on pensait qu'elle allait s'endormir après le premier film, mais elle était parfaitement réveillée, et tous les acteurs disaient « putain » ceci et « putain » cela, alors on a été obligé de partir et j'ai demandé à me faire rembourser. À la sortie, j'ai cherché le gérant pour lui faire savoir que je n'étais pas content.

— Que lui avez-vous dit ?

— Je ne me rappelle pas exactement.

— Lui avez-vous dit que vous comptiez vous plaindre ailleurs ? À la mairie ?

Harvey haussa les épaules.

— J'aurais pu le faire.

— Vous lui criiez dessus ?

— Il est possible que j'aie élevé un peu la voix, mais crier ? Je ne pense pas, non.

— Vous avez donné suite ? Vous avez déposé plainte quelque part ?

— Non. C'était juste histoire de me défouler. Le lendemain matin, je n'y pensais plus.

— Vous piquez souvent des colères comme ça ?

— Je ne pense pas m'être mis en colère. Non, ce n'est pas mon genre.

— Vous vendez des explosifs ici ? demanda Duckworth.

— Quoi ?

— De la dynamite ? Ce genre de chose ?

— Non, nous ne vendons aucun explosif, dit Harvey. Où est-ce que vous voulez en venir ?

— Mais vous sauriez comment vous en procurer, j'imagine. Les gens ont toujours quelque chose à démolir quand ils veulent reconstruire à neuf.

— Mais je ne ferais jamais une chose pareille, voyons, protesta Coughlin.

De toute évidence, il avait l'air éberlué qu'on puisse émettre une telle supposition à son sujet.

— Des gens ont été *tués* là-bas, reprit-il. Vous pensez que j'assassinerais des gens parce que j'ai été contrarié par un film ?

— Quelqu'un l'a fait, insista Duckworth. Peut-être parce qu'il n'y avait pas assez de beurre dans son pop-corn.

Il n'aurait pas dû parler de pop-corn, il n'allait plus penser qu'à ça.

Prochain arrêt : la veuve du Dr Jack Sturgess.

Duckworth appréhendait cette entrevue. Cette femme avait traversé beaucoup d'épreuves. Non seulement elle avait perdu son mari, mais elle avait dû endurer la destruction de sa réputation.

Il ne faisait aucun doute qu'il avait tué deux personnes. L'employé de la maison de retraite devenu maître chanteur et sa vieille voisine, mais avait-il également tué Rosemary Gaynor ? S'il s'avérait que c'était le cas, il serait alors le premier suspect de Duckworth dans l'affaire Fisher. Il avait déjà retourné cette hypothèse plusieurs fois dans sa tête. Les tueurs ont tendance à utiliser les mêmes méthodes. Sturgess avait eu recours à une injection létale dans un cas, un oreiller dans l'autre.

Gaynor et Fisher n'étaient pas mortes aussi paisiblement.

Il se gara devant la jolie maison de plain-pied. Une pancarte À vendre était plantée sur la pelouse. Il sonna à la porte, et, dix secondes après, Tanya Sturgess venait lui ouvrir la porte. Elle portait un survêtement gris, et ses cheveux grisonnants étaient tirés en arrière, plusieurs mèches humides tombant devant ses yeux.

— Oh, s'exclama-t-elle. C'est vous.

Ils s'étaient déjà rencontrés, bien entendu, pendant l'enquête qui avait suivi la mort de son mari.

— Madame Sturgess, je suis désolé de vous déranger.

— Je n'en doute pas. Eh bien, vous feriez mieux de me dire ce que vous avez sur le cœur, parce que je compte partir d'ici le plus vite possible.

— Je peux entrer ?

— Et pourquoi pas ?

Elle laissa la porte ouverte tandis qu'elle retournait à l'intérieur. Duckworth remarqua les cartons de déménagement un peu partout. Les cadres appuyés contre des caisses et les ombres carrées qu'ils avaient laissées sur les murs. Trois tapis étaient roulés dans le salon.

— Je n'attends pas d'avoir vendu la maison, dit-elle sans qu'il ait à le lui demander. Elle sera vide quand l'agence la fera visiter, ce n'est pas grave. Qu'ils l'arrangent à leur goût s'il le faut.

— Où allez-vous ? demanda-t-il.

— Au Texas. Dans la banlieue de Houston. J'ai de la famille là-bas. J'expédie tout ça par camion, et je le mets au garde-meuble le temps de me trouver un toit. J'ai hâte de quitter cette ville de merde au plus vite.

Duckworth ne dit rien.

— Ils l'ont crucifié, continua Tanya Sturgess. Ils l'ont carrément crucifié. Accuser mon mari de choses monstrueuses alors qu'il n'était pas là pour se défendre. C'est Agnes Pickens qui était derrière tout ça. Pourquoi se serait-elle jetée dans les chutes, sinon ? Cette femme était rongée par la culpabilité.

Duckworth continuait de l'écouter en silence.

— Jeudi dernier, je suis allée au supermarché et une femme que je ne connaissais même pas s'est approchée de moi et, droit dans les yeux, elle m'a dit : « C'était comment d'être mariée à un homme qui a volé un bébé ? » De quel droit me parlait-elle comme ça ? De quel droit ?!

— Les gens jugent, dit Duckworth.

— Non, sans blague ?

Il suivit Tanya Sturgess dans un bureau situé au rez-de-chaussée, où elle était manifestement en train d'emballer des livres. Elle en prit quelques-uns sur l'étagère qu'elle laissa tomber dans un carton.

— C'est pour ça que vous êtes ici ? demanda-t-elle. Pour détruire les derniers lambeaux de réputation que Jack pourrait encore avoir ?

— Je suis ici pour une autre enquête, dit-il.

— Quelle enquête ?

— Elle remonte à trois ans.

— Trois ans ?

— Ce sera son troisième anniversaire ce mois-ci, en fait. Je me demandais si votre mari conservait ses vieux agendas. Quelque chose qui pourrait nous dire ce qu'il faisait pendant cette période. Ce jour-là, si possible.

— Pourquoi diable avez-vous besoin de savoir ça ?

— J'en ai besoin pour cette enquête, expliqua-t-il.

Elle fit tomber d'autres livres dans le carton.

— Eh bien, vous arrivez deux jours trop tard.

— Comment ça ?

Elle ouvrit les bras en grand pour indiquer l'ampleur de la tâche.

— Je suis en train de trier toutes ces affaires car je ne vais pas tout emporter avec moi, et ce que je n'emporte pas, je le jette. Je ne voyais aucune raison de garder les vieux agendas de Jack. Ils sont partis à la poubelle.

Mais Duckworth ne se laissa pas abattre. Même si l'agenda du médecin avait disparu, il pouvait toujours essayer l'hôpital. Si Sturgess avait été de garde aux urgences, par exemple, la nuit où Olivia Fisher avait été assassinée, il aurait eu du mal à s'éclipser pour la tuer dans le parc.

— Je suis la seule à garder ce genre de trucs, dit Tanya Sturgess.

— Je vous demande pardon ?

— Je conserve mes vieux agendas.

Duckworth hocha lentement la tête.

— Vous auriez celui d'il y a trois ans ?

Elle le dévisagea.

— Expliquez-moi pourquoi je devrais vous aider.

La question était sensée, car si, de fait, Duckworth voyait bien en quoi la collaboration de Tanya Sturgess servait ses intérêts, elle n'en avait absolument aucun à lui apporter son aide.

— Je ne sais pas. Si j'étais vous, je ne lèverais pas le petit doigt. Mais ça pourrait être important.

Tanya balança quelques livres sur un bureau.

— Suivez-moi, dit-elle.

Une fois dans la cuisine, elle sortit d'un tiroir plusieurs vieux agendas à spirale.

— Il y a trois ans ?

Duckworth acquiesça d'un signe de tête.

Elle trouva l'agenda en question, l'ouvrit, feuilleta les pages jusqu'au mois de mai.

— Voilà, dit-elle en lui tendant le calepin.

Bien sûr, il ne s'attendait pas à une entrée indiquant : « Jack a une fille à tuer. Sera en retard pour le dîner. » Mais savoir ce que le médecin avait fait cette semaine-là pourrait éclairer sa lanterne.

Il parcourut rapidement les annotations de la semaine. Le mardi soir, elle avait noté : « Dîner Manning ». Vendredi à 11 heures, « manucure-pédicure ». Mercredi : « Pressing ».

Une entrée, pour le lundi 10 h 30, retint son attention.

— Qui est le « Dr Gleber » ?

— Mon dentiste, dit-elle. Sûrement mon détartrage semi-annuel.

— D'accord.

— Franchement, qu'est-ce que vous cherchez ?

Il ignora la question et continua à examiner l'agenda aux jours qui avaient précédé le meurtre d'Olivia, soit le 25 mai. Il remarqua un rendez-vous pour le 22 qui semblait d'ordre médical : « 13 heures. Clinique Seward. »

Il le montra à Tanya Sturgess.

— Qu'est-ce que ça peut bien être ? Le Dr Seward est votre médecin traitant ?

— Seward n'est pas médecin. C'est un kinésithérapeute.

— Vous consultiez un kiné ?

— Laissez-moi voir ça, dit-elle en reprenant l'agenda et en revenant plusieurs semaines en arrière. Ça y est, ça me revient.

— Quoi ?

— C'est quand Jack s'est blessé.

— Blessé ?

— Deux semaines plus tôt. Oui, voilà. Nous étions partis voir des amis dans le Maine, et Jack s'est foulé la cheville en randonnant dans les bois. Sa cheville droite. C'était tellement douloureux qu'il n'avait pas pu conduire au retour.

Il a dû se servir d'une canne pendant plusieurs semaines, et il est allé à la clinique Seward pour des séances de kiné. Il lui a fallu patienter deux mois avant de pouvoir à nouveau marcher normalement.

— Alors, pendant toute cette période, demanda Duckworth qui avait repris l'agenda et pointait le doigt sur la double page, votre mari était handicapé ? Il avait du mal à se déplacer ?

Tanya fit oui de la tête.

Est-ce qu'un type avec une cheville esquintée pourrait agresser une femme dans un parc et s'enfuir en courant après l'avoir tuée ?

— Merci, dit Duckworth, qui rendit l'agenda à sa propriétaire.

Il comptait bien se faire confirmer la réalité de cette blessure auprès de la Seward Clinic, mais il avait le sentiment qu'il pouvait d'ores et déjà écarter Jack Sturgess de la liste des suspects du meurtre d'Olivia Fisher, et parce que le mode opératoire était identique à celui de Rosemary Gaynor.

— Parlez-moi des Gaynor, reprit Duckworth.

— Je sais ce que vous essayez de faire.

— Ce que j'essaie de faire, madame Sturgess ?

— Vous essayez d'incriminer Jack pour le meurtre de Rosemary ? Eh bien, ce n'est pas lui, et ne comptez pas sur moi pour vous aider à le mettre en cause. Vous voulez le charger de tous les crimes que vous n'arrivez pas à résoudre, c'est ça ? Ce serait pratique parce qu'il ne peut plus se défendre. Vous voulez peut-être aussi lui coller sur le dos le kidnapping du bébé Lindbergh et l'assassinat du président Kennedy ?

— Vous vous trompez, dit Duckworth. Je ne pense pas qu'il a tué Rosemary Gaynor, pas plus que vous.

Elle le considéra avec suspicion.

— Vous essayez de me piéger.

— Absolument pas, fit Duckworth. Je cherche des éléments qui pourraient me permettre de trouver l'assassin de Rosemary. C'est pourquoi je vous repose la question : connaissiez-vous bien les Gaynor ?

— Bill et Jack étaient amis. Je ne connaissais pas vraiment Rosemary. On sortait dîner une ou deux fois par an.

— Et Bill et Rosemary, ils s'entendaient bien ?

— Je suppose. C'était le cas quand on se retrouvait tous les quatre. On ne les a plus fréquentés après l'arrivée du bébé, ni même pendant les mois qui ont précédé. Quand Bill et Rosemary étaient à Boston.

— Mais vous avez parfois vu Bill avant la mort de sa femme ?

— En effet. De temps à autre.

— Comment était-il ?

— Rétrospectivement, je dirais qu'il était à cran.

Amère, elle ajouta :

— Je ne l'aimais déjà pas à l'époque et je le déteste encore plus aujourd'hui. Il est autant à blâmer qu'Agnes Pickens. C'était un odieux personnage. C'est lui qui a entraîné Jack dans cette combine d'adoption illégale. Jack a consacré sa vie à aider les autres et regardez ce qu'il a récolté pour sa peine.

Cette déclaration ne collait pas vraiment avec les faits tels que Duckworth les connaissait. Jack Sturgess avait besoin d'argent pour rembourser des dettes de jeu. Il avait vu dans le désir d'enfant de Bill et Rosemary l'opportunité d'en obtenir. Et, à sa connaissance, personne n'avait forcé Sturgess à assassiner Marshall Kemper ou Doris Stemple. Ni à menacer de planter une seringue dans le cou du père de David Harwood.

Duckworth jugea néanmoins préférable de garder ces réflexions pour lui.

— Que voulez-vous dire par « à cran » ?

— Nerveux. Chaque fois que j'entrais dans une pièce où ils s'étaient enfermés Jack et lui, il se fermait comme une huître.

— Quand les avez-vous vus ensemble pour la dernière fois ?

Elle réfléchit.

— Juste avant que Bill aille à Boston pour cette dernière conférence. Quand Rosemary a été tuée. Il paraissait très inquiet.

Duckworth avait appris au cours des auditions de la nounou des Gaynor, Sarita Gomez, que c'était à peu près à ce moment-là que la femme de Bill avait compris que l'adoption de Matthew n'était pas légale.

Mme Sturgess se rappela un certain incident :

— Un jour, je l'ai surpris dans le bureau, où il attendait le retour de Jack. Bill consultait un des vieux manuels de médecine de Jack consacré aux techniques chirurgicales. Quand il a pris conscience de ma présence, il l'a refermé et l'a remis sur l'étagère. Il était rouge comme une tomate. On aurait dit que je l'avais surpris en train de regarder du porno.

Duckworth repensait à tout ce que Tanya Sturgess venait de lui révéler quand il se mit au volant de sa voiture, et que son téléphone sonna.

— Duckworth.

— C'est moi, dit Rhonda Finderman. Tu as appelé.

Duckworth dut réfléchir un moment avant de se souvenir pourquoi il avait essayé de la joindre.

— Oui, dit-il. Je voulais te raconter une histoire, et tu vas me prendre pour un fou, mais tu dois l'écouter jusqu'au bout.

27

Cal

Je me précipitai hors du bureau de Clive Duncomb, quittai le bâtiment administratif de Thackeray College, et fonçai à ma voiture. Mon portable n'avait pas quitté mon oreille tandis que j'essayais de me faire expliquer ce qui s'était passé.

— Ses parents sont venus me voir… Ils m'ont retenue… pour m'empêcher d'aller chercher Carl à l'école.

Elle s'interrompait pour reprendre son souffle. On aurait dit qu'elle aussi était en train de courir.

— Mais vous n'êtes pas certaine qu'Ed va s'en prendre à Carl ? dis-je en cherchant mes clés dans ma poche avec mon autre main.

— Il est ici ! Vous l'avez vu vous-même ! Ils sont de mèche.

— Ne quittez pas. Je vous mets sur haut-parleur.

En faisant marche arrière, je manquai d'emboutir un fourgon FedEx.

— Connard ! cria le chauffeur.

Je mis le cap sur le centre-ville. Je ne savais même pas où j'allais.

— Sam ? criai-je. Vous êtes toujours là ?

— Oui !

— Où êtes-vous ?

— Je cours à l'école ! Ils ont tailladé mes pneus, les salauds !

— Où est cette école ?

— C'est la Clinton Public !

Je repensai à l'époque où j'étais flic à Promise Falls et où j'aurais été capable de parcourir cette ville les yeux bandés. Je connaissais Clinton, et il me fallut seulement quelques secondes pour retrouver tous mes repères géographiques.

Ce n'était pas la porte à côté par rapport à Thackeray. Même en explosant tous les records de vitesse et en brûlant tous les feux, j'en avais pour quinze bonnes minutes.

— Où êtes-vous ? criai-je.

Je me demandais si je devais passer la prendre en chemin, mais l'idée était quand même que l'un de nous deux arrive le plus vite possible à l'école, alors autant m'y rendre directement.

— C'est à quelques pâtés de maisons, dit-elle, très essoufflée. Ce n'est pas… très… loin.

— L'école finit à quelle heure ?

— Là, tout de suite !

— Raccrochez, appelez-les, pour leur demander de garder Carl au secrétariat !

— J'ai essayé ! Je n'arrive pas… (Une pause pour reprendre son souffle.)… à les joindre !

— Alors appelez la police !

— Ils s'en foutront !

— Quoi ?

— Ils n'en ont jamais rien à faire de ces conneries !

Si elle voulait parler des conflits de gardes d'enfant, elle n'avait pas tout à fait tort. Il y avait certains problèmes qu'un flic dans une voiture de patrouille n'était pas en mesure de résoudre. Mais la situation qu'elle décrivait semblait suggérer qu'un enlèvement était sur le point d'avoir lieu.

Mon cœur cognait et mes mains moites glissaient sur le volant. Devant moi, des voitures étaient arrêtées au feu.

— Je suis encore loin ! criai-je. Je ne sais pas si je pourrai arriver à temps !

Je ne savais pas si Samantha m'avait entendu. Je me saisis du téléphone.

— Vous êtes là ?

Rien.

Le feu était passé au vert, mais les voitures devant moi redémarraient lentement. Je klaxonnai, en doublai deux, évitant de justesse un pick-up qui arrivait en sens inverse. Mis le pied au plancher.

Alors que je fonçais à travers la ville, je me rendis compte que je ne connaissais pas toute l'histoire. Si ça se trouve, Sam avait enlevé son propre gamin et subissait à présent des représailles. Peut-être qu'elle était en pleine bataille judiciaire concernant la garde et qu'elle s'était enfuie avec Carl sans la permission du juge.

Mais si tel était le cas, en règle générale, les tribunaux n'envoyaient pas des brutes vous menacer sur votre lieu de travail. Ed n'avait pas vraiment une tête d'huissier de justice.

Je faisais donc le pari que les anges étaient avec Sam et son petit garçon. Mon instinct me soufflait qu'Ed n'avait absolument pas le droit d'emmener Carl. Même si Sam n'avait pas la loi de son côté, kidnapper un enfant à la sortie de l'école n'était pas une façon de résoudre ce genre de litige.

— Allez, allez, dis-je, en apercevant une autre file de voitures se former devant moi au carrefour suivant.

Je guettais une brèche. Trop de voitures venaient en sens inverse pour doubler. Si je prenais la prochaine à droite, j'arriverais peut-être à gagner un peu de temps en passant par des rues résidentielles moins fréquentées.

— Allez, bougez-vous, criai-je aux conducteurs devant moi.

Une vieille Volkswagen s'avança suffisamment pour que je puisse prendre mon virage à droite et changer d'itinéraire. Je tournai le volant, écrasai l'accélérateur.

En même temps qu'un joggeur me coupait la route.

— Merde !

Je pilai si violemment que je fus étonné de ne pas avoir cassé la pédale de frein.

L'homme, qui courait en short et torse nu, avait probablement dans les trente-cinq ans. Il s'arrêta aussi brutalement que je l'avais fait, se retourna, et me dévisagea. Il frappa le capot de l'Accord des deux mains.

— Putain ! hurla-t-il en postillonnant.

Est-ce que je l'avais touché ? J'étais pratiquement sûr que non. Mais si je voulais être d'une aide quelconque à Sam et à Carl, j'allais devoir lui passer dessus.

Je baissai ma vitre.

— Vous avez traversé juste devant moi !

Il montra le petit bonhomme vert.

— Vous voyez ça ! Vous êtes aveugle ?!

Il ne bougeait pas. Si je pouvais l'amener à s'écarter de l'avant de la voiture, à s'approcher de ma vitre, je pourrais filer.

— Ouais ! Il marche le bonhomme, il court pas !

L'homme secoua la tête, commença à contourner l'aile. Bien, bien. *Viens me faire chier face à face, comme ça la voie sera dégagée et je pourrai foncer.*

L'homme longea la voiture. Au même moment, plusieurs autres piétons se mirent à traverser le carrefour, me barrant la route.

— Putain, vous croyez que la route vous appartient ? demanda-t-il, penché à ma vitre à présent, les mains sur la portière, assez près pour que je sente son odeur de transpiration. Ce que vous avez à faire est tellement important que ça justifie de renverser des gens ? C'est ce que vous pensez ?

Je n'allais pas y arriver.

Je n'allais pas arriver à temps pour voler au secours de Carl.

28

Ed laissa tourner son pick-up dans la rue de l'école primaire Clinton. Pour rejoindre le travail de sa mère, ou leur maison, Carl Worthington passerait forcément par ici, juste devant l'endroit où il était garé. C'était une bonne chose que le gosse ne l'ait jamais vu. L'exécution de son plan en serait facilitée.

Bien entendu, il était toujours possible qu'il ne prenne pas cette direction, s'il décidait d'aller chez un copain, par exemple, avant de rentrer chez lui. Mais d'après ses informations, sa mère passait le prendre presque tous les jours. Il la guetterait probablement, et resterait là à se demander pourquoi elle était en retard.

Ed avait préparé sa petite histoire.

Assis au volant de son pick-up, il attendait que la cloche sonne pour se mettre sur le qui-vive. Bien qu'il ne l'ait jamais vu en vrai, Yolanda lui avait donné des tas de photos, si bien qu'il n'aurait aucun mal à identifier le petit morveux.

En attendant, il mangea une barre chocolatée. Il retira l'emballage, en croqua la moitié, mâcha quelques secondes, puis enfourna l'autre moitié dans sa bouche. Il se passa la langue sur les lèvres, jeta un coup d'œil dans le rétroviseur pour s'assurer qu'il n'avait pas de chocolat aux commissures. C'est sa mère qui lui avait appris ça. Toujours vérifier ses commissures.

Ça allait.

La cloche sonna.

Quelques secondes plus tard, les portes de l'école s'ouvrirent et des hordes d'enfants s'en échappèrent. Ils étaient beaucoup plus nombreux qu'il ne l'avait imaginé, mais il le repéra rapidement. Et comme il l'avait espéré, le gamin marchait dans sa direction. Après s'être éloigné d'une vingtaine de mètres, il s'arrêta et regarda autour de lui.

On cherche sa maman ?

Ed descendit du pick-up, se planta devant la portière ouverte.

— Hé ! Carl ? C'est toi, Carl ?

Le petit garçon regarda dans sa direction. Il était à une vingtaine de mètres de la voiture. *Ne l'effraie pas.* Si le gamin prenait ses jambes à son cou, il n'arriverait jamais à l'attraper.

— Moi ? dit Carl, en pointant un doigt vers sa poitrine.

Ed hocha vigoureusement la tête avec un sourire forcé.

— Il y a eu un incendie !

Carl ouvrit de grands yeux et se mit à courir vers l'homme.

— Un incendie ?

— Ta mère m'a demandé de venir te chercher, dit-il. J'étais en train de faire une machine, ta maman était dans le bureau, et un des sèche-linge a plus ou moins explosé. Il y avait des flammes qui sortaient de partout.

— Elle n'a rien ? interrogea le garçon.

— Non, tout va bien, mais elle a dû appeler les pompiers, et elle m'a demandé de venir te chercher. Elle m'avait donné une très bonne description de toi. Je t'ai reconnu tout de suite au milieu des autres !

Carl restait cloué sur place, à trois mètres de l'inconnu.

— Je ne sais pas trop, dit-il.

— Écoute, je comprends. J'avais prévenu ta mère… je lui ai dit : « Votre fils va penser que je suis un inconnu pas très net. » C'est normal, tu ne me connais pas. Et si ça te met mal à l'aise que je te raccompagne à la laverie automatique, je comprendrai. Retourne à l'école et peut-être que dans quelques heures, quand les pompiers auront fini, ta mère pourra venir te chercher. Je peux revenir lui dire que tu as décidé de rester. Bien sûr, elle aurait sans doute préféré que tu lui simplifies l'existence, avec tous les embêtements qu'elle a, mais je pense qu'elle comprendra.

Le gamin était sur le point de céder.

Ed remonta dans son pick-up.

— Ne t'en fais pas, Carl. Je lui dirai que tu vas bien et que tu vas l'attendre...

— C'est bon ! dit le garçon, en se dirigeant vers lui.

— Tu peux monter de mon côté, dit Ed qui se recula pour permettre au garçon de grimper et d'aller s'asseoir sur le siège passager.

— Vous êtes sûr qu'elle va bien, ma mère ? demanda-t-il tandis qu'il mettait sa ceinture de sécurité.

— Elle s'est peut-être un peu brûlé la main, mais rien de méchant. Quand l'incendie s'est déclaré, elle a essayé de l'étouffer avec des vêtements mouillés sortis d'une machine, mais ça venait de l'arrière du sèche-linge. Alors elle est allée chercher un extincteur, mais le feu était déjà bien parti. Tu l'aurais vue ! Elle a été incroyable ! J'ai appelé les secours pour elle, et quand le camion des pompiers est arrivé, elle était dans tous ses états parce qu'elle ne pouvait pas venir te chercher.

— Est-ce qu'ils vont devoir fermer la laverie ? demanda Carl, l'air soucieux. Parce que, si ça ferme, ma mère ne gagnera plus d'argent.

Ed secoua la tête en mettant le pick-up en prise.

— C'est difficile à dire. Elle est assurée ?

— Ça veut dire quoi ?

— Qu'est-ce qu'on vous apprend à l'école ?

Ed démarra, mais soudain, c'était comme essayer de sortir du parking de l'aéroport le jour de Noël, avec toutes ces mères venues chercher leurs marmots et qui lui bloquaient le passage avec leurs voitures.

— Nom de Dieu, ça les tuerait, ces petits cons, de rentrer chez eux à pied ? s'énerva Ed. Personne n'avait de chauffeur quand j'étais gamin.

Il jeta un regard au petit garçon. Celui-ci commençait à paraître mal à l'aise.

— Désolé, les bouchons, ça me stresse, dit-il. Je te ramène à ta maman tout de suite.

— C'est de l'autre côté.

— Ouais, je sais, mais je dois d'abord me sortir de cet embouteillage, avant de faire demi-tour. Ta mère ou ton père ne t'ont jamais dit qu'il ne fallait pas jouer au copilote ?

— Au quoi ?

Ed éclata de rire.

— Tu n'es pas beaucoup plus malin que ton paternel, tu sais ça ?

— Vous connaissez mon père ? demanda Carl.

— Bougez-vous ! hurla Ed après avoir baissé sa vitre.

Devant lui, trois monospaces et un SUV attendaient pour passer que l'agent municipal en gilet orange ait fini de faire traverser les enfants.

— Non, mais sérieux !

— D'où vous le connaissez, mon père ?

Ed le regarda en coin pendant qu'il remontait sa vitre.

— On est de vieux copains.

Carl saisit la poignée de la portière, mais Ed actionna le bouton de verrouillage.

— N'y pense même pas, petit. On va démarrer. Si tu sautes d'une voiture en marche, tu t'aplatiras comme une pizza.

— Il n'y a pas eu d'incendie, dit Carl.

Ed lui fit un grand sourire.

— C'est une bonne nouvelle, non ?

L'agent municipal recula sur le trottoir et se mit à faire signe aux autres voitures d'avancer.

— C'est parti, dit Ed. J'espère que tu aimes Boston parce que... bon Dieu !

On venait de cogner à la vitre. Un homme courait à côté de la voiture en tapant au carreau et en vociférant.

— Arrêtez cette voiture ! criait-il, sa voix en partie étouffée par l'épaisseur du verre. Arrêtez cette putain de voiture !

L'homme attrapa la poignée, tenta de l'ouvrir sans succès.

Ed mit une seconde pour comprendre à qui il avait affaire, mais il le reconnut sans l'ombre d'un doute. Il regarda droit devant lui, impatient de mettre les gaz, mais les autres voitures continuaient à le retenir.

— Dégage ! cria-t-il, mais quand il tourna la tête vers la vitre, l'homme avait disparu.

— Carl !

Le type était passé de l'autre côté et frappait à la vitre de Carl.

— Ouvre la portière !

Ed tendit le bras, prit le gamin par le col de sa chemise, et le tira brutalement vers le milieu de la banquette.

— Ne touche pas à cette putain de portière !

Le type regardait Ed en brandissant un téléphone.

— Hé ! Trouduc ! Je vais appeler la police ! Tous les flics de l'État de New York vont chercher ton pick-up !

La joue d'Ed se contracta.

— Réfléchis ! cria l'homme.

Sur le trottoir, des enfants s'étaient arrêtés pour regarder la scène. Quelques mères, qui attendaient toujours le long du trottoir, étaient descendues de leur voiture. L'une d'entre elles était en train de sortir son téléphone, peut-être pour prendre des photos.

Les voitures de devant commençaient enfin à avancer.

Ed regarda devant lui et écrasa l'accélérateur.

Le pick-up fit une embardée et il entendit un bruit sourd.

Ed jeta un coup d'œil sur la droite : l'homme avait disparu. Il sourit, relâcha son étreinte sur le gamin.

— Je l'ai eu, dit-il.

— Pas exactement, dit Carl en désignant l'arrière d'un mouvement de tête.

Il regarda dans son rétroviseur. Le type était à l'arrière. Sur le plateau du pick-up. À genoux, sur une couche de terre et de feuilles en décomposition. Il se cramponnait le plus à plat possible, au cas où Ed se mettrait à donner des coups de volant pour lui faire perdre l'équilibre.

Le pick-up prit de la vitesse en faisant rugir et crachoter son moteur. Au carrefour suivant, un second agent municipal dut chasser des enfants qui se trouvaient sur sa trajectoire. Ed prit le virage suffisamment vite pour que l'homme soit projeté contre la ridelle. Mais tant qu'il maintenait son centre de gravité bas, il n'arriverait jamais à l'éjecter, sauf à trouver un moyen pour rouler tête en bas.

L'homme regarda Carl par la lunette arrière, lui fit un signe d'encouragement avec le pouce. Puis il roula sur le dos et se mit à tripoter son téléphone.

— Qu'est-ce qu'il fait ? demanda Ed. Je ne le vois pas.

— Je crois qu'il appelle la police, dit Carl.

Ed donna un brusque coup de volant à gauche, puis à droite, puis de nouveau à gauche. Histoire de voir si ce type était capable de composer un numéro en étant ballotté comme une boule de flipper. Il l'aperçut dans le rétroviseur, secoué dans tous les sens. Il ne semblait plus avoir le téléphone en main. Ce qui pouvait vouloir dire qu'il avait déjà appelé les flics, ou bien peut-être qu'il avait renoncé. À moins que le téléphone ne lui soit tombé des mains.

— Il faut que je sème ce type.

Mais même Ed, qui n'avait pas eu la moyenne en physique au lycée, et dans pratiquement aucune autre matière d'ailleurs, pouvait comprendre que quelle que soit la vitesse à laquelle il roulerait, il ne parviendrait pas à creuser la moindre distance entre lui et le connard à l'arrière de sa camionnette.

Le seul moyen de se débarrasser de lui était de le dégager de là.

— Accroche-toi, petit, prévint Ed avant d'écraser la pédale de frein de toutes ses forces.

Le pick-up s'arrêta dans un crissement de pneus. L'homme fut projeté contre la cabine. Ed mit le véhicule en position parking, ouvrit sa portière à la volée, et bondit hors du véhicule. Il allait prendre ce fils de pute par le col et le balancer sur la route.

Mais il n'avait pas prévu que ce gars se mettrait debout aussi vite.

Ni qu'il lui enverrait son pied dans la figure.

— Putain ! fit Ed, qui recula en titubant, les deux mains sur son nez qui pissait le sang.

— Carl ! cria l'homme. Descends de là ! Cours !

Carl hésita une demi-seconde avant de se précipiter par la portière ouverte côté conducteur. L'homme posa les deux mains sur le bord du plateau et sauta à terre.

Alors qu'il tentait de stopper l'hémorragie, l'autre lui envoya son poing dans le ventre et Ed tomba à la renverse dans la rue.

Carl, bien à l'abri derrière un arbre planté sur une pelouse toute proche, ne perdait pas une miette de la scène.

Au loin, des sirènes se firent entendre. Une des nombreuses mères d'élèves témoins de la scène avait dû appeler la police.

— Tu ferais mieux de foutre le camp. Voilà la cavalerie.

Ed se releva lentement, le menton ruisselant de sang.

— T'es un homme mort, marmonna-t-il en retournant vers son pick-up. Il se mit au volant, claqua la portière et démarra en trombe.

Carl sortit de derrière son arbre et courut jusqu'à l'homme, qui était à présent plié en deux, les mains sur les genoux, en train de vomir.

— La vache, monsieur Harwood, est-ce que ça va ?

David Harwood s'écroula carrément sur l'herbe. Il s'essuya la bouche avec le revers d'une main qui ne tremblait pas.

— Je ne sais pas, dit-il. J'étais vraiment content que ta mère finisse par me rappeler, mais là, je ne suis plus trop sûr.

29

Barry Duckworth venait de raccrocher après avoir parlé au téléphone de la prochaine conférence de presse validée par Finderman avec le responsable médias de la police lorsque Angus Carlson fit son entrée et se laissa tomber sur la chaise du bureau voisin.

— J'en ai ma claque, déclara Angus.

Duckworth se tourna lentement vers son collègue. Il avait au moins quinze ans de plus que lui. Ce qui, dans son esprit, signifiait que Carlson n'avait absolument aucune raison de se plaindre.

— Je n'ai presque pas dormi, ajouta-t-il, sans qu'on lui ait rien demandé.

— Ouais, dit Barry. Vous êtes le seul.

Carlson rougit de honte.

— Bon, d'accord. J'ai compris.

— Racontez-moi ce qui s'est passé à Thackeray, dit Duckworth.

— J'ai vu leur chef de la sécurité, Clive Tête-de-nœud.

Duckworth n'avait aucun argument à opposer à ça.

— Qu'est-ce que vous lui avez dit ?

— Eh bien, je lui ai dit que la famille de Mason Helt allait être ravie d'apprendre qu'il ne nous avait pas informés de ce qui s'était passé dans son université et que s'il l'avait fait dès la première agression, nous aurions pu faire en sorte d'arrêter leur fils avant qu'il ne récidive et surtout avant qu'il ne soit tué.

— Vous n'auriez pas dû lui prendre la tête.

— Il m'a gonflé.

Duckworth fit jouer sa mâchoire, espérant diminuer la tension. Première journée au bureau des inspecteurs et Carlson croyait déjà tout savoir.

— Ce n'est pas tout. Au moment où je partais, un des profs, un certain Blackmore, Peter Blackmore, m'a couru après sur le parking pour me dire que sa femme avait disparu.

Duckworth releva la tête.

— Depuis quand ?

Sa première pensée fut pour Helt, mais celui-ci ne pouvait pas être impliqué : il était mort depuis pratiquement deux semaines.

— Depuis hier, apparemment, dit Carlson.

— On fait un signalement ?

— J'y ai pensé, mais Blackmore s'est rétracté. Il a minimisé le truc en disant que sa femme allait probablement refaire surface d'ici peu. Enfin, j'ai quand même cru bon de vous en parler. Il était dans le bureau de Duncomb quand je suis arrivé. Je crois qu'il lui demandait son aide à ce sujet.

Il était fort probable que, dans cette histoire de femme de professeur disparue, le chef de la sécurité de Thackeray agisse comme il l'avait fait avec les jeunes femmes agressées. En essayant de gérer les choses sans mettre la police locale dans le coup.

Duckworth consulta sa montre, repoussa sa chaise.

— Je dois aller affronter les caméras.

— Quoi ?

— À propos du drive-in, entre autres.

— Il s'est passé quelque chose ? demanda Carlson. Vous avez des… (Le téléphone sonna sur son bureau.) Une minute, dit-il à Duckworth. Je veux savoir de quoi il s'agit.

221

Il décrocha le combiné, le fit tournoyer autour de ses doigts comme un bâton de majorette, puis le colla à son oreille.

— Allô ? Oh, Gale...

Duckworth n'avait qu'une envie : décamper, mais Carlson le retenait, l'index levé.

— Ne t'en fais pas pour ça, disait-il au téléphone. Tu n'as pas à t'excuser... on était tous les deux fatigués... Oui, eh bien, ce n'était peut-être pas le moment idéal pour en parler... Mais je pense qu'on est une famille, même s'il n'y a que nous deux... Écoute, si je veux en parler à ma mère, je le ferai... Non, ça m'aide... il faut que je te laisse. À plus.

Il raccrocha, regarda Duckworth d'un air penaud.

— Désolé.

— Il n'y a pas de mal, dit l'inspecteur. Des soucis à la maison ?

— Rien de sérieux. Je suis rentré vers 4 heures du mat et on s'est pris le chou.

— C'est le genre de boulot qui peut chambouler la vie de famille, déclara Duckworth avec une certaine compassion. Les journées à rallonge, les horaires épouvantables, les trucs qu'on voit et qu'on ne peut pas vraiment expliquer aux autres. Mon fils et moi, on n'est d'accord sur rien. Je me méfie du monde entier, je mets en cause les motivations des uns et des autres. Pas les siennes, mais celles des gens qui l'entourent.

Comme Randall Finley.

Angus lança un regard circonspect à Duckworth, comme s'il hésitait à se confier à lui.

— Gale veut un enfant. Et... pas moi.

— Je peux comprendre, dit Duckworth en hochant la tête. On se demande si on a envie de faire naître un enfant dans ce monde. Mais il n'y a pas que du négatif. C'est juste qu'on en voit plus que n'importe qui d'autre.

— Ce n'est pas le reste du monde qui m'inquiète.

Pas de hochement de tête compréhensif cette fois-ci.

— Que voulez-vous dire ?

— C'est ce que les familles se font à elles-mêmes. Les mères… Les parents, je veux dire, sont censés aimer leurs enfants. Mais très souvent, ce n'est pas le cas.

— Oui, pourtant ce n'est pas une fatalité.

— Vous aimez votre fils ? demanda Carlson.

— Absolument.

— Et lui, est-ce qu'il vous aime ?

Duckworth attendit une fraction de seconde avant de répondre.

— Bien sûr.

Carlson eut un petit sourire en coin.

— La vérité est dans les silences, dit-il, puis il se leva et quitta la pièce.

— Je vous remercie d'être venus, dit Duckworth aux différents représentants des médias qui avaient été prévenus à la dernière minute.

En temps normal, seuls des journalistes d'Albany auraient fait le déplacement, mais l'explosion du drive-in avait attiré des journalistes de Boston et de New York. La petite salle de réunion du bâtiment de la police était pleine à craquer, et avec la présence de tous ces corps, et toutes ces lumières, la température monta rapidement.

Duckworth se présenta et épela son nom.

— Je tenais à mettre tout le monde au courant de ce qui s'est passé au drive-in, et du lien possible avec d'autres incidents survenus récemment à Promise Falls.

— On a arrêté un suspect ? demanda quelqu'un à tue-tête.

L'inspecteur leva la main.

— Gardez vos questions pour la fin. Nous comptons aujourd'hui solliciter le concours de la population. Quelque part, quelqu'un d'attentif est susceptible de détenir des informations précieuses pour notre enquête. Quelque chose dont cette personne ne soupçonne peut-être même pas l'importance. Laissez-moi commencer en disant que tout est mis en œuvre pour découvrir comment l'écran du cinéma Constellation s'est effondré, qu'il s'agisse d'un accident ou d'un acte délibéré. L'écran s'est écroulé à 23 h 23. En soi, cette information n'est pas pertinente, mais elle peut le devenir si on la met en corrélation avec d'autres incidents qui, jusqu'à présent, n'ont pas vraiment retenu l'attention.

Avec l'accord de Finderman, il avait fait agrandir quelques photos et les avait fait monter sur carton plume. Il posa le premier cliché sur un chevalet à côté du podium. Elle montrait les vingt-trois écureuils pendus à la clôture de Clampett Park.

— Ah, beurk ! fit quelqu'un dans l'assistance.

— Cet acte de cruauté envers les animaux, perpétré plus tôt ce mois-ci, est passé largement inaperçu. Non que nous ne prenions pas ce genre de chose au sérieux, mais nous n'avions pas communiqué sur le sujet et n'avons procédé à aucune arrestation.

— Est-ce que c'est illégal, d'ailleurs ? demanda un journaliste. Par exemple, moi, je n'arrête pas d'écraser des écureuils avec ma voiture et on ne m'a pas inculpé pour meurtre.

Grands éclats de rire.

— J'ai dit que je répondrais à toutes vos questions à la fin, rappela Duckworth. Si vous les comptez, vous remarquerez qu'il y en a vingt-trois. Maintenant, je vais vous montrer une autre photo... Voici la grande roue de Five Mountains. Vous le savez, le parc d'attractions est en cessation d'activité, néanmoins l'autre soir, quelqu'un l'a mise en route et l'a fait tourner.

L'image montrait les trois mannequins nus dans la nacelle, avec le message VOUS ALLEZ PAYER peint en rouge. Un murmure parcourut l'assistance.

— Qu'est-ce que c'est que ce truc ?

— Bon Dieu !

— Faut être malade pour faire ça ?

Duckworth leva la main, installa un troisième cliché, pris de plus près et montrant le nombre 23 sur le flanc de la nacelle.

— Wouah, s'écria quelqu'un.

— C'est notre second incident, expliqua Duckworth. Aucun dommage particulier à déplorer, juste ce message menaçant peint sur les mannequins. Sur le moment, personne n'a accordé une importance particulière au numéro de la nacelle.

Il installa la dernière photo. C'était celle du sweat à capuche que Mason Helt portait le soir où il avait agressé Joyce Pilgrim. Les médias locaux connaissaient l'histoire, mais cet aspect des choses était nouveau pour eux.

— Le fait que ce nombre apparaisse lors de ces trois événements distincts n'est peut-être qu'une énorme coïncidence, mais il est tout aussi probable que cela ne soit pas le cas. C'est la raison pour laquelle je sollicite le concours de la population. Vous qui m'écoutez, si vous connaissez quelqu'un qui fait une fixation sur ce nombre, si vous pouvez nous aider à établir une connexion entre ces différents incidents, nous vous demandons de nous contacter. Toutes les informations seront traitées de manière confidentielle.

Une main de journaliste jaillit.

— Je peux poser une question maintenant ?

Duckworth acquiesça de la tête.

— Oui, bien sûr.

— Vous pensez que le type que vous cherchez aime torturer les écureuils *et* faire sauter les drive-in ?

Des ricanements étouffés parcoururent à nouveau la salle.

— Je dis simplement que nous voyons là un lien possible, répondit Duckworth, et nous demandons à la population de nous aider. Quatre personnes ont trouvé la mort dans

225

l'effondrement de cet écran, alors vous m'excuserez de ne pas m'esclaffer avec vous.

Une autre main.

— Imaginons que la ou les mêmes personnes soient responsables de toutes ces choses, ce serait quoi la logique ? Cette inscription peinte sur les mannequins « Vous allez payer ». Qui va payer, et pour quoi ? Si quelqu'un essaie de faire passer un message, quel est-il ?

— C'est bien ce que j'aimerais savoir, conclut Duckworth.

30

Même si Clive Duncomb apportait le dîner, cette soirée n'avait rien de vraiment spécial.

Il le faisait presque tous les jours. Et quand ce n'était pas le cas, Liz commandait quelque chose. Ou mettait un plat cuisiné à décongeler au micro-ondes. Ce soir-là, il était passé chez Angelino, un italien qui faisait surtout des plats à emporter – des pizzas, mais aussi des pâtes –, et Clive avait commandé deux parts de *linguine* aux clams, ainsi qu'une salade César que Liz et lui pourraient partager.

La cuisine n'avait jamais été une passion pour Liz. Même à Boston, à l'époque où elle avait sa propre affaire et une clientèle dévouée, quand un de ses clients demandait quelque chose d'épicé qui ne figurait pas au menu, l'ingrédient proposé avait plus de chance d'être un gode-miché que du gingembre. Et le « tour du monde » qu'elle proposait en option n'était pas non plus un tour d'horizon de la cuisine mondiale.

Mais Duncomb n'avait pas choisi de faire sa vie avec Liz pour ses sensationnels soufflés au fromage. Ils ne s'étaient pas rencontrés à un cours de cuisine. Le mentor de Liz n'était pas Julia Child. Ils s'étaient rencontrés à Boston, lors d'une enquête portant sur une agence d'escorts. Duncomb, qui travaillait aux mœurs en ce temps-là, avait réuni suffisamment de preuves pour faire fermer la boîte, mais il s'était ravisé en faisant la connaissance d'Elizabeth Palmer. Elle était disposée à réaliser à peu près tous ses fantasmes, notamment ceux impliquant d'autres participants, pour peu qu'il ferme les yeux sur ses activités professionnelles.

Liz n'avait même pas besoin de fournir les menottes. Mais pour les plans à trois, ou les filles plus jeunes, elle faisait jouer son réseau.

Toutefois, elle n'avait pas le bras assez long, et elle savait que, un jour ou l'autre, elle finirait par se faire pincer, et que Clive tomberait pour complicité. Quand ils avaient senti le vent tourner, ils avaient abandonné leurs métiers respectifs, après avoir pris soin d'effacer leurs traces. Des fichiers furent passés à la déchiqueteuse ou effacés, des gens achetés, d'éventuelles balances menacées.

Ils avaient donc laissé leur ancienne vie derrière eux pour venir s'installer à Promise Falls. Mais, pour autant, ils n'avaient pas renoncé à leur hobby. Ce n'est pas parce que vous partez vivre au pôle Nord que vous n'aimez plus le ski nautique.

— Salut, dit-il en passant la porte qui ouvrait directement dans la cuisine.

Liz était appuyée contre le plan de travail, en train de regarder *Dr Oz* sur un petit poste de télévision fixé sous un des placards. Ses longs cheveux bruns avaient été ramenés en chignon, et elle était pieds nus. Son haut rouge découvrait une bande de peau au-dessus du jean.

— Chut, dit-elle, le doigt levé. D'après le Dr Oz, il faudrait faire l'amour deux cents fois par an. Je ne suis pas sûre de pouvoir y arriver.

— Si tu te limites à deux cents fois, dit Duncomb en posant le dîner sur le plan de travail, tu pourrais te trouver un nouveau passe-temps. Le scrapbooking, peut-être.

— Comment fais-tu le compte, de toute façon ? demanda Liz, qui prit la télécommande et baissa le son. Je doute que le Dr Oz réponde à cette question. Si je te suce pendant que Miriam me mange le minou, ça compte pour un ou deux actes ?

Elle fit soudain la moue, comme un enfant s'attendant à une réprimande.

— Je ne devrais pas parler comme ça d'une morte, je suppose.

Elle regarda dans le sac.

— Qu'est-ce que tu nous rapportes de bon ?

— Linguine, salade.

— Bien, dit Liz sans enthousiasme.

— Ça ne te va pas ?

— Je ne sais pas. J'avais une petite envie de thaï. Mais c'est très bien. Je peux manger ça.

— Tu comptes vraiment me casser les couilles à propos du dîner, *aujourd'hui* ?

Liz lui massa l'épaule.

— Mon homme a passé une mauvaise journée ? dit-elle en minaudant un peu.

— Oui, très sale journée. Et elle n'est pas terminée. Blackmore a pété un plomb parce que Georgina n'est pas rentrée, et je n'arrive pas à mettre la main sur le DVD le plus important.

Liz disposa deux assiettes, ouvrit les barquettes et partagea les pâtes et la salade.

— Je vais chercher du parmesan, dit-elle en se dirigeant vers le réfrigérateur.

— Tu écoutes ce que je dis ?

— Que ça aille mal ou pas, dit-elle. Il faut bien manger.

Ce qu'ils firent, debout devant le plan de travail. La table de la cuisine était jonchée de journaux, de factures, de cartons de paperasses qui semblaient y avoir élu domicile. Ils enroulèrent les pâtes autour de leurs fourchettes, harponnèrent leurs feuilles de salade.

— Alors, comment ça, tu ne l'as pas trouvé ? demanda Liz.

— Tu sais comment est Georgina depuis quelque temps. On dirait qu'elle veut arrêter. Je commence à penser que c'est peut-être elle qui l'a pris chez Adam. J'ai mis leur baraque, enfin la sienne et celle de Peter sens dessus dessous, mais il n'y était pas.

— Merde, dit-elle. J'aurais bien aimé que tu le trouves. (Elle sourit.) J'aimerais bien le regarder.

— Nom de Dieu, Liz, à la seconde où je le trouve, je le casse en mille morceaux.

— C'était une sacrée petite bombe, cette Olivia.

Clive secoua la tête – il n'avait pas envie de parler de ça.

— Quoi ? On s'est bien amusés. C'est vraiment dommage ce qui lui est arrivé. Elle aurait peut-être aimé recommencer. On n'a même pas été obligés de mettre quelque chose dans son vin comme pour les autres. Elle avait fait du plat à Adam dans la cuisine. Elle ne savait pas dans quoi on donnait tous. Elle voulait juste se taper un écrivain has been.

— On aurait dû, dit-il.

— Dû quoi ?

— Mettre quelque chose dans son vin. C'était un gros risque de l'inclure dans le cercle et de la laisser se rappeler ce qui s'est vraiment passé.

— Elle n'en a jamais parlé à personne, dit Liz. Elle allait se marier, bon sang, elle l'aurait dit à qui ? À son fiancé ? À mon avis, elle voulait s'éclater une dernière fois avant de se faire passer la corde au cou. (Un sourire.) Enfin, la bague au doigt. Mais je crois me rappeler qu'on avait joué avec des cordes ce soir-là.

— Franchement, Liz, mets-la en veilleuse, tu veux. Ce n'est pas une blague.

— D'accord, d'accord. C'est juste que tu es tellement sérieux en ce moment.

— Je vais me revisionner tous les DVD ce soir, chez Peter. J'ai pu passer à côté. Je les ai tous visionnés en accéléré après les avoir récupérés chez Adam. Je ne l'ai pas vue. Mais je suis peut-être allé trop vite, elle y était peut-être.

— Ça devait être marrant.

— Quoi donc ?

— Toute cette baise en avance rapide. Tous ces culs s'agitant de haut en bas à cent à l'heure.

Duncomb ouvrit le frigo, sortit une bière, la décapsula.

— Un flic s'est pointé sur le campus aujourd'hui, dit-il.

— Pourquoi ?

— Au sujet de l'affaire Mason Helt. Ils continuent à poser des questions, mais je n'ai rien à me reprocher.

— Bien sûr que non, dit-elle presque en ronronnant.

— J'ai vu Peter lui courir après quand il est parti. Sans doute pour lui parler de la disparition de Georgina. Je lui ai dit que je m'en occuperais, mais il n'en fait qu'à sa tête.

Liz toucha du doigt la poitrine de Duncomb, le doigt s'insinua entre les boutons de sa chemise, et décrivit de tout petits cercles sur son torse.

— J'aime bien Peter.

— Tu aimes sa langue… c'est ça que tu aimes.

Elle retira son doigt.

— Peut-être. Mais je me sens super mal pour Adam. Cet homme avait tout pour lui.

Duncomb ne réagit pas.

— Ne le prends pas mal. Je ne parle pas d'un point de vue sexuel, nécessairement. Tu sais que je t'aime, Clive. Plus que n'importe qui d'autre. Je dis simplement que c'était un homme intéressant. Et je ne me remets pas de cette ironie du destin. Celle du type qui adorait le cinéma, et qui meurt écrasé sous un écran. C'est comme une sorte de farce cosmique, tu comprends ? Comme ce joggeur qui a fait un livre sur le sujet, il y a quelques années, et qui est mort d'une crise cardiaque en sortant courir. C'est pareil.

— Si tu le dis.

— Tu as l'air vexé. Tu ne vas pas être jaloux d'un mort.

231

— Je ne le suis pas.

— Et Miriam doit te manquer, dit-elle en souriant. Sois honnête. Elle était très créative. Je n'avais jamais vu quelqu'un d'aussi imaginatif sans être du métier.

— C'est toi que j'aime, dit-il.

— Bien sûr. Et il en a toujours été ainsi. On s'aime d'amour et on fait l'amour avec d'autres. Mais Miriam était très spéciale. Et totalement bi. Nous, on ne faisait en gros que changer de partenaires, Miriam, elle, elle s'amusait autant avec moi ou Georgina qu'avec toi ou Peter.

— Ça fait un peu bizarre de parler d'Adam et de Miriam comme ça. Maintenant.

— Mais tu vois, ce qui va nous aider à surmonter tout ça, c'est qu'on a toujours réussi à séparer le physique de l'émotionnel. Autrement, on serait dévastés, là. Perdre Adam et Miriam aurait été, en d'autres circonstances, très dur pour nous. Mais moi, ça va. Pas toi ?

Duncomb hésita.

— Si, bien sûr.

— Et tu n'as jamais eu aucune raison d'être jaloux d'Adam. Le fait est que vous vous ressembliez beaucoup. Tu as fait des choses dont tu n'aimes pas parler, comme lui. À l'époque où il était dans ce gang de bikers. Et ce n'était pas des motards du dimanche avec qui il traînait, mais des gens très, très méchants. Certains n'ont plus jamais fait parler d'eux après qu'Adam a laissé cette vie derrière lui.

— Je sais.

— J'ai toujours pensé qu'il les avait arnaqués avant de se ranger. Je ne pense pas qu'il ait jamais gagné assez avec ses bouquins pour se payer une aussi jolie maison, ou cette Jaguar de collection. Il s'était bien débrouillé. Il m'en a un peu parlé. Il gérait des filles, je gérais des filles. On avait ça en commun. Mais il y avait la drogue, aussi. Je pense que c'est de là que lui venait le plus gros de son fric.

— C'est possible, dit Duncomb. J'ai réfléchi, et, avec ce qui s'est passé, je pense qu'il est temps de se calmer un peu avec tout ça.

— Ce n'est pas parce que la salle de jeux d'Adam n'est plus disponible qu'on doit arrêter.

— Je ne veux plus faire ça avec Peter et Georgina. Il devient trop nerveux, et elle, je n'arrive plus vraiment à la cerner. Je ne lui fais pas confiance.

— Je peux comprendre. Tu te lasses des gens. On trouvera de nouveaux amis.

Elle arrêta de manger et glissa encore le doigt sous sa chemise, commença à la déboutonner. Elle poussa Duncomb contre le plan de travail, se colla à lui et le sentit durcir contre elle. D'un geste expert, elle se débarrassa de son débardeur. Elle ne portait rien en dessous.

— Touche-moi, dit-elle.

Clive Duncomb s'exécuta.

Liz, ondulant lentement contre lui.

— Raconte-moi encore… en commençant depuis le début… et très, très lentement… ce moment où tu as tiré une balle dans la tête de ce gamin et l'effet que ça t'a fait.

31

À la tombée de la nuit, George Lydecker eut de nouveau une furieuse envie de recommencer. En fait, ça l'avait démangé toute la journée, mais les cambriolages en plein jour n'étaient pas une si riche idée que ça.

Il voulait se faire un autre garage. Bizarrement, il avait besoin de ça pour calmer ses nerfs. Cela faisait trente-six heures qu'il n'avait pas fermé l'œil.

Il avait pas mal flippé la veille au soir quand, avec ses potes, Derek, Canton et Tyler, ils avaient voulu entrer au Constellation. Ils avaient été à deux doigts de se faire pincer par le gérant. Et puis tout ça n'avait rapidement plus eu la moindre importance. Parce que des bombes avaient explosé et que les gens s'étaient mis à hurler.

Derek, le con, s'était précipité vers le désastre, mais lui, George, et les autres, s'étaient dit qu'il valait mieux se tirer. D'autant plus qu'il avait un flingue sur lui – trouvé et piqué dans un garage – et que la police allait se pointer d'une minute à l'autre.

Ils étaient retournés en ville à toute blinde et George s'était fait déposer chez ses parents. Mais il était trop tendu pour dormir. Il avait erré dans son quartier, à l'affût de garages laissés ouverts. De fait, beaucoup de gens allaient se coucher en laissant la porte de leur garage grande ouverte. Ils y bricolaient quelque chose, rentraient pour dîner, puis regardaient la télé, et allaient se coucher en oubliant de fermer leur foutu garage.

Vous n'aviez plus qu'à entrer tranquillement, et vous servir.

Il avait visité deux garages dans les heures qui avaient suivi l'attentat au drive-in, mais il n'avait rien vu d'intéressant. Et il était de nouveau de sortie ce soir-là, pour satisfaire cette pulsion, en quête de quelques trucs à dégotter avant de partir pour le Canada le lendemain matin.

Toute la tribu allait rejoindre la famille débile de son père à Vancouver. Et le taxi allait débarquer à 5 heures du mat, bordel. L'heure à laquelle, en général, il se couchait. Il avait promis à sa mère qu'il serait rentré à temps, ce qui lui laisserait au moins deux heures de sommeil avant le branle-bas de combat.

George s'ennuyait facilement. D'après les médecins, ce n'était pas un simple trouble de l'attention : son cerveau était mal câblé. Petit, on l'avait pourtant toujours trouvé futé. Il fallait juste qu'il s'applique, avaient répété tous ses professeurs, année après année, à ses parents.

Cela lui rappelait toujours cette phrase, tirée d'une bande dessinée : « Si seulement il utilisait ses pouvoirs au service du bien et non du mal. »

Non pas qu'il soit malfaisant. Lui-même ne se considérait certainement pas comme quelqu'un de mauvais. C'est juste qu'il ne tenait pas en place.

Et qu'il aimait chourer des trucs.

Ses parents, déterminés à ce qu'il fasse quelque chose de sa vie, avaient insisté pour qu'il aille à Thackeray, et cela avait tourné au désastre. Il avait péniblement tenu deux années, et pendant tout ce temps n'avait réussi qu'à valider quatre matières. Il ne ferait pas une troisième année. C'était peine perdue. De toute façon, le professeur dont il avait retourné la voiture avait fait pression pour l'exclure définitivement. Et, en plus, l'administration ne lui avait jamais pardonné d'avoir introduit un bébé alligator dans l'étang.

Si on ne pouvait pas s'amuser un peu quand on était à la fac, alors quand ?

Et puis qu'ils aillent se faire foutre ! Il était temps de se concentrer sur ce qu'il était en train de faire.

Il avait repéré un garage qui lui avait paru prometteur : séparé de la maison, il y avait beaucoup moins de chances qu'on l'entende. Autre point positif : en plus des deux grandes portes sur l'avant, il était pourvu d'une porte sur le côté. Il fallait donc penser à verrouiller non pas une, mais trois portes. Et pour couronner le tout, c'était une assez jolie maison. Son garage était donc susceptible d'abriter des choses de valeur. Même si, en fait, il finissait par balancer tout ce qu'il piquait dans une benne à ordures ou dans la rivière. Une fois, il avait gardé des outils et ce flingue – qu'il avait laissé tomber dans une bouche d'égout après être rentré du drive-in –, était une belle prise. Il l'avait trouvé, avec une boîte de balles, dans le tiroir d'un établi. Mais c'était le vol en lui-même qui lui donnait le frisson. Entrer, sortir.

C'était un *shoot*.

Il décida d'approcher sa cible par l'arrière. Au moment où les réverbères s'allumaient, il suivit une ruelle étroite, parvint à l'arrière de la propriété, sauta par-dessus une clôture dissimulée par des arbres et des buissons, et atterrit près du mur du fond du garage.

En prime, ce mur était percé d'une fenêtre, il y avait donc quatre voies d'accès possibles. Il regarda à travers le carreau crasseux, mais il faisait presque nuit noire à l'intérieur.

Il s'avança jusqu'à l'angle du garage, d'où il put jeter un coup d'œil sur la maison. Personne dans le jardin, et une seule lumière visible à l'intérieur, dans la cuisine.

La lumière ne l'inquiétait pas. Il pouvait s'introduire dans le garage sans être vu. Il essaya de tourner le bouton de la petite porte. Verrouillée.

Mais...

La porte n'avait pas été bien tirée contre le châssis. Le bouton était bloqué, mais, d'un coup de coude, il put faire bouger la porte.

Bingo.

Il s'empressa d'entrer et de refermer doucement derrière lui, manquant renverser un vieux jeu de croquet qui se trouvait sur le côté.

Il n'y avait pas de voiture, et il n'y aurait pas eu la place pour de toute façon. La plus grande partie du garage servait d'entrepôt. Grâce à la lampe de son téléphone, il vit que le mur du fond était couvert d'étagères métalliques. Elles contenaient tout le bazar habituel. Du matériel de jardinage, des pots de peinture à moitié pleins, des chutes de moquette. Par terre, des meubles de jardin en plastique blanc tachés par les feuilles mortes. Une caisse de bouteilles de bière. Des poubelles.

Sur une étagère, une demi-douzaine de petites cages en métal. Avec d'un côté, une entrée en entonnoir qui permettait à un animal de se glisser à l'intérieur, mais pas d'en ressortir sans se faire piquer par le fil de fer. Le genre de truc, pensa George, qui pouvait servir à piéger des rats.

Ou des écureuils.

Et c'était quoi, ça, sur l'étagère du haut ? On aurait dit un bras et une jambe. À y regarder de plus près, c'était deux membres de mannequin.

Mais le plus curieux, c'était la bâche bleue qui couvrait un monticule de quelque chose, au milieu du garage. La bâche était bosselée.

Du terreau, peut-être ?

Le tas faisait environ un mètre cinquante sur soixante centimètres de haut. La bâche était maintenue aux quatre coins par des briques. George en écarta une d'un coup de pied, se baissa et souleva la toile imperméabilisée.

Putain, c'était quoi ce bordel ?

Au début, il pensa à de la drogue. Emballée dans des dizaines, voire des centaines de sacs. Plus qu'il ne pouvait en compter, en tout cas. Est-ce que cela pouvait être de la cocaïne ou de l'héroïne ? C'étaient des poudres blanches toutes les deux, non ? Quand il montrait des sachets de drogue à la télé, c'était blanc en général.

Mais dans *The Wire*, ou *The Shield*, ou n'importe laquelle de ces séries policières, la drogue était conditionnée dans des sachets grands comme des briques. Et une mallette pleine suffisait à acheter un petit pays.

Or ces sachets-là étaient bien plus grands, comme des sortes de sacs industriels en plastique semi-opaque. Ils rappelaient à George les sacs de chlore pour les piscines. Il avait passé un été à travailler pour une boîte qui faisait ce genre de choses. Sauf que, là, il ne se dégageait aucune odeur de chlore.

Alors qu'est-ce que c'était ? Ça ressemblait beaucoup à du sel.

Ça faisait tout de même un sacré stock de sel pour un particulier. Même en hiver, personne n'avait besoin d'une telle quantité pour faire fondre la glace de son allée. Là, il y avait de quoi dégeler toute l'autoroute de l'État de New York.

Il s'agenouilla, dénoua le lien torsadé sur le dessus d'un des sacs et l'ouvrit. Ça ne sentait rien. Il plongea la main à l'intérieur, toucha le produit avec son doigt, pensant qu'il adhérerait à sa peau comme de la poudre, mais on aurait plutôt dit des cristaux. Quelques minuscules granules s'étaient collés à son doigt, et il les goûta du bout de la langue.

Ça n'avait aucun goût, mais ça brûlait un peu.

Est-ce que cette merde valait quelque chose ? Est-ce que ça valait le coup d'en piquer ne serait-ce qu'un sac ?

Et après, qu'est-ce qu'il en ferait...

Le garage s'éclaira brusquement.

George se retourna si vivement qu'il trébucha et tomba le cul sur le béton froid.

— Bordel de merde ! dit-il en voyant ce qui se tenait sur le seuil, et qui le regardait fixement.

C'était un énorme insecte ambulant.

Il avait d'immenses yeux ronds, qui faisaient peut-être dix centimètres de diamètre, et une face toute noire et luisante. Et en plus, il y avait ce drôle de truc qui dépassait sur un côté de sa tête, de la taille et de la forme d'un palet de hockey, mais noir et caoutchouteux, comme la face.

C'était une sorte de monstre.

Putain, non, ce n'était pas un monstre. Mais un homme, avec un masque à gaz. Comme on en voit dans les films de guerre, ou aux infos, quand ils transportent des malades ayant contracté le virus Ebola.

George faillit mouiller son pantalon.

— Qu'est-ce que vous foutez là ? demanda l'homme.

Mais sa voix était étrangement voilée à cause du masque. Comme une mauvaise liaison téléphonique.

— Salut ! dit George. Bon Dieu, pour un peu je me pissais dessus ! C'est quoi cet attirail, mec ?

— Je vous ai demandé ce que vous faisiez ici.

— Rien, je jetais juste un coup d'œil. Putain, vous avez la voix de Darth Vader.

L'homme masqué considéra la pile de sacs que George avait découverte.

— Pourquoi avez-vous fait ça ? Pourquoi regardez-vous ça ?

— Je me demandais juste ce que c'était. C'est tout. J'imagine que ça doit pas être super sain vu que vous portez un putain de masque à gaz. Vous en auriez pas un autre pour moi ?

— Qui êtes-vous ? Vous n'êtes pas de la police. Vous n'avez pas une tête à être dans la police.

— Ça va pas, non, je ne suis pas flic.

— Quelqu'un vous a envoyé ?

Filtrée par le caoutchouc, cette voix foutait les jetons.

— Personne ne m'a envoyé chez vous, mec. Je passais par là. La porte n'était pas fermée. Je n'ai rien pris. N'appelez pas les flics. Je n'ai rien volé. Laissez-moi partir. Je ne sais pas ce que c'est, cette merde, mais je viens de m'en mettre sur la langue. Mes couilles ne vont pas tomber au moins ?

L'homme le regardait fixement.

— Écoutez, c'est quoi ce truc ? Ce n'est pas de la coke ni de l'héroïne, hein ? Je veux dire si vous êtes un gros dealer, je regrette de m'être aventuré ici, et vous pouvez être sûr que je ne dirai rien à...

— Ce n'est pas de la drogue.

— Ce n'est pas du chlore non plus, en tout cas. Je m'y connais en chlore.

George souriait, s'efforçant d'être le plus sociable possible. Comme s'il voulait être le nouveau meilleur copain de Masque-Man.

— Je veux dire, si c'était du chlore, on pourrait à peine respirer, non ?

L'homme ne disait rien. Il se contentait de le fixer avec ses yeux d'insecte.

George commença à se relever.

— Je vais me tirer, si ça ne vous fait rien. Vous n'allez pas appeler les flics, hein ? C'est bon, on n'est pas fâchés ?

George fit deux pas hésitants en direction de la porte, mais l'homme ne s'écartait pas.

— Laissez-moi partir.

L'homme prit un maillet de croquet qui se trouvait à côté de la porte.

— Oh, sérieux, mec. Je vais partir.

Il fit un autre pas, mais l'homme brandit le maillet et frappa.

George leva le bras dans un réflexe de défense, mais l'extrémité du maillet l'atteignit à la tempe. Suffisamment fort pour que la tête se détache du manche et atterrisse sur le sol du garage.

— Putain ! fit George en portant la main à son front.

L'homme regarda le maillet : ce n'était plus qu'un manche en bois à l'extrémité déchiquetée.

Il hésita un moment, puis l'enfonça dans le ventre de George, juste en dessous de la cage thoracique, à travers son tee-shirt. La force de l'impact plaqua George contre le mur, et l'homme, soufflant fort dans son masque en caoutchouc, continua à pousser jusqu'à sentir la pointe du manche rencontrer une surface dure.

Du sang gargouilla dans la bouche de George. Il remua brièvement, puis glissa le long du mur.

L'homme laissa tomber le bâton, regarda le cadavre de l'intrus. Impassiblement. Inspirant et soufflant dans son masque.

Heureusement qu'il lui restait des bâches en plastique.

32

Ethan était trop excité pour manger. Il n'avait pas touché aux lasagnes de sa grand-mère.

— Tout le monde parle de papa ! Il a sauté à l'arrière d'un pick-up et tout ! J'aurais voulu voir ça. Je suis sorti deux minutes trop tard, mais des tas d'autres enfants l'ont vu. J'aurais voulu que tu attendes que je sois sorti pour sauter dans la camionnette.

— Désolé, dit David à son fils.

— Ce garçon que tu as sauvé, c'est le fils de la femme qui est venue ici l'autre soir ? demanda sa mère, Arlene. Comment s'appelle-t-elle, déjà ? Je ne me rappelle plus son nom.

— Sam, dit David.

— Sam ? répéta sa mère avec un air perplexe.

— L'abréviation de Samantha.

— Ah, d'accord. Eh bien, je l'avais trouvée sympathique sur le moment, mais, à présent, je ne sais plus trop. Tu n'as pas besoin de t'acoquiner avec une femme qui a ce genre de problème.

— Tu ne lui as même pas adressé la parole, maman.

— Je l'ai vue par la fenêtre et je l'ai trouvée jolie. Mais il n'y a pas que le physique, tu sais. Tu aurais pu te faire tuer.

Don, qui supervisait l'installation de leur nouvelle cuisine et était arrivé pour le dîner avec quelques minutes de retard, avait eu droit à un rapide résumé des faits, et il voyait les choses d'un tout autre œil.

— Je suis fier de toi, dit-il en tendant la main par-dessus la table pour serrer le bras de son fils. Tu ne t'es pas contenté de regarder. Tu... Tu as fait quelque chose.

Le père de David avait trébuché sur les mots. Il retira sa main et baissa les yeux dans son assiette.

— Ça va ? lui demanda Arlene.

— Très bien.

— Je ne me suis pas vraiment posé de questions, expliqua David. Je l'ai fait.

Il leur avait raconté que les ex-beaux-parents de Sam Worthington l'avaient retenue suffisamment longtemps à la laverie pour qu'elle rate la sortie de l'école de Carl. Quand elle avait compris leur manège, elle avait averti un détective privé qu'elle connaissait mais qui se trouvait trop loin pour intervenir à temps, alors elle l'avait appelé lui.

Lorsqu'il était arrivé près de l'établissement scolaire, il y avait une telle file de voitures de parents en stationnement qu'il avait abandonné la sienne et fait le reste du chemin en courant aussi vite qu'il avait pu. Il ignorait à quoi le ravisseur ressemblait, mais il avait aperçu Carl en train de monter dans un pick-up et, sans réfléchir, il s'était précipité vers le véhicule, lui aussi bloqué par les encombrements.

La police avait été appelée, des signalements donnés. Le détective privé, Cal Weaver, avait fini par arriver et avait dit aux flics que le ravisseur était passé à la laverie auto-matique dans la matinée pour menacer Sam. Les policiers continuaient d'interroger Weaver, Carl et Sam. David, pour sa part, avait été autorisé à rentrer chez lui.

Il était passablement secoué.

Et il avait mal aussi.

Il avait des ecchymoses sur les épaules tellement il avait été ballotté dans le pick-up, il ressentait une vive douleur au dos, et quand il avait frappé ce connard au visage, il

243

s'était tordu le genou. Il pouvait encore marcher, mais, bon sang, il dégustait !

Cela le confortait dans l'idée qu'il n'était pas taillé pour le métier de cascadeur.

Aussitôt rentré, il avait gobé autant de Tylenol que le permettait la notice. Ethan était déjà à la maison, excité comme une puce, exigeant des détails. Il avait déjà raconté à sa grand-mère que son père avait empêché un kidnappeur d'enlever un enfant.

Quand Sam avait téléphoné, il était en train de penser aux menaces à peine voilées de Randall Finley. Est-ce qu'il l'avait menacé de révéler les circonstances de la mort de sa mère à Ethan ? Cet appel aurait pu être le rayon de soleil de sa journée, mais il s'avéra que ce n'était pas le genre de coup de fil qui aurait pu lui mettre du baume au cœur. « Où es-tu ? avait hurlé Sam. Ils vont s'en prendre à Carl ! » À ce moment-là, ses projets pour l'après-midi – il pensait rendre visite à Jane, la femme de Randall Finley, afin de mieux cerner le personnage – changèrent radicalement.

L'adrénaline l'avait aidé à tenir le coup pendant la poursuite et l'interrogatoire de police qui s'en était ensuivi, mais quand il avait passé la porte de chez lui, il s'était mis à trembler. Il était tombé dans les bras de sa mère et s'était mis à respirer si vite qu'elle avait craint une sorte d'attaque de panique.

Il avait été submergé.

— J'aurais pu me faire tuer, avait-il reconnu, prenant conscience de cette éventualité pour la première fois. Je ne sais pas ce qui m'est passé par la tête. Ça aurait pu mal tourner. Il aurait pu planter ce pick-up. Il aurait pu faire un tonneau. J'aurais pu être écrasé contre la chaussée.

— C'était une folie de faire ça, avait reconnu Arlene.

Il s'était repris puis avait fait promettre à sa mère de ne pas révéler à son père, ni à Ethan, qu'il avait craqué en franchissant la porte de la maison.

Maintenant que le dîner était terminé, et qu'il était assis, seul, sur le perron de la maison, il avait l'impression d'avoir retrouvé son état normal. Avec l'aide de quelques bières.

Il repensait à Randall Finley. Quoi que Finley soit en train de manigancer avec Mancini, il ne voulait pas s'en préoccuper. Du moins pas pour le moment. S'il voulait ne travailler qu'avec des politiciens vertueux, autant aller pointer directement au chômage demain.

Mais cette menace concernant Nathan ? Impossible de laisser passer ça. Il devait court-circuiter Finley sur ce coup-là.

Il se leva, ouvrit la porte d'entrée.

— Ethan ! appela-t-il.

Son fils dévala les escaliers en bondissant.

— Ouais ?

— On va aller faire un tour tous les deux.

— Où ça ?

— Nulle part en particulier. Je veux juste te parler.

— C'est au sujet de Carl ? Parce que je sais que je ne suis pas censé monter en voiture avec des inconnus. Ou dans des pick-up. Alors tu n'es pas obligé de me le rappeler.

— Ce n'est pas de cela que je voulais te parler, mais en effet, tu ne dois jamais monter dans une voiture avec quelqu'un que tu ne connais pas.

— Je viens de te dire que je le savais.

— D'accord.

Il posa la main, brièvement, sur le dos de son fils, tandis qu'ils marchaient sur le trottoir.

— Ce qui est arrivé à Carl, ça t'a fait peur ?

— Pas vraiment. Je ne sais pas. Je n'y ai pas vraiment pensé de cette façon. C'est de ça que tu voulais me parler ?

— Non. Je voulais te parler de ta maman... Tu n'avais que quatre ans quand elle est morte.

— Je sais.

— Ce que je voulais dire, c'est que, vu ton âge, il était difficile de t'expliquer en détail ce qui s'était passé.

— Tu parles de ce qui arrive quand quelqu'un meurt ? Est-ce qu'il va au ciel, ou est-ce qu'il est juste mort ?

David regarda son fils avec une fierté amusée.

— C'est une autre discussion. Non, ce que je veux dire, c'est qu'il y a beaucoup de choses concernant ta mère que je ne t'ai pas dites à l'époque, que je t'ai cachées, parce que tu aurais eu du mal à les comprendre. Mais tu as grandi, et il y a certaines choses que tu devrais probablement savoir. Des choses que tu dois entendre de ma bouche, plutôt que de les apprendre par quelqu'un d'autre. C'est une bonne chose qu'on soit partis d'ici après sa mort, et que personne ne nous connaisse à Boston. Comme ça, quand on est revenus, les gens avaient oublié et ils ne parlaient plus d'elle.

— D'accord, dit Nathan.

— La première chose que tu dois savoir, c'est que, quoi que ta maman ait pu faire, et quoi qu'on puisse raconter sur son compte, elle t'aimait énormément.

— D'accord.

— La dernière chose que ta mère a faite, avant de mourir, a été de s'assurer qu'il ne t'arriverait rien. Il y avait un homme très méchant, qui menaçait de te faire du mal, et elle l'en a empêché. (David hésita.) Elle l'a tué.

— Ouais, dit Nathan. Je le savais plus ou moins.

— Je sais que tu connais des bribes de l'histoire... tu as sans doute entendu tes grands-parents en parler quand ils pensaient que tu n'écoutais pas. Le fait est que même si elle t'aimait plus que tout au monde, ta mère n'était pas une très bonne personne.

Ethan releva la tête pour regarder son père.

— Je sais.

— Tu sais ?

— J'ai lu tout ce qu'il y avait à lire sur elle.

246

— Ah oui ?

— Il y a des tas de trucs sur Internet. Qu'elle avait un autre nom quand elle est née, qu'avant de tuer ce type, elle lui avait coupé la main des années auparavant, qu'elle avait volé des diamants qui, en fait, étaient...

— Tu sais tout ça ?

Ethan se tut. Sa lèvre tremblait.

— Tu vas te fâcher ? Je voulais juste savoir. Chaque fois que je te posais des questions sur maman, tu répondais qu'il n'y avait pas grand-chose à dire, et alors j'allais interroger Nana et Poppa et ils me disaient que je devais en parler avec toi, alors j'ai préféré demander à Google. Il y a tout un tas d'articles sur elle dedans.

David se sentit délivrer d'un poids immense, et en même temps, cela l'attristait.

— J'aurais dû deviner que tu ferais ça. C'est pratiquement impossible de garder un secret de nos jours. Surtout avec les enfants.

— Ouais.

— Alors, tu t'es senti comment par rapport à ça ?

— Je sais pas trop. Un peu bizarre. Mais c'était aussi cool, d'une certaine manière.

— Cool ? reprit David sur un ton sévère.

Ethan eut un mouvement de recul.

— Je ne voulais pas dire cool au sens de cool, super, mais plutôt au sens d'intéressant.

— Désolé. Je ne voulais pas te sauter à la gorge. Je crois comprendre ce que tu dis.

— Je suis content que tu sois plus ou moins normal et ordinaire, mais ça avait quelque chose de super que les gens parlent de ma mère. Enfin, si elle était encore vivante, ce serait affreux, mais comme ça s'est passé il y a très, très longtemps, ce n'est pas si terrible.

Pour lui, cinq ans, c'est une éternité, songea David. *Pour moi, c'était hier.*

— C'est tout ? demanda Ethan.

— C'est tout, quoi ?

— C'est tout ce que tu voulais me dire ?

— Oui.

— On peut rentrer, alors ?

— Oui, bien sûr. Viens là.

David attira son fils contre lui, l'enveloppa de ses bras. Mais Ethan le repoussa.

— Papa, on est dans la rue, protesta-t-il en tendant le cou pour regarder des deux côtés.

— Désolé, dit David en relâchant son étreinte. Je ne voulais pas t'embarrasser.

— Tu pourras me prendre dans tes bras quand on sera rentrés à la maison. Enfin, si tu veux encore le faire.

— C'est bien possible.

À leur arrivée, deux personnes les attendaient. Sam Worthington et son fils, Carl. Sa voiture, dont on avait remplacé les pneus lacérés, était garée dans la rue.

— Bonsoir, dit David.

— Carl, dit Sam pour inciter son fils à parler.

— Monsieur Harwood, merci pour ce que vous avez fait aujourd'hui, dit le garçon.

— Il n'y a pas de quoi, dit David en souriant.

Puis, reportant son attention sur Ethan, Carl lui demanda :

— Tu as des trains ici aussi ?

Ethan fit non de la tête.

— Seulement chez mon grand-père. Mais Nana… c'est ma grand-mère, elle a fait une tarte aux myrtilles, mais il faut faire gaffe à pas s'en mettre sur la chemise parce que ça ne part pas.

— Ça me paraît bien, dit Carl.

Et les garçons coururent à l'intérieur de la maison sous le regard de David et Sam.

— Comment ça va ?

— Ça va, dit Sam. J'ai fait changer mes pneus, même si je ne sais pas comment je vais pouvoir payer la facture. Ed et mes ex-beaux-parents sont recherchés par les flics. Ils pensent qu'ils vont essayer de rentrer à Boston.

— Tu as peur qu'ils recommencent ?

Elle secoua lentement la tête.

— Pas tout de suite. Pas après ce qui s'est passé. Ils doivent bien se douter que la police leur court après. Ils vont chercher à se faire oublier pendant un moment. En tout cas, je suis venue pour répondre à ta question.

— Ma question ?

— Celle que tu as laissée sur mon répondeur. La réponse est oui.

— Qu'est-ce que je t'avais demandé ?

— Si je voulais dîner avec toi. La réponse est oui.

— D'accord.

— On va faire les choses bien cette fois, dit Sam. Le dîner *d'abord*.

33

Cal

Quand j'eus terminé ma déposition au poste de police concernant la « visite » d'Ed Noble à la laverie automatique, j'appelai Lucy Brighton pour lui dire que je souhaitais faire le point avec elle. Elle me proposa de passer chez elle vers 20 heures.

En chemin, j'avais mis la radio sur une station locale qui donnait la parole aux auditeurs.

— Qui dit qu'on ne pourrait pas être une cible pour des terroristes ? demandait l'animateur sur un ton grandiloquent. Serions-nous trop peu de chose, là-haut ? À deux heures de route de New York ? Serions-nous assez bêtes pour penser une chose pareille ? Laissez-moi vous dire une chose, mes amis : si vous voulez instiller la peur dans le cœur des Américains, alors frappez au cœur de l'Amérique. Les grandes villes sont des cibles évidentes. Alors pourquoi pas Promise Falls ? Pourquoi pas... je ne sais pas... Lee, Massachusetts ? Saragota Springs ? Middlebury, Vermont ? Duluth ? Que les Américains se sentent en danger où qu'ils se trouvent. C'est ce que ces islamistes fanatiques ont dans la tête, et vous pouvez être sûrs que faire sauter un cinéma en plein air est tout à fait leur style. On va prendre vos appels. On vous écoute, Dudley.

Dudley ?

— Oui, je pense qu'on doit surveiller ses voisins, parce que ces gens, ce qu'ils font, c'est se cacher parmi nous.

— Tu m'étonnes, mon ami, tu m'étonnes. Et maintenant on a un Monsieur 23 dehors quelque part qui voudrait nous faire mourir de peur, à en croire la brillante flicaille de Promise Falls. Eh bien, moi, je vous le dis tout net, il en faut un peu plus pour me faire peur. Votre truc de numéro 23, ça peut impressionner certaines personnes, mais ça ne prendra pas avec moi.

M. 23 ? Qu'est-ce que c'était que ces salades ? Cependant, je n'avais pas envie d'en apprendre davantage pour le moment et j'éteignis la radio. Quand je sonnai à la porte des Brighton, une jeune fille vint ouvrir. Je me rappelai que Lucy avait une fille de onze ans.

Elle tenait un porte-bloc sur lequel plusieurs feuilles de papier étaient maintenues en place par une pince métallique. Dans l'autre main, un feutre à pointe fine décapuchonné. Elle avait des cheveux châtains coupés au carré avec une frange. Elle lui fit penser au personnage de Marcie, la gentille intellectuelle amoureuse de Charlie Brown, sans les lunettes.

Si elle avait été Peppermint Patty[1], elle m'aurait probablement gratifié d'une salutation quelconque.

Mais pas Crystal. Elle me regardait fixement.

— Bonjour, dis-je. Tu dois être Crystal.

Aucune réaction.

— Je m'appelle Cal Weaver. Je pense que ta mère m'attend.

Elle se retourna et cria :

— Maman !

Elle pouvait donc parler. Elle posa de nouveau son regard sur moi. Je montrai son porte-bloc du doigt.

— Sur quoi travailles-tu ?

---

1. Un autre personnage féminin de la bande dessinée des *Peanuts*.

Crystal tourna l'écritoire de façon à ce que je puisse voir la feuille dans le bon sens. Elle avait divisé la page en six carrés, et rempli chacun d'eux de personnages sommairement dessinés et de bulles.

— Une bande dessinée ?

— Non.

— Désolé, avec les cases, je trouvais que ça ressemblait à...

— C'est un roman graphique, déclara-t-elle.

Elle feuilleta les pages. Il y en avait des dizaines, toutes dessinées dans un style similaire à celle du dessus. Certaines n'étaient que des bouts de papier ; quelques-unes étaient des feuilles à gros grain rouges ou vertes. Sur chacune des feuilles, des cases, des dessins. Si les personnages étaient dessinés de manière sommaire, je comprenais ce qu'ils exprimaient. Elle avait réussi à rendre les gestes et les expressions, chose étonnante, étant donné que, jusqu'à maintenant, Crystal en avait montré très peu.

Je pointai du doigt une des cases.

— C'est une voiture ?

— Oui.

— On dirait une voiture de sport.

— C'est une Jaguar. Mon grand-père en a une. Mais elle est aplatie maintenant. Un gros truc lui est tombé dessus.

Lucy apparut brusquement.

— Désolée ! dit-elle en poussant sa fille sur le côté. Rentre, ma chérie. (L'enfant obtempéra.) J'étais en bas en train de remplir mon sèche-linge et je n'ai pas entendu sonner.

— Ça ne fait rien. Ça m'a donné l'occasion de faire la connaissance de Crystal.

Lucy m'adressa un sourire qui ressemblait plus à une grimace.

— Si elle vous a paru impolie...

— Elle ne l'a pas été.

— Si elle vous a paru impolie, insista Lucy, elle ne le fait pas exprès.

— Elle me montrait son roman graphique. J'ai fait l'erreur d'appeler ça une bande dessinée.

— Oh, vous n'auriez pas dû, dit Lucy, amusée.

Elle me conduisit au salon, où elle avait disposé des tasses, un plateau de fromage et des crackers, ainsi qu'une cafetière.

— Il ne fallait pas, dis-je.

— Ce n'est rien.

— J'aime le style de dessin de Crystal. C'est assez minimaliste, mais on comprend bien ce qui se passe, ce que les gens pensent.

Lucy sourit, secoua la tête.

— Cette enfant. Elle passe son temps à dessiner, sur tous les bouts de papier qui lui tombent sous la main. L'autre jour, je me suis retrouvée à court de chèques et j'ai découvert qu'elle en avait fait des strips de quatre cases. Le format parfait, m'a-t-elle dit. J'essaie de ne pas m'énerver, mais, parfois...

— C'est une gamine talentueuse.

— Oui, eh bien, parfois, le talent et les soucis vont de pair.

— Que voulez-vous dire ?

— Vous venez de faire connaissance, mais vous devez déjà vous douter que certaines aptitudes sociales lui font défaut. Elle est handicapée de ce côté-là. Elle ne sait pas vraiment comment se comporter. Parfois...

Et les larmes lui montèrent presque instantanément aux yeux.

— Les autres enfants... ils peuvent se montrer si cruels avec elle. C'est l'excentrique de la classe, vous comprenez ?

— Bien sûr, dis-je. Mon fils, Scott, était un peu pareil.

— Il a été diagnostiqué ?

— Diagnostiqué ?

— On a trouvé ce qui n'allait pas chez lui ?

— Ce n'était pas tout à fait ça. Il avait juste d'autres centres d'intérêt que les autres enfants. Il ne se fondait pas dans le moule.

— Donc ça n'avait rien à voir avec le syndrome d'Asperger ?

— C'est ce que Crystal a ?

— Je ne sais même pas. C'est possible, d'après son médecin. Elle présente certaines caractéristiques. Communication sociale médiocre, comportement répétitif. Et cette obsession pour le dessin, ses griffonnages permanents, sur tous les supports possibles.

— Dans quelques années, elle gagnera un million par an en dessinant pour Marvel.

— Oui, eh bien, c'est maintenant que j'aurais besoin d'un peu de cet argent. J'aimerais l'emmener dans un établissement spécialisé où on lui ferait passer des tests, et la mettre dans une école qui serait mieux adaptée à ses besoins, où ses professeurs trouveraient le moyen de la sortir de sa coquille, l'encourageraient même à dessiner, puisqu'elle est douée pour ça. Mais mes revenus sont insuffisants. J'avais demandé à mon père de nous aider. Il m'avait dit qu'il allait y réfléchir...

— Et maintenant...

— Oui, et maintenant... Crystal a toujours été plus ou moins comme ça, mais je pense que ça s'est aggravé quand son père nous a quittées. Elle a besoin d'une figure masculine dans sa vie. Je crois que c'est pour ça qu'elle aimait passer du temps avec mon père. Elle était gentille avec lui.

Je ne savais pas quoi dire.

— Bon, assez parlé de tout ça, se reprit Lucy, qui continua tout bas : Je suppose que vous avez appelé parce que vous avez du nouveau ? Vous avez les DVD ?

Je tendis le bras pour prendre un cracker et poser une tranche de fromage dessus. Je n'avais rien avalé depuis des heures.

— Non, je n'ai pas les disques.

— Mais vous savez qui les a pris ?

— Vous connaissez un certain Clive Duncomb ?

Elle fit non de la tête.

— Vous avez mentionné son nom quand vous cherchiez des contacts chez mon père.

— Oui. Il travaille à Thackeray. Il est responsable de la sécurité là-bas. Lui et sa femme étaient amis avec votre père et Miriam.

Lucy répéta le nom.

— Je connais quelques personnes à Thackeray, à cause de mon métier. Mais ces gens font surtout partie du corps enseignant et...

Lucy s'interrompit.

— Qu'est-ce qu'il y a ?

— Je ne me rappelle plus le nom, mais mon père, j'en suis presque certaine, a dit que quelqu'un à la fac lui avait donné des tuyaux quand il écrivait sur la police. Cet homme n'était pas un responsable de la sécurité d'une université, il était, ou avait été, policier.

— Ça pourrait être Duncomb, dis-je. C'est un ancien flic. Il a dit autre chose à son sujet ?

— Un après-midi, j'avais débarqué chez lui à l'improviste et mon père m'avait informée qu'il attendait des invités pour le dîner : cet ex-flic, justement, sa femme, et un autre couple. Et peut-être même une étudiante de Thackeray qui souhaitait rencontrer un écrivain. Miriam avait déjà dressé la table.

— Il a dit qui était l'autre couple ?

Lucy secoua la tête.

— Vous pensez à quoi ? me demanda-t-elle.

— Je n'en sais rien. Enfin, j'ai une idée assez précise de ce qu'il y a sur ces DVD. J'en ai eu la confirmation par l'ex-femme de votre père, Felicia. (Je fis la grimace.) Elle ignorait ce qui s'était passé au drive-in. C'est moi qui lui ai appris la nouvelle.

— Vous ne pensez pas qu'elle jouait la comédie ? Qu'elle faisait semblant de l'apprendre ?

Je réfléchis à cette éventualité.

— Elle paraissait sincère, dis-je en souriant. Mais j'ai déjà été trompé par des femmes.

Cela la fit sourire à son tour.

— Si elle l'ignorait réellement, il n'y avait aucune urgence de sa part à cambrioler la maison de mon père.

J'acquiesçai de la tête.

— En tout cas, elle affirme que, lorsqu'elle et votre père se sont séparés, il lui a donné tous les DVD où elle apparaissait, et elle les a détruits elle-même.

— À moins qu'il y ait des copies.

— C'est une possibilité. Néanmoins, parfois, je ne peux me fier qu'à mon instinct, et mon instinct me dit que ce n'est pas elle. En revanche, je n'ai pas la même impression pour Clive Duncomb.

— Parlez-moi de lui.

— Il se comporte comme s'il dirigeait le FBI et pas le service de sécurité d'une petite fac. Quand je lui ai dit qu'on avait pris quelque chose dans la maison de votre père, il ne m'a même pas demandé ce que c'était.

Elle laissa cette information faire son chemin.

— Il savait déjà.

— C'est ce que je me suis dit. Et puis c'est le genre d'individu à qui votre père aurait pu confier une clé et le code, puisque c'était un ex-flic.

— Vous êtes en train de me dire que mon père et Miriam avaient peut-être des relations sexuelles avec ce Duncomb et sa femme ? Et qu'ils se filmaient ?

Cela devait être gênant pour elle. Discuter de la vie sexuelle de son père ne me mettait pas non plus particulièrement à l'aise.

— C'est possible, dis-je. Si j'ai appris quelque chose au fil des années, c'est qu'on ne peut pas savoir ce qui se passe derrière des portes closes. Et je ne parle pas simplement de sexe. Maris et femmes, parents et enfants, ils se traitent différemment dans l'intimité de leurs foyers qu'ils ne le font en public.

— J'en ai eu un aperçu quand j'étais enseignante. Les choses que les petits peuvent vous dire. Des choses comme : « Ma maman ne peut pas accompagner la sortie scolaire parce que mon papa l'a poussée dans les escaliers. » Et ils vous disent ça de façon tellement innocente.

— C'est affreux.

— Tout ça est tellement ridiculement sordide. Sordide n'est peut-être pas le mot, d'ailleurs. Je me fiche que des gens aient envie de s'envoyer en l'air ou d'échanger leurs femmes ou je ne sais quoi. Nous vivons dans un pays libre. Je ne suis pas un taliban… ni le porte-parole d'une Église quelconque, quelqu'un qui voudrait imposer à tout le monde son mode de vie, mais quand il s'agit de son propre père… c'est embarrassant.

— Je comprends.

Elle fit mine de croquer dans un cracker, puis le reposa dans l'assiette. Pas d'appétit.

— J'ai juste besoin de savoir qui a pris ces DVD. Si c'est ce Duncomb, je pourrai peut-être en appeler à lui personnellement, lui dire : « Écoutez, si vous avez ces disques, je vous demande de ne jamais les rendre publics. Détruisez-les, s'il vous plaît. »

Je doutais que ce soit une bonne idée.

— S'il les a pris, c'est pour protéger sa propre réputation, et il me paraît donc peu probable qu'il les mette sur Internet, si vous voyez ce que je veux dire. (Je levai les yeux

257

sur l'escalier.) Je dirais que Crystal a très peu de chances de tomber sur ces vidéos mettant son grand-père en scène.

— Oh, mon Dieu, rien que d'y penser.

Je mangeai un autre cracker avec du fromage, me servis du café.

— Oh, j'aurais dû le faire, dit Lucy d'un air confus.

Je bus une gorgée, lui dit qu'il était bon.

— Il faut que vous décidiez si vous voulez que j'aille plus loin. Comme vous vous êtes attaché mes services pour la journée entière, je voudrais aller jeter un dernier coup d'œil dans la maison de votre père, voir si je trouve autre chose, peut-être regarder ses mails de plus près, mais je ne sais pas jusqu'où je peux aller.

Lucy réfléchit.

— Peut-être encore un jour ou deux ?

On aurait dit qu'elle demandait une autre lichette de gâteau. Elle cherchait un prétexte pour me faire revenir le lendemain, et le jour d'après, c'était évident.

— Je vais voir ce que je peux dénicher ce soir, et ensuite on prend une décision, ça vous va comme ça ?

— Ça me paraît bien. Je ne peux pas laisser Crystal, vous allez devoir aller à la maison tout seul. Je vais vous donner un double de mes clés, le code est 2669. Vous voulez que je vous le note ?

— Je m'en souviendrai.

Nous étions là, dans une intimité presque gênante. Une sorte de courant électrique semblait passer entre nous.

Le téléphone sonna.

— Une seconde, s'il vous plaît, dit-elle avant de s'éclipser dans la cuisine.

— Allô ! l'entendis-je dire. Oh, Martin. Martin, je suis désolé.

Je regardai dans la cuisine.

— Ne quitte pas une minute, dit-elle. (Elle couvrit le combiné avec sa main et se tourna vers moi.) C'est le frère de Miriam. Martin Kilmer. Il arrive en voiture de Providence.

Je levai la main, une esquisse d'au revoir.

— Je vous rappelle, dis-je doucement, et je quittai la maison.

En montant dans la voiture, je remarquai quelque chose sur le siège passager. Plusieurs feuilles de papier agrafées.

Je pris le document. La page de couverture était illustrée par le dessin d'une petite fille marchant la nuit dans une forêt. Avec ce titre : *Des bruits dans la nuit* par Crystal Brighton.

Sur un Post-it jaune, collé dessus, on lisait : « PAS une bande dessinée. »

Je me retournai pour regarder la maison, une fenêtre à l'étage, sans doute celle de la chambre de Crystal. Sa silhouette se détachait à contre-jour : elle m'observait.

34

Randall Finley gara sa Lincoln dans l'allée, à côté d'une Kia rouge, et coupa le contact. Avant de descendre, il resta un moment assis au volant à écouter les cliquetis du moteur qui commençait à refroidir. Puis il marcha avec lassitude jusqu'à la porte d'entrée. Il s'attendait à trouver la porte ouverte, ce qui était le cas.

Il entendit du bruit dans la cuisine.

— Monsieur Finley ? appela une femme.

— Bonjour, Lindsay, dit-il en desserrant sa cravate dans le couloir qui menait à la cuisine.

— Vous avez l'air fatigué, dit Lindsay.

Elle avait une bonne soixantaine d'années, des cheveux clairsemés solidement attachés sur sa tête avec des épingles. Ses bras longs et maigres étaient occupés à essuyer un des plans de travail.

— La journée a été longue ? reprit-elle.

— J'aurais dû appeler, dit-il. Désolé de vous avoir fait attendre si longtemps.

— Ce n'est pas grave. Vous avez mangé ? Il y a du jambon et de la salade de pommes de terre au frigo.

— Ce ne serait pas de refus, en fait. Mais d'abord j'aurais bien besoin d'un verre.

Il sortit une bouteille de scotch et un verre du placard. Puis il alluma le petit poste de télévision fixé sous un meuble, mit sa chaîne d'info en continu préférée.

Il tomba sur Duckworth, qui parlait d'écureuils.

Tiens ? Peut-être que l'inspecteur prenait enfin au sérieux cette histoire de rongeurs morts. Finley monta le son :

« … vous les comptez, vous remarquerez qu'il y en a vingt-trois. Maintenant, je vais vous montrer une autre photo… Voici la grande roue de Five Mountains. Vous le savez, le parc d'attractions… »

L'inspecteur évoquait différents incidents liés par le nombre 23.

— Eh bien, dit Finley. Vous avez entendu ça, Lindsay ?

— Entendu quoi ?

— Le type qui fait tous ces trucs en ville, il a un genre de signature. Un nombre.

— Je ne suis pas au courant, dit-elle. Vous me connaissez : je ne regarde jamais la chaîne d'info en continu. Je n'écoute pas la radio. Toutes les nouvelles sont déprimantes. Je n'ai pas besoin de ça. J'écoute juste ma musique.

Elle montra du doigt l'iPod et les écouteurs sur la table de la cuisine. Finley lui avait demandé de ne pas les porter quand elle se trouvait dans la maison et s'occupait de Jane, mais Lindsay jurait qu'elle n'écoutait pas fort.

Comme si elle avait anticipé la question suivante, elle ajouta :

— Elle a passé une bonne journée. Elle a beaucoup dormi, mais elle a passé une bonne journée.

Elle sortit le jambon et la salade de pommes de terre du frigo. Des bouteilles de Finley Springs Water occupaient toute une étagère.

— Elle a bu tout un pichet de citronnade ! dit Lindsay en préparant une assiette pour Finley. Elle adore le concentré surgelé. Parfois, avant que j'ajoute l'eau, elle aime en mettre un peu sur une cuiller. (Elle gloussa.) C'est un sacré personnage. Elle me fait rire. Avec toute cette citronnade, j'ai dû la conduire plusieurs fois aux toilettes.

Finley vida son scotch, les yeux toujours rivés sur la conférence de presse de Duckworth. Quand elle prit fin, il éteignit la télé.

— Vous disiez ?

— La citronnade. Elle adore ça.

— Elle a besoin de s'hydrater, dit Finley. Je rapporterai d'autres packs d'eau demain.

— Je prépare la citronnade avec de l'eau du robinet. Je la laisse couler jusqu'à ce qu'elle soit froide.

— Utilisez mon eau. Elle est tellement meilleure.

— C'est juste que ça prend plus de temps. Je dois déboucher toutes ces bouteilles et...

— Je rapporterai une de ces grosses bonbonnes, ça vous facilitera la tâche.

— Bon, d'accord, dit Lindsay.

— Je ne sais pas ce que je ferais sans vous.

Lindsay posa l'assiette sur la table de la cuisine.

— Tenez, dit-elle.

— Je vais d'abord monter voir Jane. Rentrez chez vous. Je prends le relais.

— Entendu.

— Mais demain j'ai une grosse journée.

— Je serai là à 7 heures, dit Lindsay.

— Vous valez un million de dollars.

Lindsay sourit.

— Vous pouvez m'accorder une augmentation si vous voulez.

Finley s'approcha d'elle et planta un baiser sur son front.

— Elle a pris ses cachets ?

— Elle est parée pour la nuit. Vous n'avez plus qu'à la border et ça devrait aller jusqu'à demain matin. À moins qu'elle ait besoin d'aller aux toilettes, vous...

— Je peux l'aider pour ça, dit Finley. Allez, ouste, du balai. Vous en avez assez fait.

Lindsay l'étreignit, prit son manteau sur le dossier d'une chaise de cuisine, et se dirigea vers la porte.

— À demain, dit-elle.

— Ciao, ma belle.

Il se versa un autre scotch qu'il vida d'un trait.

Et monta à l'étage.

Y avait-il plus de marches aujourd'hui qu'hier ? Monter cet escalier semblait lui demander plus d'énergie chaque jour. Or il avait besoin de toutes ses forces. Il ne s'était même pas encore officiellement porté candidat. Un travail de tous les instants l'attendait.

Les faits entendus aux infos. Il pourrait s'en servir.

Il entra dans la chambre d'amis, retira sa montre et la posa sur la table de chevet. Il ôta sa cravate et la jeta sur le lit. Il s'assit au bout du lit, se déchaussa, pétrit la moquette avec ses orteils.

— Ça fait du bien, se dit-il à lui-même.

Il se leva, fit quelques pas dans le couloir. La porte de la chambre de Jane Finley était entrebâillée, et il la poussa doucement.

— Hé, ma chérie, dit-il tout bas.

Sa femme était couchée, sur le dos, les couvertures remontées jusqu'au cou. Sa peau était pâle, ses cheveux clairsemés. Une lampe de chevet projetait une lumière douce sur une paire de lunettes de lecture, un roman de Ken Follett en édition brochée, et plusieurs flacons de pilules.

Jane ouvrit les yeux en battant des paupières.

— Tu es rentré, dit-elle. Lindsay le sait ?

— Je viens de la renvoyer chez elle.

— Tu as dîné ?

— Elle m'a préparé quelque chose. Je vais manger dans une seconde. Lindsay dit que tu as passé une bonne journée.

— Je suppose, dit Jane, les paupières lourdes. Qu'est-ce que tu as fait aujourd'hui ?

— Diverses choses. Je pense annoncer ma candidature demain.

Jane prit une longue et profonde inspiration.

— Tu n'es pas obligé de faire ça.

Finley s'assit au bord du lit, tendit le bras sur les couvertures jusqu'à trouver la main de sa femme, et la serra.

— Je peux être l'homme que tu as toujours voulu que je sois.

— Tu n'as rien à prouver.

— Je t'ai fait honte. Je...

— Arrête, dit-elle en balançant la tête d'un côté à l'autre sur l'oreiller.

— Mais c'est vrai. Je veux que les gens voient que je ne suis plus cet homme-là. Que je suis un homme meilleur. Quelqu'un digne de toi.

Il posa la main sur le front de sa femme.

— Tu es chaude. Un gant froid te ferait du bien ?

— Je ne veux pas te déranger, dit Jane. Va manger.

Il se leva, entra dans la salle de bains, et fit couler le robinet jusqu'à ce que l'eau soit froide. Il passa un gant de toilette sous le jet, referma le robinet, essora le gant du mieux qu'il put et retourna au chevet de sa femme.

— Tiens, dit-il, et il posa le linge sur son front.

— Ça fait du bien. C'est vraiment agréable.

Finley prit le roman de Follett.

— C'est comment ?

— C'est bien, dit-elle. Mais il est tellement long, et lourd, que j'ai du mal à le tenir.

Finley l'ouvrit là où elle avait laissé son marque-page.

— Tu aimerais que je te fasse la lecture ?

— Et ton dîner ?

— C'est juste du jambon et de la salade de pommes de terre.

— Alors, oui, d'accord.

Au bout d'une demi-page, Jane dormait déjà. Il reposa le livre sur la table de nuit, prit le gant de toilette sur son front, éteignit la lumière et sortit de la chambre sans faire de bruit.

35

Lorsque Duckworth vit le fourgon Finley Springs Water garé dans son allée, il supposa que l'ancien maire était passé le voir ou que son fils, Trevor, était à la maison.

L'inspecteur ne savait pas trop quelle visite il appréhendait le plus.

Il ne faisait aucun doute que Randall n'était pas le bienvenu. Duckworth avait été obligé de le chasser du parking du drive-in la veille au soir quand ce moulin à paroles opportuniste avait tenté de se faire prendre en photo en train d'aider les gens. Il aurait presque souhaité qu'il refuse de quitter les lieux. Il aurait adoré lui passer les menottes et le pousser sans ménagement à l'arrière de sa voiture.

En comparaison, Trevor était un visiteur plus opportun. Cela faisait pourtant presque quinze jours qu'il n'avait pas vu son fils, et cette dernière visite ne s'était pas bien déroulée. Trevor avait passé la nuit chez eux, débarquant au volant d'un fourgon Finley absolument identique à celui garé dans l'allée. Lorsque Duckworth avait appris que Randy avait donné un travail à son fils, il avait tout de suite été sur ses gardes.

Randy avait fait pression sur Duckworth pour que celui-ci l'informe de tout ce qui pourrait favoriser sa prochaine campagne ; notamment d'éventuels problèmes internes dans les services de police. Il avait même laissé entendre que si

Barry se montrait coopératif, il ferait en sorte, une fois élu, de virer Rhonda Finderman et de le nommer à sa place.

Duckworth lui avait opposé une fin de non-recevoir.

Si bien que, lorsqu'il avait appris que son fils travaillait dans l'usine d'embouteillage de l'ancien maire, il avait aussitôt soupçonné Finley de chercher à prendre sa revanche. « J'ai donné un boulot à ton fiston. Maintenant, donne-moi quelque chose qui pourrait me servir. »

Mais quand il avait fait part de ses soupçons à Trevor, il n'avait pas su trouver les mots. Trevor, fier d'avoir repris le travail après des mois de chômage, s'était senti rabaissé, comme si son père suggérait qu'il était incapable de trouver un travail par ses propres moyens. Trevor avait filé sans demander son reste.

Ils ne s'étaient pas reparlé depuis.

Duckworth descendit de voiture et s'approcha de la porte d'entrée. Il resta un moment sur le seuil, se préparant à ce qui allait suivre.

Il ouvrit la porte et pénétra à l'intérieur.

— Barry ?

C'était la voix de sa femme à l'étage. Quelques secondes plus tard, il la vit descendre l'escalier, d'abord ses jambes, puis le reste de sa personne.

— Salut, dit-il.

— Trevor est là.

— J'ai vu le fourgon.

— Il est là-haut. Il faisait une livraison quelque part, je ne sais plus où, et il est passé nous voir avant de déposer son camion à la fin de sa tournée.

— Super, dit Duckworth.

— Il trie les vieux CD qu'il veut mettre sur son ordinateur pour pouvoir les transférer sur son iBidule. Comment ça s'est passé aujourd'hui ?

Ils entrèrent tous les deux dans la cuisine. Duckworth sortit une bière du frigo.

— Journée pourrie, dit-il en posant son derrière sur une chaise.

— Eh bien, puisque tu poses la question, la mienne n'a guère été mieux, déclara Maureen.

— Désolé. Vas-y, commence.

— On a égaré les lunettes à double foyer de Mme Grover. (Maureen était gérante d'un magasin d'optique.) Et c'est allé de mal en pis.

— Oh, merde. Vous les avez retrouvées ?

— Oui, quand la nouvelle paire qu'on a commandée a été livrée. Mais j'imagine que ce sont des broutilles comparé à ce dont tu as dû t'occuper. Le drive-in et tout ça.

— Oui. Et tout ça.

Peu après, Maureen posait une assiette devant lui. Du poulet rôti, sans la peau, des asperges, quelques carottes. Duckworth examina son assiette, se demandant où étaient passées les habituelles pommes de terre au four noyées dans le beurre fondu.

— Le drive-in, lui rappela Maureen.

Il dévissa la capsule de la bière et but une gorgée.

— Ils ont fait venir une experte en engins explosifs aujourd'hui. Ce n'était pas un accident. Et puis il y a ce gars qu'on m'a donné en renfort, et que j'ai envoyé à Thackeray aujourd'hui. Je ne sais pas quoi penser de lui. Et l'affaire Fisher-Gaynor qui continue à me rendre marteau.

— Ça fait beaucoup pour un seul homme, dit-elle.

Duckworth baissa les yeux.

— À propos de quantité, où sont passées les pommes de terre ?

— Tu as deux légumes.

— Mais aucun des deux n'est une pomme de terre.

— Si je te faisais une pomme de terre, tu la noierais sous le beurre et la crème. Quoi de neuf dans l'affaire Rosemary Gaynor ? Je croyais que c'était le médecin qui l'avait tuée.

— Ce n'est pas lui. Je suis de plus en plus persuadé que l'assassin de Rosemary Gaynor est le même que celui d'Olivia Fisher.

— C'était horrible, cette affaire. Tous ces gens dans le parc qui l'ont entendue hurler et qui n'ont rien fait. Et quelle tache indélébile sur la ville. Toute cette pression médiatique, ces articles sur l'indifférence des citoyens de la ville, ces vingt-deux personnes qui ont entendu ce qui se passait et n'ont rien fait. Tu te rappelles, ils ont comparé ça à l'affaire Kitty Genovese, cette habitante du Queens qui a été poignardée à mort à Kew Gardens en 1964, sous les yeux de tout un tas de témoins dont aucun n'a réagi.

— Tu peux me répéter le nombre de personnes qui l'ont entendue crier ?

— Kitty Genovese ?

— Non. Olivia Fisher.

— Oh. Les articles ont parlé de vingt-deux personnes.

Duckworth fronça les sourcils.

— Il n'en manque qu'une.

— Pardon ?

Il lui parla du nombre 23 et de sa théorie. Il avait pensé, brièvement, qu'il y avait peut-être un rapport avec l'affaire Fisher, mais le nombre 22 n'était apparu nulle part.

— Et des pâtes au beurre ? demanda-t-il à sa femme. Ça prendrait combien de temps de cuire des pâtes ?

— Tu as pensé au psaume 23 ?

— C'est la première chose qui vient à l'esprit. J'aurais voulu être là au moment du meurtre d'Olivia. J'aurais mieux géré l'affaire. Mais j'étais au Canada pour l'ouverture de la pêche au brochet. C'était Rhonda Finderman l'enquêtrice principale sur cette affaire, ajouta Barry en chipotant ses asperges. Elle est passée où, la peau du poulet ?

— Je t'en prie, arrête.

— Enfin, bref, ce qui me turlupine, même si je ne peux rien y changer, c'est que j'ai comme l'impression que Rhonda n'a pas assuré sur ce coup-là. Elle a dû suivre l'affaire Gaynor de très loin, sinon elle aurait tout de suite fait le rapprochement avec l'affaire Fisher. Si on avait su ça dès le départ, on aurait peut-être procédé autrement. On a perdu du temps.

— Qu'est-ce qu'elle aurait dû faire ?

— Lire les rapports. Mais elle est trop accaparée par la paperasserie, je suppose. Je suis peut-être trop dur avec elle. Ce n'est peut-être pas si important.

— Ça a l'air de l'être pour toi.

— Tu as déjà mangé ? demanda-t-il à sa femme.

— Désolé. C'est ma soirée club de lecture. Je suis censée être chez Shirley dans vingt minutes. J'ai dîné il y a un moment déjà.

— J'ai oublié que c'était ce soir. Vous allez parler de quel livre ?

— Tu détesterais. Ça parle de *sentiments*.

— N'en dis pas plus.

Trevor entra dans la cuisine.

— Je ne t'ai même pas entendu descendre l'escalier, dit Maureen. Dis bonjour à ton père.

— Salut.

Duckworth se leva.

— Comment ça va, Trev ?

— Ça va.

Il agita une poignée de CD sous le nez de sa mère.

— J'ai trouvé ce que je cherchais.

— Tu dois partir ? demanda Barry.

— Je dois rendre le bahut.

— Ça va, le boulot ?

— C'est un boulot.

— Tu veux passer après ? Ta mère a son truc de club de lecture. Moi je vais juste traîner ici. Je vais probablement me regarder un match ou quelque chose d'autre.

Le jeune homme hésita.

— Je ne sais pas. Sans doute pas. Je suis claqué.

— Ce serait sympa, dit Barry.

Trevor haussa les épaules.

— Il faut que j'y aille.

Il prit sa mère dans ses bras, fit un vague geste de la main à l'adresse de son père et disparut.

— Merde, dit Barry.

— Tu auras essayé, au moins, dit sa femme. À mon avis, il était sur le point d'accepter. Peut-être que tu aurais dû insister.

— Je ne vais pas supplier mon fils de passer du temps avec moi, dit-il en remuant ses légumes avec sa fourchette.

— Tu détestes ton dîner.

Il regarda sa femme.

— Je n'ai plus l'énergie.

— Pour quoi faire ?

— Je n'ai plus l'énergie que j'avais autrefois. Cette affaire de drive-in, je suppose que d'ici demain les fédéraux auront pris la main. Le ministère de la Sécurité intérieure voudra peut-être justifier son existence. D'un côté, j'aimerais bien envoyer balader les fédéraux s'ils essaient de me retirer ce dossier, mais, au fond, je serais soulagé qu'ils le fassent. C'est peut-être trop gros pour moi.

— Ce n'est pas vrai, affirma Maureen.

Puis, sans crier gare, Duckworth s'exclama :

— Victor Rooney.

— Quoi ?

— Je suis passé chez Walden Fisher aujourd'hui pour lui poser quelques questions à propos de la mort de sa fille. Il m'a parlé de Victor Rooney.

— Qui est-ce ?

— Je pense à lui parce que Trevor et lui ont à peu près le même âge. Rooney et Olivia allaient se marier. Walden dit que Victor ne s'en est jamais remis, qu'il se comporte bizarrement ces derniers temps à l'approche de l'anniversaire du meurtre d'Olivia.

— Tu lui as parlé ? À ce Rooney ?

Duckworth secoua la tête.

— Je me disais justement que je devrais le faire. (Il repoussa sa bière. Il n'en avait pas bu plus d'un tiers.) Si je dois ressortir, je ne peux pas la finir.

Maureen sourit.

— Je vais m'en vouloir, mais...

— Quoi ?

— Il y a un cupcake au frigo. Un seul. Au chocolat, avec glaçage chocolat.

L'espace d'un instant, il songea à lui parler de la douleur qu'il avait ressentie au Burger King. Mais en plus de l'inquiéter, ce serait aussi admettre qu'il avait déjeuné dans un fast-food.

— Je t'aime, dit-il.

Avant de quitter la maison, Duckworth passa un coup de fil à Clark Andover, l'avocat que Bill Gaynor avait engagé pour le défendre contre le paquet de charges retenues contre lui, dont le meurtre de Marshall Kemper.

— Je vais passer voir votre client ce soir, dit Duckworth, et j'ai supposé que vous voudriez être présent.

— Ce soir ? dit Andover. Vous êtes sérieux ?

— D'ici une heure environ.

— Je ne peux pas laisser tout en plan et...

— J'apporte le café.

Il faisait déjà nuit quand l'inspecteur retrouva Victor Rooney dans une maison située dans un quartier plus ancien du centre-ville. Les maisons dataient pour la plupart de l'après-guerre, la seconde. Modestes, mais conçues pour durer. Rooney louait une chambre à une certaine Emily Townsend, institutrice en retraite, qui avait perdu son mari plusieurs années auparavant. Elle occupait une petite maison blanche à étage avec des volets noirs. Un vieux monospace rouillé était garé dans l'allée, à côté d'une Toyota bleue flambant neuve.

— Je suis presque sûre que Victor est là, dit-elle après que Duckworth eut décliné son identité sur le pas de la porte. Il a des ennuis ?

— Non. J'espère juste qu'il pourra m'aider pour quelque chose.

— C'est un bon garçon, dit-elle. Enfin, ce n'est pas un garçon, c'est un jeune homme. Il m'est d'une grande aide. La plupart du temps.

— Comment ça, la plupart du temps ?

— Oh…, fit-elle en agitant la main. Rien, vraiment. C'est juste qu'il a des hauts et des bas. Il cherche du travail. Vous n'embauchez pas, dans la police ?

— Je ne pense pas.

— Pas forcément en tant que policier. Je sais qu'il faut une formation spéciale pour ça. Mais peut-être quelque chose en rapport avec les voitures de police ? Victor est très doué pour la mécanique. Il a vraiment le coup de main. C'est une des raisons pour lesquelles j'apprécie qu'il soit mon locataire. Depuis que Virgil, mon mari, est mort, c'est lui qui s'occupe de tout dans la maison. Il tond la pelouse, remplace le filtre de la chaudière, change les piles des détecteurs de fumée. Il sait même y faire avec l'électricité. Tout ce dont Virgil s'occupait. Je lui fais une bonne ristourne sur le loyer pour le remercier de son aide, encore heureux d'ailleurs, parce que, certains mois, il ne peut pas payer du tout.

— J'ai l'impression que vous êtes très gentille avec lui.

— C'est réciproque. Je vais aller vous le chercher. (Elle appela au pied de l'escalier.) Vick ! Vick ! Il y a quelqu'un pour toi !

On entendit une porte s'ouvrir, et Victor Rooney apparut en haut des marches. Il portait un tee-shirt, un short de

273

jogging et des baskets. Il avait le regard vide, et Duckworth se demanda s'il s'apprêtait à faire un jogging ou s'il en revenait à l'instant.

— C'est pour quoi ? demanda-t-il.

— Ce monsieur veut te parler, dit Emily Townsend. Il est de la police !

Victor descendit lentement les marches, sans quitter Duckworth des yeux.

— On se connaît ?

— Je ne pense pas, répondit Duckworth.

— Qu'est-ce que vous me voulez ? demanda Victor quand il eut atteint la première marche, d'où il pouvait toiser le policier.

— Si vous le voulez bien, j'aimerais continuer cette conversation dehors. Ça ne nous prendra qu'une minute. Madame Townsend, merci pour tout.

— Oh, il n'y a pas de quoi.

L'inspecteur sortit de la maison, suivi par Rooney. Ils se dirigèrent vers le monospace. Un réverbère et la lumière du porche permettaient aux deux hommes de se voir sans difficulté.

— Un peu frais ce soir, commenta Duckworth. Mais l'été sera bientôt là.

— Le froid ne me dérange pas. Une fois que je commence à courir, je me réchauffe assez vite.

— Vous faites des marathons ?

— Oh, non. Je viens de m'y remettre. Je fais peut-être un kilomètre et demi. (Il fit rouler sa tête sur ses épaules, étirant les muscles de son cou.) J'essaie de m'améliorer.

— C'est bien.

— Certaines personnes ont l'air de penser que j'en ai besoin.

Duckworth ne releva pas.

— J'enquête toujours sur le meurtre d'Olivia, dit-il à Rooney. J'ai parlé à son père aujourd'hui.

— Ah, lui, dit Rooney en clignant lentement des yeux.

— Oui.

— Pourquoi vous lui avez parlé ? Vous avez du nouveau ? Vous et vos potes avez fini par bouger vos gros culs et arrêter quelqu'un ?

— Non, dit Duckworth. On n'a arrêté personne. M. Fisher m'a dit que vous étiez toujours très affecté par ce qui s'était passé.

— Je vais très bien, assura-t-il. Pas la peine de s'inquiéter pour moi.

— Je me demandais, même après tout ce temps, si un fait nouveau avait pu vous venir à l'esprit. Quelque chose susceptible de faire avancer l'enquête. Peut-être vous rappelez-vous quelqu'un qui se serait disputé avec Olivia ? Est-ce que des hommes s'intéressaient à elle, peut-être un ex-petit-ami contrarié par le fait qu'elle allait se marier avec vous ?

— Je ne lui connaissais pas d'autre petit ami.

— Elle n'était donc impliquée dans aucune autre relation ?

Victor hésita.

— Non, finit-il par répondre.

— Vous n'avez pas l'air sûr de vous.

— Je… Je ne sais pas. Ce n'est sans doute rien.

— C'est souvent ce que les gens disent après coup. Ils disent que ce n'est sans doute rien. Mais, à un moment, ce rien se révèle être quelque chose d'important.

— Elle a été un peu… c'est difficile à décrire… mais un peu distante pendant un temps.

— Quand ça ?

— Environ un mois avant que ça arrive. Peut-être trois semaines. Elle se comportait comme si quelque chose la tracassait. J'ai pensé que c'était la perspective du mariage, mais elle a juré ses grands dieux que ça n'avait rien à voir avec ça. C'était plutôt comme si elle avait fait quelque chose qu'elle se reprochait.

— Vous avez pensé à quoi ?

— J'ai pensé qu'elle avait peut-être couché avec quelqu'un d'autre. Un coup d'un soir. J'aurais pu me montrer plus insistant, mais je suppose que je n'avais pas envie de savoir. Celui qui a fait ça à Olivia, dans le parc, c'est un putain de psychopathe. Alors je ne vois pas l'intérêt de vos questions. Aucune des réponses que je pourrais vous donner n'aurait le moindre rapport avec son assassinat.

— Vous avez peut-être raison.

— Alors qu'est-ce que vous faites, là ? Vous voulez juste me faire croire que vous progressez, mais vous n'attraperez jamais le coupable. Pourquoi ne pas vous en prendre aux autres ? À ceux qui n'ont rien fait ? Ceux qui l'ont laissée hurler sans intervenir.

— Ce doit être dur de tourner la page, dit Duckworth en balayant du regard la maison et le terrain, avec le garage séparé au fond du jardin. Il vous a fallu combien de temps avant de voir quelqu'un d'autre ?

— C'est une blague ? Vous venez tranquillement me demander si j'ai recommencé à sortir avec des filles ?

Rooney se retourna et cracha sur le trottoir.

La porte de la maison s'ouvrit. C'était Mme Townsend.

— Oh, Victor ?

Il se tourna vers elle.

— Oui ?

— Désolée de vous interrompre. Avant d'aller faire votre jogging, vous pourriez aller me chercher un sac-poubelle ? Je pensais en avoir dans la cuisine, mais ils ont disparu, il doit y en avoir un rouleau dans le garage.

— Bien sûr, dit-il, et sa propriétaire referma la porte.

Victor se tourna vers Duckworth.

— J'aide Mme Townsend dans la maison.

— C'est ce qu'elle m'a dit. Vous faites toutes les corvées ?

— La plupart. On en a fini ?

— Je suppose que oui.

— OK, très bien. À plus.

Il s'éloigna vers le garage, puis s'arrêta en se rendant compte que Duckworth n'avait pas bougé, qu'il l'observait.

— Il y a un problème ?

— Aucun problème, dit Duckworth.

— Et puis merde, je vais d'abord courir, dit Victor Rooney.

Il passa devant l'inspecteur au petit trot et disparut dans la rue.

36

Cal

J'avais rallumé la radio, et, cette fois-ci, j'en appris davantage sur Monsieur 23. C'était le surnom dont les médias avaient aussitôt affublé l'espèce de cinglé qui avait tué des animaux de la forêt, mis en marche un manège abandonné dans un parc d'attractions, et très vraisemblablement fait sauter le drive-in. Un journaliste avait réalisé un micro-trottoir pour connaître la réaction des gens.

« Je suis plutôt paniquée, pour vous dire la vérité. »

« Ils ont intérêt à attraper ce type avant qu'il ne fasse quelque chose d'encore plus grave. »

« Je savais que c'était un attentat terroriste. Il n'y a pas un verset dans le Coran qui dit "Tu dois tuer tout le monde" ? »

Je me demandais parfois pourquoi j'allumais la radio. Je l'éteignis, préférant me concentrer sur mes propres pensées.

Je ne pouvais pas, en toute bonne conscience, faire traîner cette affaire beaucoup plus longtemps. Lucy Brighton m'avait engagé pour une journée de travail, et j'étais disposé à faire quelques heures supplémentaires, mais, dès demain, il allait falloir qu'elle me dise quelle somme elle était encore prête à mettre. J'étais assez sûr de mon hypothèse, à savoir que celui qui avait pris les DVD voulait sans doute les faire disparaître. Ce pourrait être un de ces problèmes qui se résolvent d'eux-mêmes.

Je venais de tourner l'angle d'une rue, à environ un pâté de maisons du domicile des Chalmers quand je remarquai une voiture garée le long du trottoir, feux stop allumés et pot d'échappement fumant. Un petit coupé BMW noir. Je le dépassai lentement et, grâce à la lumière du tableau de bord, je reconnus Felicia Chalmers assise au volant.

Elle était seule.

Je m'arrêtai juste à sa hauteur. Elle jeta un coup d'œil dans ma direction, et ne me reconnut probablement pas tout de suite.

Je baissai ma vitre et lui fis signe de faire de même. Elle comprit et s'exécuta.

— Madame Chalmers !

— Oui ?

J'allumai le plafonnier de ma voiture pendant trois secondes, le temps pour elle de s'assurer que je ne lui étais pas totalement étranger.

— Cal Weaver. Je suis passé chez vous.

Sa bouche forma un O.

— Ah, oui, c'est vrai, bien sûr, dit-elle.

Et rien d'autre.

Je ne la quittai pas des yeux et laissai le silence se prolonger.

— Vous vous demandez probablement ce que je fais ici, dit-elle.

— Peut-être.

— Mais je pourrais vous retourner la question, dit Felicia. Vous êtes venu voir la maison ?

— C'est exact. Je travaille toujours pour la fille d'Adam Chalmers.

— Bien sûr.

— Et vous.

— Pardon ? Je ne vous entends pas bien avec le bruit du moteur.

— Je disais, et vous ?

— Oh. Je… Je suppose que j'étais juste assise là à penser à Adam.

— Bien sûr, dis-je en hochant la tête d'un air entendu.

— Je suis toujours sous le choc.

— J'imagine.

— Et… je me promenais dans le quartier, en regardant les maisons. Je… Je ne devrais sans doute pas vous dire ça.

J'attendis.

— J'ai parlé à un avocat. Il dit que je pourrais… que, en tant que seule épouse survivante d'Adam, je pourrais peut-être prétendre à… vous voyez ce que je veux dire. La succession. Du moins sur ce qu'il en reste.

— Je comprends, répétai-je.

J'étais bien tenté d'ajouter que tout le monde gérait son chagrin à sa façon, mais je m'en abstins.

— Je revenais voir la maison, pour évaluer comment elle se situait sur le marché. Rien dans cette ville ne vaut autant qu'il y a cinq ou dix ans.

— J'imagine, dis-je, le pied sur la pédale de frein.

— En tout cas, ça m'a fait plaisir de vous revoir, dit-elle avant de remonter sa vitre.

Je repris ma route. Dans mon rétroviseur, je vis Felicia faire demi-tour et tourner l'angle avec sa BMW.

Chez les Chalmers, la lumière de l'entrée était allumée. Probablement sur minuterie. Le reste de la maison était plongé dans l'obscurité. Si Adam et Miriam étaient partis en vacances, ils auraient peut-être laissé quelques lumières s'allumer par intermittence dans la maison, mais ce n'est pas le genre de chose que l'on se donne la peine de faire quand on va juste au cinéma.

Arrivé devant la porte, je mis la main dans ma poche pour prendre la clé que Lucy m'avait donnée, et j'en trouvai deux.

J'avais oublié que Felicia m'avait confié une de ses anciennes clés. Tout en affirmant qu'elle était pratiquement sûre qu'Adam avait changé les serrures depuis leur divorce.

Au lieu d'utiliser celle de Lucy, je glissai la clé de Felicia, m'attendant à rencontrer une résistance. Elle s'inséra sans problème. Le système d'alarme se mit aussitôt à biper. Si je ne saisissais pas le code dans les prochaines secondes, il se mettrait à beugler suffisamment fort pour réveiller tout le quartier et alerterait la société de surveillance. J'entrai les quatre chiffres que Lucy m'avait communiqués, et l'alarme se tut.

J'allumai quelques lumières.

Si Chalmers n'avait jamais pris la peine de changer les serrures, il n'avait jamais pris le temps de changer le code non plus. Ce qui voulait dire que Felicia avait pu entrer dans cette maison à sa guise. Ou envoyer quelqu'un le faire à sa place, avec cette clé.

Elle n'avait pas paru trop mal à l'aise quand je l'avais surprise garée si près de cette maison.

C'est toujours une sensation étrange de pénétrer dans un lieu dont les propriétaires sont morts. On s'attendrait presque à voir l'un d'eux surgir brusquement d'un placard et vous demander ce que vous fichez dans leur maison.

Je traversai d'abord le salon jusqu'à la cuisine, où je remarquai le voyant rouge du téléphone clignoter sur le plan de travail. Un message. Il n'y en avait pas quand nous étions venus avec Lucy. La personne qui avait appelé ignorait, à l'évidence, que les occupants n'étaient plus joignables.

Ce pouvait très bien être du télémarketing. L'avantage de ne plus avoir de ligne fixe, c'était que je n'avais plus à subir quotidiennement les assauts des nettoyeurs de conduits d'aération, des applicateurs de bitume pour allées, des poseurs de fenêtres, et autres commerciaux bien décidés à m'envoyer en croisière.

Je fis défiler les appels récents, ceux qui avaient été reçus depuis que nous étions passés, Lucy et moi. Il n'y en avait qu'un seul, mais c'était un numéro inconnu.

Pour écouter le message, il fallait saisir un code à quatre chiffres. Il y avait une forte probabilité pour que ce soit le même que celui de l'alarme.

Je l'essayai.

« Vous avez un nouveau message, dit la voix. Pour écouter votre message, taper deux fois sur la touche un. »

Ce que je fis. Un silence, puis :

« Adam, c'est moi. »

Une femme. Qui parlait tout bas.

« J'ai essayé ton portable. Où es-tu ? Nous… j'ai réfléchi… je ne pense pas pouvoir continuer comme ça… Je ne… Je laisse tomber. Je dois y aller. »

Fin du message.

C'était peut-être Felicia. Impossible à dire. Je vérifiai l'heure de l'appel : il avait été passé entre le moment où Lucy et moi avions quitté la maison ce matin-là et mon arrivée à l'appartement de Felicia. Je jetai un coup d'œil à la liste des appels entrants, et notai le numéro de la personne qui avait laissé le message. Il ne me disait rien.

Felicia avait admis qu'ils étaient restés en contact. Quand ils se parlaient, Adam devait utiliser son portable, comme l'avait suggéré la facture de téléphone. Même si Miriam savait qu'il avait gardé le contact avec son ex, ça ne devait sans doute pas lui plaire.

C'était néanmoins étrange de laisser un message pareil. Felicia devait savoir que Miriam risquait de tomber dessus.

Il en aurait été de même pour n'importe quelle autre femme qui aurait appelé ici pour Adam.

Peut-être que, dans l'univers échangiste, on ne posait pas ce genre de question.

Cette pensée me poussa à retourner dans la salle de jeux, au sous-sol. J'éplucherais les mails d'Adam plus tard.

Lucy avait refermé la bibliothèque, avant que nous ne quittions la maison ce matin-là. Inutile de la laisser à découvert au cas où quelqu'un d'autre déciderait de s'inviter ici.

C'était décidément une prouesse technique. Même chargées de livres, les étagères semblaient pratiquement flotter sur des roulettes invisibles. Il fallait d'abord s'y adosser, en poussant le meuble vers la gauche, mais, une fois le mouvement amorcé, le meuble coulissait presque sans effort. L'entrée, large d'un peu moins d'un mètre, m'apparut. Je passai la main à l'intérieur, trouvai l'interrupteur, et la pièce s'éclaira.

À première vue, on n'avait touché à rien depuis ma première visite, ce qui donnait à penser que celui qui était passé ici après la mort d'Adam et de Miriam Chalmers n'était pas revenu.

Ce n'était vraiment pas une pièce comme les autres. Des photos érotiques au mur, des sex-toys dans le meuble, du matériel vidéo coûteux sous le lit. Il y avait deux petites tables de chaque côté du lit, avec un tiroir. J'y trouvai le même contenu. Des préservatifs. Un large assortiment. Différentes textures, différentes couleurs, lubrifiés et non lubrifiés.

S'il y avait quelque chose à trouver ici, je ne le voyais pas.

Puis je pensai : *Salle de bains*.

Le passage à la salle de bains suivait les rapports sexuels comme les brûlures d'estomac la pizza. Je supposai qu'il devait y en avoir une en bas où les gens pouvaient se laver, prendre une douche.

Je sortis de la salle de jeux, traversai la vaste pièce pleine de flippers, suivis un petit couloir qui distribuait un débarras, une chaufferie… et une salle de bains. Et pas le genre de salle d'eau en sous-sol minable. Il y avait là une grande douche en marbre assez vaste pour s'y savonner confortablement à deux. Et, plus loin, la jolie porte en bois d'un sauna revêtu de cèdre.

Tout était en ordre et d'une propreté étincelante. Il y avait une pile de serviettes parfaitement pliées sur un support chromé fixé au mur au-dessus des toilettes. Le contenu de l'armoire à pharmacie indiquait que cette pièce était strictement réservée aux visiteurs. Des brosses à dents neuves encore emballées. Des tubes de dentifrice non ouverts. Des savonnettes parfumées enveloppées dans du papier de soie. Du bain de bouche et de petits gobelets jetables en carton.

Il n'y avait rien dans la poubelle.

Rien de particulièrement utile dans...

— Ohé ? Adam ?

Une voix de femme venant d'en haut. Je n'avais pas entendu frapper ni sonner à la porte.

Je sortis de la salle de bains, me dirigeai vers l'escalier d'un bon pas. Des talons hauts claquaient à l'intérieur de la maison.

— Adam ? appela-t-elle de nouveau, sur un ton hésitant, mais aussi légèrement agacé.

Parvenu en haut des marches, je ne vis pas la femme, mais un petit sac de voyage en cuir par terre dans l'entrée. J'en déduisis que la visiteuse était allée dans la cuisine.

— Madame ? dis-je. Ohé ?

J'entendis un bruit de talons, puis un bruit de pas rageur dans ma direction. Quand la femme apparut, elle me considéra avec un mélange de fureur et de peur.

— Non mais qui êtes-vous ? demanda-t-elle. C'est votre voiture devant ?

Elle n'avait pas trente ans et, pour le dire sans détour, c'était une vraie bombe. Un mètre soixante-dix, de longs cheveux bruns, vêtue d'une robe noire qui lui arrivait au genou et la moulait comme une seconde peau. Son visage m'était familier. J'étais pratiquement sûr d'avoir vu sa photo quelque part dans la maison.

— Mon nom est Cal Weaver, dis-je en sortant ma pièce d'identité. Je suis détective privé et j'enquête pour le compte de Lucy Brighton, la fille d'Adam Chalmers...

— Je sais très bien qui est ma belle-fille, affirma la femme.

— Je vous demande pardon ?

— J'ai dit que je sais qui est ma belle-fille.

— Vous êtes Miriam Chalmers ?

— Qui voulez-vous que je sois d'autre ? C'est ma maison. Et vous avez intérêt à foutre le camp, mais avant cela vous allez me dire où est mon mari.

37

Après avoir interrogé Victor Rooney, l'inspecteur Duckworth passa prendre trois cafés au Dunkin' Donuts sur le chemin du palais de justice de Promise Falls. Il se gara à l'arrière. Il n'y avait pas d'audience à cette heure-là, mais l'aile qui abritait les cellules fonctionnait vingt-quatre heures sur vingt-quatre et sept jours sur sept. Duckworth avait appelé pour leur faire savoir qu'il souhaitait s'entretenir avec Bill Gaynor, et que son avocat, Clark Andover, serait présent.

Andover avait tenté, sans succès, de faire libérer Gaynor sous caution dans l'attente de son procès. Il avait mis en avant le fait que Gaynor n'avait jamais eu aucun démêlé avec la justice et que c'était un citoyen modèle. Ce qui n'avait pas ému le juge.

Gaynor devait être transféré dans un autre établissement, puisque la prison locale n'avait pas vocation à garder les prévenus pendant de longues périodes de détention provisoire.

— Qu'est-ce qu'il se passe ? demanda Andover, habillé décontracté d'un jean et d'une chemise blanche.

— Comme je vous l'ai dit, j'ai quelques questions à poser à votre client, lui répondit l'inspecteur.

Bill Gaynor, qui avait perdu au moins trois kilos depuis la dernière fois que Duckworth l'avait vu, fut amené en salle d'interrogatoire. Il portait un pantalon léger vert chasseur et un tee-shirt. Andover et lui s'assirent côte à côte, face à Duckworth.

— Qu'est-ce que vous me voulez ? demanda Gaynor.

— Monsieur Gaynor, dit Duckworth en posant un plateau en carton avec trois cafés. Il y a de la crème et du sucre ici si vous le désirez.

Gaynor regarda son avocat, puis à nouveau Duckworth.

— Comment allez-vous ? demanda l'inspecteur en posant un café devant lui.

— Comment je vais ? Vous êtes sérieux ? On ne m'a même pas laissé assister aux funérailles de ma femme. Comment croyez-vous que j'aille ?

Duckworth hocha la tête avec compassion.

— Je suis vraiment désolé pour vous.

Il retira le couvercle en plastique de son gobelet, souffla sur le café.

— Monsieur Gaynor, reprit-il, depuis combien de temps vivez-vous à Promise Falls ?

— Pardon ?

— Vous n'avez pas toujours vécu ici, n'est-ce pas ?

— J'ai grandi à Albany, dit-il, ignorant le café devant lui.

Andover, de son côté, avait pris le troisième gobelet et était en train de déchirer deux sachets de sucre.

— Quand Rosemary et moi avons voulu acheter notre première maison, nous sommes venus la chercher ici. L'immobilier y était plus abordable, et le trajet jusqu'à mon travail à Albany pas trop contraignant.

— Cela remonte à quand ?

— C'était aux alentours de… C'était en 2002.

— Et depuis, vous n'avez plus quitté cette maison ?

— Nous y sommes restés huit ans. Puis nous avons déménagé à Breckonwood.

— Votre résidence actuelle ?

— Ma résidence actuelle, dit-il en regardant autour de lui, c'est celle-ci.

— Pas pour longtemps, assura Andover, les yeux fixés sur Duckworth.

— Et pendant tout ce temps vous avez fait quotidiennement la navette entre votre domicile et Albany ?

— Pas tous les jours. Je travaillais à la maison un ou deux jours par semaine. J'ai... J'avais une grosse clientèle locale.

— Ça va refroidir.

— Je n'en veux pas, dit Gaynor.

— Donc, il y a trois ou quatre ans de cela, vous travailliez chez vous deux jours par semaine.

— C'est exact. Généralement le jeudi et le vendredi.

— En tant que consultant en assurances, vous aviez beaucoup de clients à Promise Falls ?

— Entre deux et trois douzaines.

— La famille Fisher en faisait partie. N'est-ce pas ?

— Les Fisher ?

— Walden et Elizabeth Fisher.

— Euh, oui, je pense, peut-être...

Andover intervint :

— Qu'est-ce qui se passe, Barry ?

— Je voulais juste savoir si M. Gaynor était l'agent d'assurances de Walden et Elizabeth Fisher, cette dernière étant décédée il y a peu. C'était le cas ?

— Oui, dit-il. Il y avait une police de cent mille dollars sur Beth... sur Elizabeth, qui a été versée il y a un certain temps.

— Donc vous connaissez les Fisher.

— En effet.

— Leur fille Olivia aussi, je suppose.

Bill Gaynor hocha lentement la tête, une fois.

— Oui. Mais elle n'avait pas d'assurance vie. Bien sûr, en tant que conductrice, elle était couverte par l'assurance auto de la famille.

— Je vois, dit Duckworth en buvant une gorgée. Mais même si Olivia n'avait pas souscrit d'assurance vie, dans la mesure où vous répondiez aux besoins de la famille en la matière, je suis sûr que vous avez forcément été en contact avec eux au moment de sa mort. Pour présenter vos condoléances, voir comment ils s'en sortaient.

Gaynor regarda son avocat, comme s'il cherchait conseil.

— Eh bien, oui, évidemment, répondit-il. J'avais énormément de peine pour eux.

— Et vous êtes resté en contact avec eux.

— Comme je l'ai dit, nous gérions toujours les assurances vie de Beth et Walden. Après le décès de Beth, Walden a résilié son contrat. Il disait qu'il n'en avait plus vraiment l'utilité. Qu'il n'avait plus personne à charge.

— Vous connaissiez bien Olivia ? demanda Duckworth. Andover leva la main.

— Vous avez l'intention de pêcher quel genre de poisson avec ses méthodes, Barry ?

— Si on n'a toujours pas retrouvé le meurtrier d'Olivia, nous continuons à le rechercher. Monsieur Gaynor, je suis venu vous demander si vous vous souveniez d'éléments susceptibles de nous aider dans cette enquête. Olivia s'est peut-être confiée à vous. Elle vous a peut-être dit quelque chose qui ne vous aura pas paru important sur le moment...

— C'est tout juste si je me souviens d'elle.

— Voilà qui va peut-être vous rafraîchir la mémoire. (Duckworth sortit de sa veste le tirage en neuf par treize d'une photo d'annuaire de lycée, et la posa sur la table.) C'était pendant sa terminale, avant qu'elle aille à Thackeray.

Il y jeta un coup d'œil.

— Bien sûr. Je veux dire, je me rappelle à quoi elle ressemblait, mais je ne sais même pas si j'ai eu une seule conversation avec elle. Est-ce que ça a... ? Êtes-vous en train de me suggérer qu'il y aurait un lien entre le meurtre de Rose et le sien ?

Duckworth lui retourna la question.

— Et vous, qu'en pensez-vous ?

— L'assassin de Rose serait le même que celui de la fille Fisher ?

Duckworth tapota la photo avec son doigt.

— Vous n'avez rien remarqué d'intéressant sur ce cliché ? demanda-t-il à Gaynor.

— D'intéressant ?

— Je me fais peut-être des idées, mais si vous regardez ses cheveux, la forme de son visage, elle me fait un peu penser à votre femme.

Gaynor examina plus attentivement la photo, puis regarda Duckworth droit dans les yeux.

— Mais qu'est-ce que vous racontez ? Qu'est-ce qui se passe ?

— C'est terminé, intervint Andover.

— C'est Jack qui les a tuées toutes les deux, c'est ça ? demanda Gaynor.

— Non, répondit Duckworth. Je l'ai quasiment rayé de ma liste.

— Dans ce cas... Bon Dieu, vous pensez que c'est moi qui ai tué Rosemary ? Vous pensez que j'ai tué ma femme ? Et cette fille ? C'est quoi, votre problème ? Je connaissais à peine Olivia, et vous savez que j'étais à Boston quand Rose est morte. Vous le savez parfaitement bien !

— Bill, ça suffit, lui enjoignit Andover, en posant la main sur le bras de son client. Ça suffit !

Puis, à Duckworth :

— Vous pouvez être fier de vous ! Au lieu de tourmenter un homme qui a perdu sa femme, vous feriez mieux de retrouver cette espèce de malade mental, là-dehors, qui tue des animaux et fait sauter des cinémas.

Duckworth récupéra la photo, la glissa dans sa poche, repoussa sa chaise et se leva.

— Je vous remercie tous les deux d'avoir accepté cet entretien, surtout dans un délai aussi court. Si ça ne vous fait rien, vous voudrez bien jeter ces cafés à la poubelle en sortant, maître ?

Le téléphone était en train de sonner quand il rejoignit son bureau.

— Duckworth.

C'était l'accueil.

— Il y a un type ici qui veut vous voir. Martin Kilmer. Il dit qu'il est le frère de Miriam Chalmers.

L'une des quatre victimes du drive-in. Son corps devait encore être formellement identifié. Duckworth répondit qu'il arrivait immédiatement.

Martin Kilmer avait la quarantaine. Un mètre quatre-vingts, svelte, et habillé d'un costume visiblement hors de prix, d'une chemise blanche, d'une cravate en soie et de chaussures d'un noir étincelant.

— Monsieur Kilmer, je suis l'inspecteur Duckworth.

— J'ai reçu un appel de Lucy Brighton, la belle-fille de ma sœur, dit-il sèchement. Elle m'a parlé de l'accident. Elle a identifié son père, mais pas Miriam. Comment une telle chose a-t-elle pu se produire ? Comment un foutu écran de cinéma a pu s'écrouler de cette manière ?

— C'est ce que nous nous efforçons encore de comprendre.

— Je veux la voir, dit-il.

— Je vais vous conduire à elle, dit Duckworth, et il téléphona à la morgue pour les prévenir de leur arrivée.

En chemin, Duckworth éprouva le besoin d'avertir le frère de Miriam Chalmers que l'identification risquait d'être difficile.

— Pourquoi ?

— Votre sœur a subi… L'écran s'est effondré sur la voiture. Une Jaguar décapotable, capote baissée. Elle n'avait pas grand-chose pour se protéger.

— Vous êtes en train de me dire qu'elle a le visage en bouillie ? demanda Kilmer sans ambages.

— Oui.

Parfois, faire preuve de tact ne servait à rien.

— Alors comment je vais faire pour l'identifier, moi ? demanda Kilmer.

— Il y a peut-être des signes distinctifs ? Une tache de naissance ? Une cicatrice ?

— Bon sang, ce n'est pas comme si je voyais ma sœur nue tous les jours. Rien de tout cela ne serait arrivé si elle n'avait pas épousé ce fils de pute.

— Vous n'aimiez pas Adam Chalmers ?

— Non. Il était trop vieux pour elle, pour commencer. Et il y avait son passé.

— Le gang de bikers ?

— Je sais que c'est de l'histoire ancienne, mais ça en dit long sur sa personnalité.

— Que faites-vous dans la vie, monsieur Kilmer ?

— Marché actions, dit-il, comme si ça expliquait tout.

Le portable de Duckworth sonna.

— Oui.

— Bonjour, Barry, c'est Garth.

Garth travaillait dans le garage de la police. Plus exactement dans une aile attenante au garage, où les véhicules accidentés étaient remorqués et minutieusement inspectés.

— Bonjour, Garth.

— Je vous appelle à propos de la vieille Jag du drive-in.

Duckworth jeta un coup d'œil à son passager, qui, lui aussi, avait sorti son téléphone portable. Il regardait l'écran en faisant glisser son doigt vers le haut. Ça n'avait pas l'air d'être sa boîte mail. C'était plus vraisemblablement une application d'analyse boursière.

L'inspecteur colla son portable contre son oreille.

— Ouais.

— Ça a demandé quelques efforts, mais on a fini par ouvrir le coffre, et on a pu arrêter la sonnerie.

— De quelle sonnerie parlez-vous ?

— De la sonnerie d'un portable. Il était dans le sac à main que la femme y avait laissé.

— Mmh mmh.

— Je vous appelle parce que je me suis dit que vous voudriez sans doute le restituer à la famille.

— D'accord, je vous rappelle, dit Duckworth.

Il raccrocha et fit glisser son téléphone dans sa poche.

— Désolé, dit-il à Kilmer.

Lequel lui jeta à peine un regard.

— J'ai terminé, insista Duckworth.

Kilmer rangea son portable.

— C'est encore loin ?

— On arrive.

Le légiste préféré de Duckworth, Wanda Therrieult, n'était pas de garde. Ils furent accueillis par une jeune femme au teint blafard, sans doute une étudiante qui travaillait ici à temps partiel. Entre deux autopsies, qui requéraient la présence de Wanda, elle pouvait gérer le service seule.

Elle consulta son ordinateur.

— Voyons... Miriam Chalmers... D'accord, je sais où elle est. Je vous demande un instant. Si vous voulez bien attendre ici.

La dépouille, expliqua Duckworth à Kilmer, devait être transférée dans une salle de présentation. Pendant qu'ils patientaient, Kilmer recommença à manipuler son téléphone.

— Vous étiez proches, votre sœur et vous ?

— Pas particulièrement, répondit-il sans lever les yeux.

— Vous étiez en contact régulier ?

Kilmer releva la tête.

— À Noël, parfois. Des mariages. Ce genre de choses.

— Vous avez assisté au sien ?

— Non. Je n'ai pas été invité. Personne, d'ailleurs. Ils se sont mariés à Hawaï.

— Ah bon, dit Duckworth.

Une porte s'ouvrit.

— C'est bon, dit la jeune femme. Vous allez pouvoir entrer.

Les deux hommes se dirigèrent vers la porte, Duckworth en tête. Alors qu'il apercevait deux pieds nus sur la table, son téléphone sonna de nouveau.

— Je suis vraiment désolé, murmura Duckworth.

Il sortit l'appareil. C'était encore Garth.

— Un instant, dit l'inspecteur à Kilmer, en se tournant et en empêchant celui-ci de pénétrer dans la salle de présentation. Qu'est-ce qu'il y a, Garth ?

— Bon, ne vous énervez pas. Je n'aurais peut-être pas dû faire ça, mais je l'ai fait, désolé.

— Qu'est-ce que vous racontez ?

— Le téléphone a recommencé à sonner, alors j'ai ouvert le sac, récupéré l'appareil, et j'ai décroché. Le type que j'ai eu m'a demandé qui j'étais et surtout où était Georgina. Je lui ai fait répéter sa phrase et il a ajouté : « Où est ma femme ? » Quand je lui ai demandé de décliner son identité, il m'a répondu qu'il s'appelait Peter Blackmore. Je lui ai alors indiqué que quelqu'un le rappellerait, et j'ai raccroché. J'ai fouillé dans le sac, et j'ai trouvé un permis de conduire, mais, vous n'allez pas le croire, il appartient à…

— Je vous rappelle, dit Duckworth, mettant fin brutalement à la conversation.

Il regarda Kilmer et lui dit :

— On ne va pas faire ça maintenant.

38

Cal

— J'appelle la police, me dit Miriam Chalmers en me jetant un regard féroce et en plongeant la main dans son sac, certainement pour en sortir un téléphone portable.

— Faites, dis-je sur un ton égal.

J'étais plutôt soulagé qu'elle appelle les flics de Promise Falls, ou Lucy Brighton. Ça m'éviterait d'avoir à lui apprendre la nouvelle de la mort de son mari.

En supposant, bien entendu, que la police ne s'était pas aussi plantée sur ce point. Mais Lucy avait identifié son corps, après tout. Tout le monde avait supposé que le corps à côté du sien était celui de sa femme.

Il était toutefois possible que Miriam sache déjà que son mari était mort. Débarquer chez elle en criant son nom, ce pouvait n'être que du cinéma. Toutefois, cela me semblait peu crédible. Si elle ignorait vraiment ce qui s'était passé au drive-in, je devrais m'émerveiller du fait qu'Adam Chalmers avait trouvé deux femmes – Miriam et Felicia – partageant le même désintérêt manifeste pour les actualités. À la décharge de Felicia, j'étais allé la trouver bien plus tôt dans la journée. Mais la soirée était bien avancée à présent, et pratiquement vingt-quatre heures s'étaient écoulées depuis l'attentat à la bombe au drive-in.

Face à mon indifférence, elle semblait moins pressée d'appeler la police. Elle avait toujours son téléphone à la main, prête à appeler, mais elle n'avait pas dépassé le stade de l'intention.

— Adam est là ? demanda-t-elle.

— Non.

— Où est-il ? J'ai appelé plus tôt dans la journée et laissé un message, mais il ne m'a pas répondu.

Le message que j'avais écouté. C'était elle. « Je ne pense pas pouvoir continuer comme ça. » J'étais sûr que le numéro que j'avais noté était le sien.

— Vous devriez appeler la police, dis-je. Passez donc ce coup de fil. Mais pas le 911. Appelez plutôt leurs lignes non urgentes. Ou, mieux encore, je pourrais vous conduire au poste.

Elle laissa tomber son téléphone dans son sac, et le sac sur la chaise la plus proche. Elle tendit une main hésitante pour s'appuyer au mur.

— Que s'est-il passé ? demanda-t-elle. Rappelez-moi votre nom ?

— Cal Weaver.

Je sortis une de mes cartes de visite et la lui tendis. Elle y jeta à peine un coup d'œil avant de la laisser tomber sur la chaise.

— Quand êtes-vous partie ?

— Pardon ?

Je désignai du menton le sac de voyage par terre.

— Vous vous êtes absentée ?

— Deux jours, dit Miriam.

— Où ça ?

— À Lenox. Il y a un petit hôtel là-bas où je vais quand j'ai besoin de prendre un peu de temps pour moi.

Lenox était une petite ville du Massachusetts, où chaque année se tenait le festival musical de Tanglewood.

— De temps pour quoi faire ?

— Je ne sais pas qui vous êtes, ni ce que vous faites ici, mais je ne répondrai à aucune autre de vos questions tant

296

que vous ne m'aurez pas dit où est Adam. Est-ce qu'il va bien ? Il a fait une crise cardiaque ?

Plus question de me défiler.

— Asseyez-vous, lui dis-je.

— Non.

— S'il vous plaît. Allons dans la cuisine.

Elle s'attendait à une mauvaise nouvelle. Je le voyais à son expression. Je lui présentai une chaise et m'assis à côté d'elle au coin de la table. Je furetais du regard autour de moi, en me demandant où étaient rangés les alcools forts.

— Il y a eu un accident hier soir, commençai-je. Au drive-in Constellation. Vous connaissez ?

Miriam fit oui de la tête.

— L'écran est tombé sur plusieurs voitures, les a écrasées. Parmi elles, il y avait la Jaguar de votre mari. Il était dans la voiture. La police a contacté Lucy pour lui annoncer la mort de son père.

— Non, murmura-t-elle. Il doit y avoir une erreur. Pourquoi ne m'a-t-on pas appelée ? Pourquoi personne ne m'a contactée ?

— Peut-être parce que tout le monde croyait que vous étiez morte à côté de votre mari.

Elle laissa cette information faire son chemin.

— Il y avait quelqu'un d'autre dans la voiture, dit-elle. (Ce n'était pas une question.) Évidemment. Qui va au drive-in seul ? Qui était-ce ?

— Je l'ignore. Je ne sais pas si quelqu'un a pris conscience de l'erreur qui a été faite. Parce que vous n'étiez pas à Promise Falls.

— Lucy n'avait qu'à jeter un œil dans le garage pour constater l'absence de ma voiture et... Quelle conne. Où est Adam ? Où est-il... ? Où a-t-on déposé son corps ?

— Vous devriez parler à Lucy. Ou au service du légiste. On l'a peut-être transporté dans un funérarium. Paisley et Wreth, par exemple. C'est la plus grande entreprise de pompes funèbres de la ville.

Miriam renifla.

— Vous avez sans doute des gens à appeler, suggérai-je. À commencer par votre frère. Lucy l'a contacté. Je crois qu'il est en route pour venir identifier votre dépouille.

— Mon Dieu.

— Que faisiez-vous à Lenox ? demandai-je.

— J'avais besoin de temps pour réfléchir. Adam et moi traversons... traversions une période difficile. J'avais envie de me retrouver seule avec mes pensées. Je ne sais même pas si on a cherché à me joindre, mon téléphone est resté éteint la plupart du temps. Je n'ai pas regardé les infos, je n'étais au courant de rien.

— Vous avez laissé un message indiquant que vous ne pensiez pas pouvoir continuer comme ça.

Les larmes coulaient sur ses joues à présent. Elle tenta de les essuyer avec ses doigts.

— Mon sac, dit-elle tout bas.

J'allai le chercher dans l'entrée. Elle en sortit des mouchoirs en papier, se tamponna les yeux, puis elle y replongea la main pour prendre un paquet de Winston et un briquet. Mais sa main tremblait trop pour réussir à allumer une cigarette. Je lui pris délicatement le briquet des mains, l'approchai du bout de la cigarette.

Elle tira avidement dessus.

— Je crois savoir qui c'était, dit-elle à voix basse.

— La femme dans la voiture ?

Miriam hocha imperceptiblement la tête.

— Felicia.

Anticipant peut-être une question de ma part.

— Sa salope d'ex-femme, ajouta-t-elle. Ils étaient restés en contact.

— Non, dis-je. Je l'ai vue ce matin.

Les yeux humides, Miriam lançait des regards autour d'elle, comme si la réponse se trouvait ici, dans la cuisine.

— Georgina alors ?

— Georgina ?

— Blackmore. Georgina Blackmore. Son mari est professeur à Thackeray. En littérature anglaise.

Un autre lien entre son mari et la fac. D'abord Clive Duncomb, et maintenant le Pr Blackmore.

— Cette petite garce.

— Le professeur est-il un ami du chef de la sécurité de l'université ? demandai-je. Clive Duncomb.

Ses yeux lancèrent des éclairs l'espace d'une seconde, puis elle me jaugea du regard. Elle ne l'avait pas fait jusqu'à maintenant.

— Pourquoi cette question ?

— Vous et votre mari les aviez reçus à dîner, lui et sa femme. Vous êtes amis.

Miriam Chalmers me considéra avec suspicion.

— Que faites-vous, exactement, dans ma maison ? Vous n'êtes pas de la police.

— Non, en effet. Je suis à mon compte.

— C'est Lucy qui vous a engagé ?

— Après que la nouvelle de la catastrophe a été connue et qu'on a su que votre mari faisait partie des victimes, expliquai-je, quelqu'un s'est introduit dans votre maison pour récupérer quelque chose… dans la pièce du bas.

Ce fut comme si elle avait reçu une décharge de Taser.

— Quoi ?

Elle repoussa sa chaise si vite que de la cendre de cigarette tomba sur sa robe. Elle se leva, et se dirigea droit vers l'escalier.

Je suivis le mouvement.

À peine avait-elle descendu trois marches qu'elle s'aperçut que la bibliothèque n'était pas à sa place habituelle, que la pièce secrète était exposée.

— Oh, mon Dieu, dit-elle. Non, non, non.

Elle pénétra dans la pièce, vit les boîtiers de DVD éparpillés par terre.

— Je n'y crois pas, dit-elle.

Miriam se retourna vivement, me pointa du doigt.

— Où sont-ils ? Qu'est-ce que vous en avez fait ? Qu'est-ce que vous voulez ? De l'argent ? C'est ça que vous voulez ?

— Non seulement ce n'est pas moi qui les ai, mais je suis quasiment certain que vous savez qui, parmi vos relations, est susceptible de les avoir emportés.

De toute évidence, Miriam essayait d'encaisser ce qu'elle venait de découvrir.

— Sortez, dit-elle. Tirez-vous de chez moi et dites à Lucy que, moi, je n'ai besoin de personne pour régler mes problèmes.

39

Après avoir déposé le fourgon Finley Springs Water à la fin de sa journée, Trevor Duckworth fit un saut au bureau pour voir son patron. Comme celui-ci était déjà parti, il prit son téléphone pour l'appeler sur son portable, mais il ne savait toujours pas si c'était la bonne chose à faire.

Cela l'exaspérait que son père ait vu juste. Randall Finley l'avait engagé uniquement parce que son père était inspecteur de police. Finley voulait que Barry Duckworth lui fournisse des infos qui pourraient lui être utiles lorsqu'il briguerait à nouveau le poste de maire de la ville, et comme son père avait refusé, Finley s'y était pris autrement. Deux semaines auparavant, alors qu'ils discutaient tous les deux, son patron avait laissé entendre qu'il était un ami de la famille de l'ex-petite amie de Trevor, Trish Vandenburg. Il s'était même décrit comme l'oncle officieux de Trish et avait ajouté que la jeune femme lui avait confié certaines choses, en particulier le coup que Trevor lui avait asséné au visage.

C'était un accident.

Ce n'était pas ainsi que Trish voyait les choses, lui avait affirmé Finley. Elle avait passé trois jours dans son appartement à attendre que les ecchymoses s'estompent avant de mettre le nez dehors. Trevor avait tenté de se justifier en disant qu'il avait pensé que Trish allait le gifler, et qu'il avait levé la main pour parer le coup, malheureusement, il avait violemment frappé le visage de sa petite amie du revers de la main.

Peu importe la manière dont cela s'était passé, avait conclu Finley, cela s'était passé. Et l'ex-maire avait fait comprendre à Trevor qu'il lui était redevable car s'il ne l'avait pas persuadée que c'était une mauvaise idée, Trish aurait signalé l'agression à la police.

Mais qui sait ? Elle pourrait changer d'avis un de ces jours. Et Finley lui avait clairement fait comprendre que cela ne se produirait pas, à condition que Trevor se montre un tant soit peu reconnaissant.

Trevor était entré dans son appartement. Le téléphone à la main, il hésitait. Peut-être allait-il enfin mettre les compteurs à zéro avec Finley. Lui montrer à quel point il lui était reconnaissant.

Il passa l'appel.

— Allô ?

— Monsieur Finley, c'est Trevor.

— Qui ?

— Trevor Duckworth.

— Ah, salut, Trevor. Comment va ?

— Ça va, j'imagine. Vous avez une seconde ?

— Bien sûr. Qu'est-ce que je peux faire pour toi ?

Même s'il était seul dans son appartement, Trevor baissa la voix.

— Vous vous rappelez la discussion qu'on a eue l'autre jour ?

— De quelle discussion me parles-tu ?

Finley le narguait ostensiblement. Il savait exactement de quoi il retournait.

— Vous savez. Au sujet de Trish.

— Ah oui, cette conversation. Bien sûr.

— Je voulais… Vous m'avez dit que vous m'aviez fait une faveur et que, en échange, si jamais j'entendais quoi que ce soit qui pourrait vous être utile, je vous le transmettrais et on serait quittes vous et moi. Vous vous souvenez de ça ?

— En effet.

— Eh bien, j'ai entendu quelque chose ce soir, quand j'étais à la maison. Quelque chose que mon père a dit à ma mère.

La paume de Trevor était tellement moite qu'elle devenait glissante. Il changea son téléphone de main, le mit contre son oreille gauche.

— Qu'est-ce que tu as entendu ?

— Vous connaissez la chef de la police ? Rhonda quelque chose ?

— Finderman. Rhonda Finderman.

— Ouais, c'est ça. Il y a trois ans, c'était pas elle, le chef. Elle était inspecteur, et elle était chargée de trouver le meurtrier d'Olivia Fisher.

— Une affaire horrible, commenta Finley. Vraiment horrible.

— Ouais. Et, il y a deux semaines environ, une autre femme a été assassinée. Rosemary…

— Rosemary Gaynor.

— C'est ça. Eh bien, pour mon père, c'est la même personne qui a tué ces deux femmes.

— Tiens donc ?

— Ouais. Mon père n'avait pas enquêté sur le premier meurtre, celui de la fille Fisher. Mais si… Finderman ?

— C'est ça.

— Si Finderman avait été attentive, elle aurait tout de suite remarqué les similitudes entre les deux affaires, et comme le rapprochement entre les deux meurtres n'a pas été fait, ça a freiné mon père dans sa propre enquête.

— Eh bien, voilà qui est très intéressant.

— Ensuite, j'ai cru comprendre que Finderman voulait attribuer les deux meurtres à un médecin, et comme ce médecin est mort, ça permettait de boucler le dossier. Vous comprenez ce que je veux dire ?

— Je comprends. Trevor, c'est vraiment remarquable. Je te suis vraiment reconnaissant.

— Vous ne direz jamais de qui vous tenez ça. Je ne vous ai rien dit.

— Absolument.

— Donc, on est quittes, hein ? Vous ne me ferez plus chanter.

Un silence à l'autre bout de la ligne.

— Monsieur Finley ?

— C'est un bon début, Trevor. Un excellent début. Reste attentif et si tu apprends autre chose, appelle-moi.

— Allez, dit Trevor. Ce n'est pas juste.

— Tous les éléments nouveaux concernant l'affaire des meurtres Fisher et Gaynor, tu me les transmets. Si l'enquête avance, tu me mets dans la boucle. Qu'est-ce que tu en dis ?

— Bon sang, déjà que je me sens nul de vous avoir dit tout ça. Et je ne suis pas souvent à la maison, de toute façon.

— C'est peut-être le moment de passer voir tes parents plus souvent. Souviens-toi, il n'y a rien de plus important que la famille.

40

Barry Duckworth connaissait Peter Blackmore de nom. Angus Carlson en avait fait mention. C'était l'homme qui avait abordé Carlson lorsque celui-ci était allé interroger Clive Duncomb à Thackeray.

Blackmore avait dit que sa femme avait disparu.

On venait de la retrouver, apparemment.

Le portable de Martin Kilmer sonna à l'instant où Duckworth tendait le bras pour l'empêcher de pénétrer dans la salle d'examen afin d'identifier le corps de la femme que tous avaient cru, jusqu'ici, être celui de sa sœur, Miriam Chalmers.

Duckworth rangea son propre téléphone en même temps que Martin mettait la main dans sa veste pour prendre le sien. Il jeta un coup d'œil au numéro et sursauta.

— Miriam ? Nom de Dieu, Miriam !

Duckworth retint son souffle.

— Où es-tu ? demanda Kilmer. On m'a dit que tu... Bon sang, qu'est-ce qui s'est passé ? (Il décocha un regard plein de morgue à Duckworth.) Alors tu n'es pas morte ? Tu te rends compte de toute cette route que j'ai dû faire pour apprendre ça ? J'ai annulé un rendez-vous d'une importance capitale pour venir ici... Oui, oui, bien sûr, c'est terrible pour Adam. Je rentre tout de suite à Providence. Je te jure, ces crétins de flics étaient sur le point de me demander de t'identifier. Dis-moi quand aura lieu l'enterrement et je verrai si je peux me libérer… Oui, oui, d'accord. Au revoir.

Il rempocha le téléphone.

— C'est tout le service qui est incompétent, ou juste vous ?

— C'était votre sœur, dit Duckworth. Vous en êtes sûr.

— Bien sûr que oui. Putain, je me suis tapé toute cette route pour rien.

— Votre beau-frère, lui, est bien mort, rappela Duckworth. Vous ne serez donc pas venu pour rien.

— Vous êtes sûr ? C'était Jimmy Hoffa, si ça se trouve. La prochaine fois, tâchez de vérifier vos infos avant de faire paniquer les gens. Et comment je fais pour retourner à ma voiture ?

— Je vais vous accompagner.

— Vous saurez retrouver le chemin ? railla Kilmer.

— Donnez-moi juste une seconde.

Duckworth entra dans la pièce, seul, pour jeter un coup d'œil au cadavre.

— Montrez-la-moi, s'il vous plaît, demanda-t-il à la préposée.

Elle rabattit le drap.

S'il s'agissait bien de la femme de Peter Blackmore, il allait avoir du mal à l'identifier. Il ne restait vraiment pas grand-chose de son visage. Le traumatisme ne s'était pas limité à cela. Le haut du bras et l'épaule gauche avaient été broyés. Le torse présentait plusieurs entailles.

Son abdomen, côté droit, avait été épargné. Duckworth remarqua trois grains de beauté, groupés à deux centimètres et demi l'un de l'autre, qui formaient vaguement un triangle.

Il sortit son téléphone et s'approcha pour prendre une photo.

— Ce sera tout, dit-il à la jeune femme. Merci.

Martin Kilmer continua à râler pendant tout le trajet de retour vers le poste de police de Promise Falls, où il avait laissé sa voiture. Après quoi, Duckworth se rendit au garage de la police afin de récupérer le sac à main et le téléphone de Georgina Blackmore. Il consulta son permis de conduire pour avoir une adresse.

En chemin, il appela Angus Carlson. Le téléphone sonna plusieurs fois avant de basculer sur la messagerie.

— C'est Duckworth. Appelez-moi quand vous aurez ce message. C'est à propos de ce professeur qui disait que sa femme avait disparu.

Son téléphone sonna alors qu'il le remettait dans sa veste.

— Duckworth.

— C'est Carlson. Désolé. J'ai vu que vous veniez d'appeler. Je n'ai pas écouté le message.

— Blackmore. Il a parlé de sa femme ?

— Oui, pourquoi, il est venu signaler sa disparition ?

— Non, mais je voulais vous demander s'il y avait autre chose. Quelque chose que vous auriez omis de me dire.

— Pas vraiment. Au début il était inquiet... et puis il a dit que ce n'était probablement rien, qu'elle allait réapparaître tôt ou tard. Pourquoi ? Que se passe-t-il ?

— Je vous rappellerai si j'ai besoin d'autre chose, conclut Duckworth avant de raccrocher.

Avant de quitter le bureau, il passa un dernier coup de fil à la gérante de l'hôtel de Boston dans lequel Bill Gaynor assistait à une conférence quand sa femme avait été assassinée. Au cours de leur dernière conversation, la gérante lui avait assuré que la voiture de Gaynor n'avait pas quitté le parking couvert durant son séjour. De plus, il avait été vu dans l'hôtel pendant tout le week-end. Pourtant, il se demandait s'il n'y avait pas une faille dans l'alibi de Gaynor.

— La réception.

— Sandra Bottsford, je vous prie.

307

— J'ai bien peur qu'elle ne soit pas là. Elle peut vous rappeler ?

Duckworth laissa son nom et son numéro de portable.

— Elle saura de quoi il s'agit.

Après quoi, il se rendit au domicile de Peter Blackmore.

C'était une maison en brique rouge à étage de style victorien, dans le quartier historique de la ville. Il y avait des lumières allumées derrière les rideaux, et ce qui ressemblait au halo bleuâtre d'un poste de télévision.

Duckworth prit le sac à main que Garth avait récupéré dans le coffre de la Jaguar d'Adam Chalmers et le mit dans un sac plastique, avant de se diriger vers la porte.

41

Après que Miriam Chalmers m'eut jeté dehors, je téléphonai à Lucy Brighton.

— Oui ? dit-elle.

— Vous êtes assise ?

— Qu'est-ce qu'il y a ?

— Miriam est vivante.

— Quoi ?! s'écria Lucy si fort que je dus écarter le téléphone de mon oreille.

— Elle vient de rentrer. Elle m'est tombée dessus pendant que je fouinais dans la maison. Elle était à Lenox depuis deux jours pour réfléchir, à son mariage, apparemment, et elle ne savait pas pour le drive-in.

— Oh, mon Dieu ! C'est... merveilleux. Je suis contente qu'elle soit saine et sauve. J'aurais juste voulu que mon père aussi ait...

— Je sais.

Un silence à l'autre bout de la ligne, puis :

— Si ce n'était pas Miriam dans la voiture avec mon père, qui était-ce ?

— Miriam pense à une certaine Georgina Blackmore. Ça vous dit quelque chose ?

— Non. Il y a un professeur à Thackeray qui porte ce nom, il me semble. Mais je n'en suis pas vraiment sûre. Cal, est-ce que je dois appeler la police pour leur dire qu'ils se sont trompés ? Que c'est quelqu'un d'autre ?

— J'imagine qu'ils ne vont pas tarder à avoir des nouvelles de Miriam. Je lui ai conseillé de prévenir d'abord son frère. Lucy, je ne vois pas ce que je pourrais faire d'autre à ce stade. Les DVD manquants, c'est le problème de Miriam à présent.

— Je suppose que oui. Je vais devoir l'appeler.

— Pour votre info, elle est furieuse que vous m'ayez engagé et elle n'était pas vraiment ravie non plus de me trouver dans la maison. Et elle a paniqué quand elle s'est rendu compte que quelqu'un était entré dans la chambre secrète, et qu'on avait pris les DVD.

— Il faut que… Qu'est-ce que je vais lui dire ? J'ai commencé à prendre des dispositions pour mon père. Il a été transporté au funérarium. Il y a des choses à organiser, et…

— Prévenez le funérarium. Demandez-leur de l'appeler, suggérai-je.

— C'est tellement difficile à croire. Cal, merci pour tout ce que vous avez fait.

— Ce n'était pas grand-chose, dis-je en montant dans ma voiture. S'il y a quoi que ce soit que je puisse faire, n'hésitez pas à m'appeler. En attendant, je rentre chez moi.

— Entendu, merci. Au revoir, Cal.

Tandis que je m'éloignais de la maison des Chalmers, je pensais à Miriam. Elle avait paru davantage bouleversée par la disparition de ces DVD que par la mort de son mari.

Mais ce n'était plus mon problème à présent.

Il était 22 heures passées, et la lumière était allumée dans la librairie.

Le tintement de la clochette au-dessus de la porte annonça mon arrivée. Naman Safar était perché sur un tabouret derrière sa caisse, le nez dans une vieille édition de poche de *The Blue Hammer*, de Ross Macdonald, tandis qu'un air d'opéra que je n'avais jamais entendu passait en fond sonore. Il leva les yeux vers moi.

— Hé, Cal !

Il coinça un morceau de ruban rouge entre les pages, referma le livre et le posa à côté de la caisse.

— Vous veillez tard, ajouta-t-il.

— Moi ? Et vous, qu'est-ce que vous faites encore ouvert à cette heure-là ?

Naman regarda sa montre.

— Je suppose que ce n'est pas bien malin. Personne ne sort acheter des livres à une heure pareille. Mais qu'est-ce que je ferais chez moi à part tourner en rond ?

— Naman, éteignez les lumières et rentrez chez vous.

Il hocha docilement la tête.

— D'accord, d'accord.

Il se laissa glisser de son tabouret, éteignit le lecteur de CD, puis ouvrit sa caisse.

— Grosse journée, dit-il. Vingt-neuf dollars.

— En effet.

— Les e-books ne tuent pas seulement les librairies qui vendent des livres neufs. Ils me tuent, moi aussi. Je déteste ces machins, ces petits machins avec leurs petits écrans. Je les déteste.

Un livre posé sur la pile la plus proche de moi attira mon attention. Un autre Roth, en poche, *La Tache*. Je le pris.

— J'arrive trop tard ? Vous avez fermé votre caisse ?

— Prenez-le.

— Non.

Je regardai le prix que Naman avait inscrit au crayon sur la deuxième de couverture. Cinq dollars.

— Tenez, dis-je en fouillant dans mon portefeuille. Prenez ça.

Il considéra le billet de cinq dollars que je lui tendais.

— D'accord.

Au moment où il me le prenait des mains, nous entendîmes tous les deux un crissement de pneus dans la rue quelque part. Le rugissement d'un moteur.

— Je ne l'ai pas lu, celui-là, alors je ne peux pas vous dire s'il est bon, dit Naman.

— Quelqu'un me l'a recommandé ce matin. La fille de la laverie automatique dans la rue.

Le bruit de ce moteur emballé se rapprochait. Suivi d'un soudain hurlement de freins.

Nous regardâmes tous les deux à travers la vitrine de la boutique au même moment.

Un pick-up noir était apparu. La vitre était baissée, et, sur le siège passager, un jeune homme blanc d'une vingtaine d'années vociférait.

Il hurla, suffisamment fort pour que nous l'entendions à travers la vitre :

— Putain de terroriste !

Je vis un bras apparaître. Le jeune homme avait quelque chose dans la main. Une bouteille, peut-être, et ce qui ressemblait à une flamme.

— Baissez-vous ! dis-je à Naman.

Alors qu'il se jetait à terre, le cocktail Molotov fendit l'air et heurta la vitrine de la librairie. La devanture et la bouteille volèrent en éclats simultanément, et le chiffon enflammé, probablement imbibé d'essence, atterrit sur une pile de livres.

Des flammes jaillirent instantanément.

Les roues arrière du pick-up crissèrent. Le jeune homme qui avait jeté la bouteille poussa un cri de victoire tandis que le véhicule repartait en trombe.

— Naman ! criai-je. Il faut qu'on sorte de là !

— Mes livres ! gémit le libraire en se relevant péniblement. Mes livres !

— Vous avez un extincteur ?

Il me regarda avec une expression d'effroi et de panique.

— Non !

— Sortez de là ! criai-je à nouveau.

Je laissai tomber mon exemplaire de *La Tache* et poussai Naman vers la sortie. Une fois sur le trottoir, je sortis mon portable pour appeler les pompiers.

Je détestais ces émissions de radio où on donnait la parole aux auditeurs.

42

— J'espère encore être passé à côté de quelque chose, dit Clive Duncomb à Peter Blackmore.

Duncomb avait la télécommande en main et le pouce sur la touche d'avance rapide. Des corps tournoyaient, s'enchevêtraient et se séparaient sur l'écran de télévision.

— Tu vas tellement vite, ça commence à me donner envie de vomir, dit Peter. Je ne peux plus regarder.

— Elle n'est pas sur celui-là, dit Duncomb en éjectant le disque.

Il en prit un autre, jeta un coup d'œil à ce qui avait été griffonné dessus au marqueur. *Georgina-Miriam-Liz en apesanteur.*

— Je ne pense pas que ça soit le bon. C'est celui où les filles avaient leurs uniformes d'hôtesse de l'air. C'était après la mort de la fille Fisher.

— Tu ferais quand même bien de vérifier, conseilla Peter. Je n'arrive pas à comprendre pourquoi cet homme a décroché le téléphone de Georgina ?

— Une crise à la fois, dit Duncomb.

Son propre téléphone sonna. Il regarda l'écran.

— C'est Liz. Oui, Liz ?

— Ça y est, tu l'as trouvé ?

— Pas encore.

— Il se peut qu'on ait un autre problème.

— Quoi ?

— Lucy a appelé ici.

— Lucy ?

— Lucy Brighton, la fille d'Ad...

— Je sais qui c'est. Qu'est-ce qu'elle voulait ?

— Elle sait que tu l'as. Elle veut le récupérer. Elle dit qu'elle ne fera pas d'histoire si tu le rends.

— C'est ce détective privé, dit Duncomb. Il a dû lui raconter qu'il me soupçonnait d'avoir les DVD. Qu'est-ce que tu lui as répondu ?

— Que tu n'étais pas là. Que veux-tu que je fasse ?

— Rien. J'essaierai de m'arranger avec elle plus tard. D'organiser un rendez-vous discret, lui montrer les disques, les détruire devant elles, peut-être. Je ne sais pas. Je ne peux pas m'occuper de ça maintenant.

Au moment où il raccrochait, on sonna à la porte.

— Éteins-moi ça, planque-moi ces DVD, dit Duncomb à Blackmore avant de se diriger vers la porte.

— Tiens donc, si je m'attendais, l'inspecteur Duckworth. Veuillez vous donner la peine d'entrer.

Duckworth entra dans le salon au moment où Blackmore était en train de rassembler les disques et de les ranger dans le meuble sous la télévision. Il s'approcha et lui tendit la main.

— Bonjour. Je... Je ne crois pas vous connaître. Je m'appelle Peter Blackmore.

Blackmore regarda Duncomb avec nervosité, comme s'il lui demandait la permission d'en dire davantage. Mais Duncomb s'interposa :

— M. l'inspecteur est venu plusieurs fois sur le campus, dit-il avec un grand sourire. Il pense que nous ne savons pas faire notre travail.

— Je ne travaille pas avec Clive, précisa Blackmore. Je suis professeur... de lettres.

— Alors il faut vous appeler professeur Blackmore ?

— Oui. (Il regarda le chef de la sécurité.) On devrait lui dire.

— Peter, s'il te plaît.

— Lui parler du téléphone de Georgina. De cet homme qui a répondu. Il...

— Peter, le coupa Clive Duncomb qui prenait sur lui pour garder son calme, attendons de voir pourquoi l'inspecteur est venu nous rendre visite.

— Professeur, j'ai cru comprendre que vous aviez parlé à un autre représentant de la police de Promise Falls aujourd'hui ?

— Je vous demande pardon ?

— L'inspecteur Carlson a interrogé M. Duncomb, ici présent, après quoi vous l'avez suivi à l'extérieur pour lui parler de votre femme qui avait disparu.

— Je n'ai pas signalé sa disparition de manière officielle, objecta le professeur en jetant un regard en coin à Duncomb. J'avais juste quelques questions basiques à lui poser.

— Votre femme a fini par se manifester ?

— Pas encore, répondit Blackmore la gorge serrée. Mais la dernière fois que j'ai essayé de l'appeler...

Duckworth sortit le sac à main du sac plastique.

— Reconnaissez-vous ceci, professeur ?

— C'est... On dirait le sac de Georgina.

— Il contient également son portefeuille et une pièce d'identité, ajouta Duckworth. Ainsi que son téléphone portable.

— Mon Dieu, où avez-vous trouvé ça ?

— Dans la Jaguar d'Adam Chalmers. Celle qui a été écrasée au drive-in hier soir.

— Pourquoi ma femme aurait-elle laissé son sac dans la voiture d'Adam ?

— Oh, merde ! fit Duncomb.

— Je ne comprends pas, persista Blackmore.

— Ce n'était pas Miriam dans la voiture, dit Duncomb. C'était Georgina.

Blackmore commença à vaciller sur ses jambes. L'inspecteur le prit par le coude pour le soutenir.

— Je suis sincèrement désolé, professeur, mais je pense que M. Duncomb a raison.

Duckworth le guida jusqu'au canapé, sur lequel l'homme s'effondra.

— Oh, mon Dieu, non. Je pensais… Je pensais qu'elle était juste en colère contre moi. Qu'elle était partie quelques jours. Georgina était très tendue. Clive pensait qu'elle était fâchée contre moi.

— Fâchée, pour quelle raison ? demanda Duckworth.

— Nous avons eu quelques désaccords, c'est tout.

— Professeur, il va falloir que vous identifiiez formellement le corps. Nous savons déjà qu'il ne s'agit pas de Miriam. Elle a contacté son frère il y a peu. Elle s'était absentée. Elle est vivante.

— Mon Dieu, dit Duncomb.

— J'ai une photo, dit Duckworth avec ménagement. Sur mon téléphone. On y voit trois petits grains de beauté sur le côté droit de son abdomen, formant une sorte de triangle.

Blackmore se mit à gémir.

— Je peux vous la montrer ?

Blackmore acquiesça de la tête. Duckworth lui présenta l'appareil.

— Oh, mon Dieu, oui, c'est elle.

Au même moment, le portable de Duncomb se mit à sonner. Les deux hommes tournèrent la tête. Duncomb fixait le mot *Miriam* sur l'écran.

— C'est ma femme, mentit-il. Je reviens tout de suite.

Il s'esquiva par la porte d'entrée.

— Où étais-tu passée, bon sang ? dit-il en s'efforçant de murmurer.

— Adam est mort.

— Je viens d'apprendre que tu n'étais pas avec lui. Tu n'aurais pas pu appeler ? Tu n'aurais pas pu faire savoir à quelqu'un que tu étais vivante ?

— Je ne savais pas ! En rentrant, je suis tombée sur un homme en train de fouiner dans ma maison. Il m'a dit que mon mari était mort écrabouillé par un écran de cinéma !

— C'était qui ? Un policier ?

— Weaver. Un détective privé.

— Lui, marmonna Duncomb.

— C'est Lucy qui l'a engagé ! Pourquoi enverrait-elle un privé fouiller ma maison ?

— Miriam, écoute-moi. Tout le monde t'a crue morte. Et moi le premier. Toi et Adam.

— Le salaud. Il devait être avec Georgina. Ils m'ont prise pour Georgina.

— Je viens d'en avoir la confirmation. Je suis chez Peter. La police est ici. Il vient d'apprendre la nouvelle. Il est dévasté. (Il marqua un temps d'arrêt.) Un peu plus que tu ne l'es.

— Je ferai mon deuil à ma manière, et quand je l'aurai décidé, Clive. J'ai trop de choses en tête pour l'instant, comme de savoir qui se trouvait dans ma maison ce matin quand Lucy y est passée.

— C'est Weaver qui t'en a parlé ?

— Oui. C'était toi ? C'est toi qui t'es introduit dans la maison et qui es allé dans la pièce du bas ? Quelqu'un a pris les DVD. Je t'en prie, dis-moi que c'est toi.

— C'est moi.

— Dieu soit loué !

— Dès que j'ai su qu'Adam et toi…, enfin, tu vois ce que je veux dire, j'ai compris que je devais récupérer ces disques. Tôt ou tard, Lucy, ou quelqu'un d'autre, aurait découvert cette pièce et trouvé les DVD. Je ne pouvais pas laisser faire ça.

— Vu les circonstances, je suppose que tu as bien fait.

— J'ai appelé Peter pour lui dire qu'on avait un problème. Il attendait près du téléphone que Georgina lui
donne des nouvelles… Eh bien, quel renversement de situation ! Je ne savais même pas qu'Adam et elle se voyaient
en dehors de…

— Nos petites séances olé olé ?

— Oui, en dehors de ça. Je m'inquiétais pour Georgina. Elle avait un comportement bizarre ces derniers temps,
elle se posait des questions. J'ai même cru un moment que
c'était elle qui était venue prendre les disques.

— À mon avis, elle voulait Adam pour elle toute seule
et elle ne tenait pas à ce qu'on le sache.

— Peut-être.

— Qu'as-tu fait des DVD ? Dis-moi que tu les as détruits.

— Pas encore. On les regardait avec Peter.

— Je n'y crois pas. Vous nous pensiez morts, Adam et moi,
et vous êtes là à vous exciter sur ce qu'on faisait ensemble ?

— Non ! protesta Duncomb. Écoute-moi. Il fallait que
je les visionne pour être sûr qu'on les avait tous.

Miriam se tut.

— Tu es toujours là ?

— Je suis là, dit-elle.

— Il en manque au moins un.

— Qu'est-ce que tu dis ?

— Une de nos séances, quand on a fait venir ces autres
filles, qu'on a mis de la drogue dans leur vin. Lorraine, et…

— Je me rappelle. Abrège.

— Je n'arrive pas à retrouver celui avec la fille Fisher.
Celle qui a été tuée dans le parc et…

— Monsieur Duncomb !

Clive Duncomb se retourna vivement. Barry Duckworth
se tenait sur le pas de la porte.

— Raccrochez ce téléphone. On a besoin de vous. Votre
ami n'est pas bien du tout.

43

— Je veux ce bâtard de Harwood, déclara Ed Noble, qui examinait son reflet dans le miroir de la salle de bains.

Garnet et Yolanda Worthington avaient loué une chambre au Walcott. Ed toucha prudemment son nez à travers les bandages.

— J'ai tout de suite su que c'était lui. Je l'ai reconnu grâce aux photos que j'avais prises. C'est lui qui tringlait Sam dans la cuisine.

— Cette traînée ! commenta Yolanda en s'asseyant sur le lit.

— Ed, dit Garnet Worthington avec douceur, debout sur le seuil de la salle de bains. Je comprends ce que vous ressentez, mais vous avez suffisamment de problèmes comme ça pour vous en prendre à ce type.

— Tout ça, grâce à vous, dit-il en se retournant vers Garnet et sa femme. Il faut que je voie un toubib. Il faut que j'aille à l'hôpital.

— Brillante idée, dit Yolanda, qui était partie à la pharmacie acheter des articles de premiers soins après qu'Ed s'était présenté au point de rendez-vous.

Sans Carl.

Ils se doutaient qu'on avait appelé la police, que celle-ci chercherait le pick-up d'Ed, qu'elle appellerait les urgences de l'hôpital local au cas où il serait allé s'y faire soigner.

Sur les dizaines de personnes qui avaient assisté à la scène devant l'école, quelqu'un avait certainement relevé l'immatriculation de son véhicule. Et quand bien même, Samantha avait déjà dû raconter leur stratagème à la police. Une fois qu'elle leur aurait donné l'identité d'Ed, la police n'aurait plus qu'à tapoter sur un clavier pour trouver le véhicule immatriculé à son nom.

— On est mal, résuma Yolanda.

Garnet savait que la police allait probablement les rechercher, eux aussi.

La meilleure option était de se faire oublier. Se planquer un moment à Promise Falls le temps que les choses se tassent. Et peut-être, en attendant, contacter Samantha, lui dire qu'ils étaient désolés, que tout cela était un terrible malentendu. Ils ne pouvaient rien tenter d'autre pour le moment. C'était trop risqué. Avec un peu de chance, ils échapperaient peut-être à la prison.

Après qu'Ed avait abandonné son pick-up sur le parking d'un Walmart, Garnet leur avait trouvé une chambre au Walcott, une sorte de Holiday Inn sur la route conduisant au centre-ville. Il s'était présenté à la réception avec une histoire toute prête : il avait perdu son portefeuille et n'avait ni carte de crédit ni pièce d'identité, mais, en réserve dans sa valise, de l'argent liquide. Le jeune réceptionniste n'était pas très chaud, mais Garnet Worthington, avec son beau costume et sa cravate, avait tout l'air d'un individu respectable.

Comme nom d'emprunt pour sa fiche d'hôtel, il songea spontanément à des gens qu'il admirait. Donald Trump, l'homme qui, selon lui, devrait diriger le pays. Mais ce pseudonyme étant un peu trop clinquant, il signa « Daniel Trump », et à l'endroit où on lui demandait le modèle de sa voiture et son numéro d'immatriculation, il nota, par manque d'inspiration, celui de la Buick Regal aperçue par la fenêtre du lobby. Depuis que l'hôtellerie existait, avait-on jamais vu un réceptionniste vérifier l'exactitude des informations portées sur une fiche d'hôtel ?

Après avoir pris possession de la chambre, ils avaient fait entrer Ed par une porte dérobée, et Yolanda avait soigné son nez cassé. Elle lui avait fourré quelques cachets de Tylenol dans le bec pendant que Garnet allait chercher de la glace pour confectionner une compresse, même s'il était un peu tard pour réduire le gonflement de son nez.

— Je le tuerai, répétait Ed en boucle. Je vous jure.

— Fermez-la, dit Yolanda.

— On doit tous se calmer et réfléchir à la façon dont on va gérer la situation, dit Garnet. La porte de sortie la plus simple, c'est l'argent.

— L'argent ? s'étonna Yolanda.

— Ouais, acquiesça Ed. Je mérite plus. J'ai été *blessé*.

Garnet soupira.

— De l'argent pour Samantha. Et Carl.

— Jamais de la vie ! protesta Yolanda. Cette garce n'aura pas un sou.

Garnet posa ses fesses sur la commode et jeta un regard noir à sa femme.

— La donne a changé.

— On dépensera de l'argent pour Carl quand il sera avec nous. On lui achètera tout ce qu'il voudra.

— Il faut que tu m'écoutes, reprit son mari. Aujourd'hui, on a commis une erreur. Et il va falloir faire de gros efforts pour rattraper la situation. Pour sauver notre peau.

— C'est *lui* qui a fait une erreur, dit-elle en désignant Ed d'un mouvement de menton.

— Oui, admit Garnet. Il a merdé. Et maintenant on est tous les trois recherchés par la police. Je vais appeler notre avocat, lui demander de contacter Samantha pour lui faire une offre. Une offre suffisamment généreuse pour la persuader de renoncer à d'éventuelles poursuites judiciaires.

— Même si Samantha accepte, la police peut quand même nous inculper, non ?

— Quel serait son intérêt ? répondit Garnet. Ils savent que, devant un tribunal, l'affaire se terminerait par un non-lieu. Nous nous assurerions que ni Samantha ni Carl ne témoignent contre nous.

— Combien faudra-t-il donner à Samantha pour acheter leur silence ?

Garnet réfléchit.

— Cent mille.

Yolanda poussa un cri comme si on l'avait poignardée en plein cœur.

Ed était tout aussi scandalisé.

— Moi, vous ne m'avez donné que cinq cents billets.

— C'était déjà cher payé, rétorqua Garnet.

— Pas question de lâcher cent mille dollars, dit Yolanda. Tu me déçois, Garnet.

Son mari soupira.

— Yolanda, toi et moi nous allons en prison. Le seul point positif que je vois dans cette situation, c'est qu'ils nous mettront dans des prisons séparées.

— Alors j'aimerais bien savoir pourquoi on a essayé de l'enlever ?

La gifle fut assez violente pour l'envoyer rouler sur le lit. Elle mit la main sur sa joue gauche, là où son mari l'avait frappée.

— Parce que tu ne voulais pas en démordre, dit-il. Voilà pourquoi. J'ai eu envie de te faire plaisir. J'ai voulu faire ce que tu voulais. Et voilà où ça nous a menés. C'est toi qui nous as mis dans cette panade, Yolanda, alors tu vas devoir prendre sur toi et m'écouter. On va la payer. En revanche, je ne suis pas sûr que cent mille dollars suffiront. Il se peut qu'on doive faire monter les enchères. Et, crois-moi, vu les mensonges qu'on lui a déjà servis, elle voudra voir cet argent sur son compte en banque avant d'accepter de lâcher l'affaire.

Yolanda s'efforçait de contenir ses larmes.

— On pourrait faire en sorte qu'il nous aime, dit-elle. Une fois que Carl sera avec nous, il ne voudra plus repartir. Et quand son père sortira de prison, il sera tellement heureux.

Garnet secoua la tête.

— Comment Carl pourrait t'aimer plus que sa propre mère ? (Il marqua un temps d'arrêt.) Comment quelqu'un pourrait t'aimer, Yolanda ?

— Il y a peut-être un moyen, suggéra Ed Noble, qui n'avait rien perdu de l'échange.

— Comment ça, un moyen ? demanda Garnet.

— Un moyen de récupérer Carl, un moyen de vous faire économiser cent mille dollars et un moyen pour que Sam arrête de vous faire chier.

— Ne vous fatiguez pas, Ed, dit Garnet.

— Ce que j'allais dire, c'est que si Sam ne fait plus partie de l'équation, vous n'aurez plus à vous inquiéter de ce qu'elle pourrait dire sur vous, qu'elle vous prenne votre argent ou qu'elle vous empêche d'élever le petit merdeux.

— Bon sang, ne dites pas des choses pareilles, dit Garnet.

— Non, attends, intervint Yolanda. Laissons-le développer son idée.

44

— Merde, murmura Clive Duncomb. Le flic me demande. Peter disjoncte. Je te rappelle.

Duncomb se retourna et adressa un signe de tête à Duckworth. Peter se trouvait là où il l'avait laissé, sur le canapé du salon, secouant la tête et essuyant ses larmes.

— Il faut que vous gardiez un œil sur lui, dit l'inspecteur à Duncomb. Il doit passer quelques coups de fil, contacter la famille, et, demain matin, il faudra qu'il vienne identifier, autant que faire se peut, la dépouille de sa femme.

— Bien sûr, dit Duncomb.

— Il est venu vous voir, n'est-ce pas ?

— Que voulez-vous dire ?

— Il est venu vous voir quand sa femme a disparu.

— Peter est mon ami. C'est bien naturel.

— Et une fois encore, vous avez pris les choses en main, comme vous l'avez fait dans l'affaire Mason Helt. Vous auriez pu nous impliquer dès le départ. Dire au professeur de nous signaler sa disparition.

Duncomb s'irrita.

— Et ça aurait changé quoi ? Ça aurait empêché cet écran de cinéma de lui tomber dessus ? Ce qui est fait est fait. Vous êtes un petit poisson dans une petite mare, Duckworth.

Duckworth approcha son visage de celui de Duncomb.

— Qu'est-ce qui s'est passé à Boston ?

— Je vous demande pardon ?

— Qu'est-ce qui pousse un flic à renoncer à un bon boulot comme le vôtre ? À faire une croix sur sa pension ? À débarquer dans un endroit comme Promise Falls ? Parce qu'il n'a pas pu résister à la pression ? Ou bien parce que ses supérieurs avaient quelque chose à lui reprocher et que la démission était sa seule porte de sortie ? Moi, je suis d'ici. J'ai grandi dans le coin. Vous, vous avez *choisi* la petite mare parce que vous n'étiez plus capable d'affronter le gros temps.

Duckworth avait passé la porte avant que Duncomb ait pu lui rétorquer quoi que ce soit.

— Quel connard, dit-il à Blackmore.

Ce dernier se contenta de gémir.

— Allez, reprends-toi, dit Duncomb.

Blackmore releva brusquement la tête.

— Me reprendre ?

— OK, c'est bon, je comprends. Ça a été un choc terrible pour toi. Je le sais. Écoute, fais ce que tu as à faire pour Georgina. Commence à t'organiser. Je peux visionner le reste des DVD tout seul. Je dois la retrouver. Et pas seulement elle. Mais toutes les filles qu'on a amenées.

— Je m'en fous.

— Ah oui, eh bien, tu ne devrais pas. Tu as envie d'expliquer pourquoi on avait ce genre de passe-temps avec une fille qui s'est fait assassiner quelques semaines après ?

— Je n'ai pas tué cette fille.

Duncomb s'approcha, jusqu'à être tout près du professeur.

— Tu penses vraiment que ça compte ?

— Elle n'était même pas droguée, dit Blackmore. Pas comme les autres. Pas comme Lorraine. Si quelqu'un visionnait l'enregistrement, il verrait qu'Olivia était lucide. Qu'elle était consentante.

— Je n'en reviens pas que quelqu'un puisse parvenir à ton niveau, enseigner dans un endroit comme Thackeray, et être aussi incroyablement stupide. Cette fille n'aurait eu qu'à nous menacer de révéler nos petits arrangements avec la morale, et on aurait tous été finis. Et encore, on aurait eu de la chance si on n'avait fait que perdre nos boulots. On aurait dû la droguer. Elle aurait tout oublié. La vérité, c'est qu'on a eu du bol qu'elle se fasse tuer. On n'a jamais eu à s'inquiéter qu'elle parle de cette fameuse soirée.

Blackmore examina Duncomb craintivement.

— Je me suis toujours demandé si c'était toi, dit-il. Je me suis même dit que tu avais pu faire passer ça pour l'œuvre d'un psychopathe. Je pense qu'il n'y a pas grand-chose dont tu ne sois pas capable.

— Tu ne sais rien de rien, dit Duncomb.

— Je sais au moins que c'était une erreur de me laisser embarquer dans tout ça. Ces conneries de *lifestyle*, c'était suffisant pour Georgina et moi, pour Adam et Miriam. Mais ni pour toi, ni pour Liz. Il fallait que tu trouves plus excitant encore. Que tu ramènes de la chair fraîche. Des étudiantes. Que tu leur fasses miroiter un dîner en compagnie d'un auteur culte, que tu leur glisses un petit quelque chose dans leur verre, que tu les fasses participer au spectacle. On aurait dû faire front contre toi. Bon d'accord, sur le moment… je ne vais pas mentir, j'ai aimé ça. Ça me donnait l'impression d'être… tout-puissant. Que rien ne nous était interdit, que les règles ne s'appliquaient pas à nous. Que les gens existaient pour notre bon plaisir. C'est ce que toi et Liz avez fait de nous. Vous avez fait de nous des dépravés.

— Oh, arrête un peu.

— C'est peut-être pour ça que cet écran est tombé sur Adam et Georgina. Une sorte de châtiment divin. Ils ont eu ce qu'ils méritaient, et nous sommes les prochains.

— Tu pètes les plombs, Peter.

— J'y vois clair pour la première fois depuis des années. Je vois ce que vous nous avez fait, toi et Liz. Vous nous avez empoisonnés. Toi et Liz : quelle était la probabilité pour que deux personnes aussi tordues finissent ensemble ?

Duncomb saisit Blackmore par les épaules.

— Peter, dit-il avec fermeté, tu dois arrêter de parler de ça. *A fortiori* à quelqu'un d'autre que moi. Parce que, je te le jure, je te collerai une balle dans la tête sans me poser plus de questions que je ne l'ai fait pour Mason Helt.

Blackmore cligna des yeux. Déglutit avec difficulté.

— J'ai besoin d'un verre, dit-il.

— Bien sûr, va t'en chercher un. Je dois rappeler Miriam.

— Miriam, dit Blackmore tout bas. Adam a fini par s'en lasser. Sinon, il ne serait pas allé voir Georgina en dehors de nos séances. C'est sa faute.

— Bon Dieu, va boire un coup.

Duncomb sortit son téléphone tandis que Blackmore s'éclipsait dans la cuisine.

— Tu m'as fait poireauter, dit Miriam.

— Le flic est parti, et ensuite j'ai dû calmer Peter.

— Ce que j'essayais de te dire, avant que tu ne me raccroches au nez, c'est que le DVD n'a pas disparu.

— Quoi ?

— Le DVD avec la fille Fisher, et tous ceux avec des invitées spéciales. Adam s'en est débarrassé.

Duncomb sentit une vague d'euphorie monter en lui.

— Il a fait ça ?

— Il n'avait pas du tout envie de s'en séparer, mais il savait que c'était risqué de les conserver. Il les a détruits il y a des mois.

— Mon Dieu, Miriam, c'est la première bonne nouvelle depuis un bout de temps.

— Et le fait que je sois vivante, ça n'en est pas une ?

— On devenait fous à chercher ce DVD et...

— C'est bon, j'ai compris.

— Je suis désolé pour Adam, Miriam. C'est horrible.

— Assez, dit Miriam. J'ai… J'ai des choses à faire.

Elle raccrocha.

Duncomb leva les yeux au plafond et, les deux poings serrés, il poussa un cri de triomphe.

Quand il entra dans la cuisine pour faire part de la bonne nouvelle à Peter Blackmore, celui-ci avait disparu.

Miriam, assise au bord du lit dans la salle de jeux, posa son téléphone sur le drap en satin. Elle recula sur le matelas, ramena les douces couvertures sur elle et s'en fit un cocon. Elle remonta ses genoux contre sa poitrine et se donna la permission de pleurer.

Sauf que les larmes ne voulaient pas venir.

Elle aurait dû ressentir quelque chose. Colère ? Tristesse ? Indignation ? Chagrin ? Et pourtant, elle n'était pas certaine d'éprouver aucun de ces sentiments. La seule émotion qu'elle était en mesure de ressentir à ce moment précis était le soulagement.

Ce qui lui semblait tellement étrange.

Pourtant, c'était bien ce qu'elle éprouvait. Du soulagement. Et peut-être un sentiment de… libération ? Était-ce cela ? Elle était libérée d'Adam et de toutes ces conneries. Libérée de son ex-femme qui ne pouvait pas s'empêcher de mettre son nez dans leurs affaires. Qui n'arrêtait pas d'envoyer des mails à Adam ou de l'appeler au téléphone. Elle n'avait jamais vraiment renoncé, celle-là.

Libérée aussi de Lucy, et de sa désapprobation. La fille d'Adam ne l'avait jamais portée dans son cœur. Et elle serait libérée de sa gamine bizarre. Crystal. Qui passait son temps à griffonner ses bandes dessinées. Néanmoins, Adam aimait sa petite-fille, il l'*adorait* même, alors que pouvait-elle y faire ? Elle n'empêchait pas la gamine de venir à la maison chaque fois que Lucy avait besoin d'un baby-sitter, voilà comment ça se passait. Adam s'assurait toujours que la bibliothèque coulissante était bien fermée avant l'arrivée de Crystal. Déjà qu'elle était bizarre, si elle était entrée dans la salle de jeux, elle en aurait été traumatisée pour un moment.

Maintenant que son mari était mort, Miriam pouvait couper les ponts avec Lucy et Crystal. Elle vendrait la maison, s'occuperait de la succession d'Adam, et foutrait le camp de Promise Falls. Vers un endroit plus chaud. Les hivers ici étaient dégueulasses. Plus d'un mètre de neige l'année précédente. Qui aimait ça ? Elle songeait à s'installer à San Diego ou à Los Angeles avec l'argent de l'héritage.

Elle espérait qu'il y en aurait suffisamment pour l'aider à repartir de zéro. Adam s'était montré excessivement préoccupé par les questions d'argent ces derniers mois, mais était resté très secret sur l'état de leurs finances. Il tenait absolument à signer un nouveau contrat.

Soudain, elle se mit à pleurer. Peut-être était-ce l'incertitude entourant son héritage qui l'avait fait craquer.

Elle était secouée de lourds sanglots. Elle enfouit la tête dans un oreiller et gémit comme un animal blessé.

Le soulagement et la possibilité de repartir de zéro l'avaient submergée.

Au bout de quelques minutes, les sanglots se tarirent. L'épuisement s'empara d'elle. Elle s'assoupit un bon moment, peut-être une demi-heure.

Puis elle se réveilla en sursaut, mit une seconde pour se rappeler où elle se trouvait. Elle était bien sur un lit, mais un lit dans lequel elle n'avait jamais dormi.

Il était temps de monter, d'aller s'allonger dans leur… dans *sa* chambre. Elle s'occuperait du reste demain matin.

À dire vrai, elle ne l'aimait pas, cette pièce, cette salle de jeux. Elle s'y était amusée, c'est sûr, mais elle en avait assez.

Miriam rejeta les couvertures, posa ses pieds sur la moquette à poils longs.

Quelqu'un se tenait sur le seuil.

— Bon sang ! dit-elle. Tu m'as foutu une de ces trouilles !

— J'ai sonné.

— Je n'ai rien entendu.

— Je me suis permis d'entrer. Je t'ai cherchée et je t'ai trouvée ici. Je te regardais.

— Sors de là. Tu me rends malade. Qu'est-ce que tu veux, à la fin ?

— À ton avis ?

— Tire-toi.

— Il a dit que si jamais il lui arrivait quoi que ce soit, il fallait que je vienne ici. Qu'il laisserait quelque chose pour moi. Il m'a dit où regarder.

— Quoi ? Ici ? Un gode plaqué or ?

— Je pense que c'est toi qui l'as pris.

— Sors !

— Je ne partirai pas tant que tu ne me l'auras pas donné.

— Je t'ai dit de sortir !

Miriam sortit de la pièce au pas de charge, bousculant l'intrus au passage. Alors qu'elle commençait à monter les marches, elle sentit des mains tenter de lui attraper les chevilles.

— Je veux ce qui m'appartient !

— Fous-moi le camp ! cria Miriam.

L'intrus tenta de la rattraper, parvint à sa hauteur et l'empoigna par les cheveux pour la ralentir.

La tête de Miriam partit brusquement en arrière, et elle perdit l'équilibre. Elle tendit la main pour se rattraper à la rampe, mais la manqua.

Elle tomba à la renverse, et, pendant une seconde, elle fut comme suspendue dans le vide, avant de heurter violemment les marches.

On entendit un craquement.

La tête de Miriam reposait sur la dernière marche, le reste du corps étalé dans l'escalier dans une position peu naturelle.

— Non ! Mon Dieu, non ! Tu n'es pas morte ! Tu n'es pas morte !

Le silence de Miriam semblait suggérer le contraire.

45

Cal

Un pompier prénommé Darel me laissa monter à mon appartement pour récupérer quelques affaires. Je ne constatai aucun dommage, mais une fumée âcre avait envahi les lieux. Comme le gaz avait été fermé, je n'aurais rien pu cuisiner – mais je ne cuisinais jamais, de toute façon –, et le courant aussi avait été coupé dans l'immeuble. Je fourrai quelques vêtements de rechange dans un petit sac de voyage. Dans la cuisine, je pris un sac de congélation pour y mettre ma brosse à dents, du dentifrice, et divers articles de toilette. Je dénichai une paire de chaussettes et des sous-vêtements et mis le tout dans un sac à dos.

Cela me prit trois minutes.

Avant de monter, j'avais dit à la police tout ce que je savais, c'est-à-dire pas grand-chose. Je suis d'ordinaire doué en matière de voitures, mais distinguer un pick-up Ford d'un pick-up Chevrolet vu de côté ne faisait pas partie de mes compétences. Tout ce que je pouvais affirmer avec une relative certitude, c'était que le véhicule en question était noir et qu'il y avait de la rouille au niveau des passages de roues arrière. C'était un modèle plutôt ancien, à en juger par le rugissement rauque du moteur. L'individu qui avait balancé le cocktail Molotov était un Blanc, blond ou châtain clair, d'une petite vingtaine d'années.

Et je me rappelais ce qu'il avait dit : « Putain de terroriste ! »

J'en étais malade pour Naman. Quand les pompiers étaient arrivés, les flammes s'étaient propagées d'une pile de livres à l'autre et avaient commencé à lécher le plafond. Mais ils avaient éteint l'incendie avant qu'il ait pu causer des dommages structurels. L'endroit, même apparemment dévasté, n'allait pas s'effondrer. Naman, incrédule, inspectait son stock carbonisé et endommagé par l'eau.

— Je suis foutu, me dit-il quand je réapparus avec mon sac à dos.

— Pas du tout, dis-je. Vous allez nettoyer tout ça et vous rouvrirez en un rien de temps.

— L'eau a traversé le plancher. J'ai des centaines de livres au sous-sol, irrécupérables. Je n'aurais jamais dû appeler ma librairie Naman's Books. J'aurais dû mettre une enseigne « Livres d'occasion », tout simplement.

Je ne savais pas quoi dire. La seule chose qui me vint à l'esprit fut :

— C'était deux connards, Naman. Tous les habitants de la ville ne sont pas comme ça.

Il tourna lentement la tête vers moi.

— C'est ce que vous pensez ? Que ces hommes qui ont fait ça sont une anomalie ? Que cette forme de racisme est exceptionnelle ? Vous n'avez pas idée de la réalité des choses.

— Je suis désolé.

— Il ne se passe pas un jour sans que je le sente. Peut-être qu'on ne m'avait pas encore lancé de bombe incendiaire sur le coin de la figure jusqu'ici, mais j'entends constamment chuchoter dans mon dos. Je vis ici, en Amérique, depuis plus de quarante ans. Je suis un Américain. (Il désigna la rue d'un geste de la main.) J'ai instruit les enfants de ces gens. J'ai travaillé avec ces gosses, je les ai encouragés, je les ai formés, j'ai pleuré avec eux, j'ai contribué à en faire de bons et honnêtes citoyens. J'ai toujours payé mes impôts. J'ai envoyé des tas de cartons de livres à nos soldats en Irak et en Afghanistan. Et c'est comme ça qu'on me remercie. En me traitant de terroriste. Comment jugeriez-vous cette ville si vous lui aviez consacré toute votre vie et qu'elle vous remerciait de cette manière ?

Il me regardait droit dans les yeux et je soutins son regard.

— Vous avez mon numéro de portable. Si vous avez besoin de quoi que ce soit, vous m'appelez. D'accord ?

Naman ne fit aucun commentaire. Il se retourna et se baissa pour ramasser son exemplaire maintenant roussi et détrempé de *Blue Hammer*.

Le plus logique était d'aller chez ma sœur, Celeste, au moins pour y passer la nuit. J'ignorais quand je pourrais retourner dans mon appartement, et j'allais peut-être devoir prendre une chambre dans un motel. Celeste m'avait plusieurs fois proposé de rester chez elle, mais l'idée n'avait jamais vraiment emballé Dwayne, son mari. J'insisterais pour participer au loyer. La municipalité, en pleine réduction budgétaire, ne faisait plus autant appel à l'entreprise de Dwayne, à laquelle elle sous-traitait ses travaux de pavage d'ordinaire, et les rentrées d'argent étaient plus rares qu'à une époque.

Je me garai devant la maison, pris mon sac à dos et gravis péniblement les deux marches du porche. Alors que je m'apprêtais à frapper, j'aperçus Celeste et Dwayne assis côte à côte sur le canapé. Elle avait passé son bras autour de son cou, et, au début, je crus qu'ils étaient en train de se peloter, ce que je trouvais plutôt attendrissant pour un couple marié depuis si longtemps.

Et puis je me rendis compte que j'étais témoin d'une scène bien différente.

Dwayne avait les épaules voûtées et se tenait la tête dans les mains.

Il pleurait.

Celeste avait dû remarquer mon ombre à la fenêtre. Elle regarda dans ma direction et nos regards se croisèrent. Elle murmura quelque chose à son mari, se leva et alla à la porte. Elle l'ouvrit et se glissa dehors.

— Désolé, dis-je, j'allais frapper et j'ai vu...

— Ce n'est pas grave. C'est quoi, ce gros sac ?

— T'inquiète pas pour ça.

— Tu veux rester dormir ?

— Il y a eu un incendie. À la librairie. Des petites frappes ont balancé un cocktail Molotov dans la devanture.

— Quoi ?

J'expliquai les motivations probables des abrutis au pick-up.

— Bien sûr que tu peux rester, m'assura-t-elle.

— Non, je ne pense pas. On dirait que tu as des choses plus graves à régler.

Elle m'attira vers l'extrémité de la véranda, loin de la porte.

— Il est en train de craquer.

— C'est ce que je me suis dit.

— Je veux dire, moi aussi, je me fais du souci, tu sais. Je ne sais pas combien de temps encore on va pouvoir payer les factures. Mais on se débrouillera d'une manière ou d'une autre, non ? C'est peut-être aussi bien qu'on n'ait pas eu d'enfants. Ce serait bien pire si on avait des bouches à nourrir. Il n'y a que nous, on s'en sortira. Mais j'ai beau le lui répéter, il ne m'écoute pas. Le stress est en train de le tuer. Ne plus être capable de s'occuper de moi, ça le remet profondément en question. Je pourrais faire plus d'heures s'il le fallait, mais ça le mine depuis longtemps.

— De l'argent, j'en ai.

Elle posa la main sur mon bras.

— Cal.

— Non, sérieux. J'en ai. Suffisamment pour vous dépanner quelques semaines, en tout cas.

Elle se hissa sur la pointe des pieds et m'embrassa sur la joue.

— Tu es un gentil frangin. Vraiment.

— S'il y a quoi que ce soit que je puisse...

La porte d'entrée s'ouvrit.

— Qu'est-ce qui se passe ici ? demanda Dwayne.

— Cal passait en coup de vent.

Dwayne remarqua le sac à dos que j'avais laissé sur la véranda.

— C'est quoi, ça ? Tu viens crécher chez nous ?

— Non, dis-je.

Il s'était essuyé les yeux, mais je voyais la trace que les larmes avaient laissée sur ses joues.

— Comme si je n'avais pas suffisamment de problèmes comme ça, il faut que j'héberge des gens maintenant ?

— Dwayne, enfin, intervint Celeste. Tout va bien.

— Tu sais, Cal, continua Dwayne, tu as vécu des trucs horribles. J'en suis conscient. Ce qui est arrivé à ta femme et à ton gosse, c'est un coup dur. Mais nous aussi, on a des problèmes, tu sais ? Tu ne peux pas débarquer tout le temps ici et nous faire déprimer.

— Ferme-la, dit Celeste. Bon Dieu, tais-toi.

— Ce n'est pas grave, dis-je.

Je marchai vers la porte, soulevai mon sac et retournai à ma voiture.

— Bonne idée, dit Dwayne. Bonne idée.

Il y avait un motel sur la route d'Albany, mais, arrivé sur place, je trouvai l'endroit barricadé avec des planches. On avait peint « OUT OF BIZNESS » à la bombe sur le contreplaqué cloué à l'une des fenêtres.

Je décidai de tenter ma chance au Walcott. À ma grande surprise, l'hôtel affichait complet. En temps normal, ils auraient eu des chambres disponibles, mais une aile était en cours de rénovation.

— J'ai donné ma dernière chambre à un monsieur qui a perdu toutes ses cartes de crédit, me dit le réceptionniste. Mais il avait un gros rouleau de billets.

C'était pas de bol.

Je supposai que je pouvais me rapprocher d'Albany. Mais j'allais passer pratiquement une heure sur la route avant de tomber sur un hôtel.

Soudain, j'eus une idée.

J'appelai Lucy Brighton. Elle décrocha avant la deuxième sonnerie.

— Oui ?

— J'ai une faveur à vous demander. Il y a eu un incendie et...

— Quoi ?

Je m'expliquai.

— Vous pouvez m'accorder une demi-heure ? Le temps de préparer la chambre d'amis.

— Bien sûr. Je vous suis vraiment reconnaissant.

J'allais me faire un petit resto. Les deux crackers et le morceau de fromage que j'avais mangés plus tôt ne m'avaient pas calé.

Lucy devait me guetter car elle ouvrit la porte avant que je l'atteigne. Je m'attendais à la trouver en pyjama ou en chemise de nuit, mais elle était habillée, et sa tenue était un peu plus élégante que celle dans laquelle je l'avais vue plus tôt dans la soirée. Un haut noir échancré découvrant la naissance des seins et un jean moulant.

— C'est vraiment gentil à vous, dis-je. Désolé de vous avoir fait veiller.

Elle voulait avoir des détails sur ce qui s'était passé, et je les lui fournis. Elle proposa de faire du café, mais je déclinai. La journée avait été longue.

— Je vous ai installé dans la chambre d'amis, dit-elle tout bas.

Crystal devait être au lit depuis un moment.

— Elle m'a laissé une surprise dans la voiture, dis-je à Lucy.

— De quoi parlez-vous ?

— Son roman graphique. Elle me l'a laissé à lire. Je n'ai pas encore commencé, mais je compte bien m'y mettre.

— Quelle chipie. (Lucy semblait au bord des larmes.) Si vous saviez comme c'est rare qu'elle fasse une chose pareille…

Je l'ignorais, bien sûr.

— Vous lui plaisez. Elle sent que vous êtes un homme bien. C'est pour ça qu'elle a envie de partager le fruit de son travail avec vous. Elle s'isole trop, mais, de temps en temps, elle sort de sa bulle. C'est ce qu'elle fait avec vous.

Nous montâmes à l'étage, où elle me montra ma chambre. Sur le dessus de la commode s'entassaient trois rangées des cartons d'archives blancs remplis de dossiers. Il y en avait d'autres par terre, mais Lucy avait ménagé un chemin autour du lit.

— Désolé pour ça, dit-elle en désignant les cartons. Cette pièce n'est presque jamais utilisée et ça devient une sorte de dépotoir.

Nous nous tenions tout près l'un de l'autre, au pied du lit, où il y avait juste assez de place pour deux personnes.

— Ne vous en faites pas pour ça, dis-je.

— La salle de bains est juste là, mais c'est la seule à l'étage, alors si elle est occupée, vous pouvez utiliser les toilettes du rez-de-chaussée, et il y a une autre salle de bains au sous-sol, mais celle du haut est la seule avec une douche… Mon Dieu, faites-moi taire.

— C'est parfait, dis-je en posant mon sac sur le lit double. Je vous remercie.

— C'est un petit sac. Si vous avez oublié quoi que ce soit, vous trouverez sans doute ce qu'il vous faut dans la salle de bains. Alors si vous avez besoin de...

— Ça ira.

— Mais je n'ai pas de mousse à raser. Enfin, j'ai de la mousse à raser pour femmes, vous savez...

Je me tournai face à elle et posai mes mains sur ses épaules.

— Ça va aller.

Ses lèvres tressaillirent.

— Je sais que, pour beaucoup de gens, mon père n'était pas quelqu'un de bien, reconnut Lucy, mais je l'aimais.

J'attendis.

— Oui, je l'aimais. C'était mon père. Je sais qu'il y avait une sorte de... vide en lui. Je crois qu'il m'aimait, et je crois qu'il aimait Crystal. Du moins, autant qu'il en était capable. Il pouvait certainement faire semblant d'aimer. Ça se tient ce que je dis ?

— Je crois, oui.

Elle fit deux pas vers la porte, la ferma.

— Je ne voudrais pas la réveiller.

— Je comprends.

— Mais j'ai été à bonne école avec lui, vous savez. Depuis toute petite, il m'a appris à me défendre. Je suis combative. Je suis une mère célibataire. Quand mon mariage a battu de l'aile, j'aurais pu essayer de m'accrocher, mais je me suis dit que je ne pouvais pas vivre comme ça. Pas même pour Crystal. Qu'est-ce que ça lui aurait appris ? Qu'une situation aussi malheureuse que celle-là doit se subir jusqu'au sacrifice de soi ? Qu'on doit renoncer à vivre sa vie ?

— Votre père avait l'air de savoir ce qu'il voulait.

— Vous parlez de cette fameuse pièce ?

— Je veux dire qu'il ne laissait pas les conventions aux-quelles nous nous soumettons tous l'empêcher de vivre la vie qu'il souhaitait. Je ne juge pas. C'est une simple constatation.

Lucy réfléchit à mes propos.

— Il m'est arrivé de me demander s'il n'était pas à la limite de la psychopathie, mais pas d'une façon malveillante. J'ai lu quelque part que beaucoup de brillants P-DG étaient psychopathes. Ils ne tiennent jamais compte des sentiments d'autrui parce qu'ils n'en ont même pas conscience, même s'ils sont très doués pour prétendre le contraire. Un peu comme les politiciens.

L'air de rien, Lucy posa le bout de ses doigts sur ma poitrine.

— Vous, vous ressentez les choses, dit-elle. J'en suis certaine.

Je n'avais pas couché avec une femme depuis que Donna et moi avions fait l'amour la nuit précédant sa mort.

Trois ans.

— Lucy, je…

— Ne dis rien. Prends-moi dans tes bras.

Ce que je fis. Elle trembla légèrement, comme si j'avais des doigts de glace.

La balle, comme on dit, était dans mon camp.

Je savais ce que j'avais envie de faire, et ça me faisait culpabiliser. J'avais un peu peur aussi.

Ces vingt dernières années, je n'avais couché qu'avec une seule femme, je n'avais jamais eu d'aventures, même quand l'occasion s'était présentée. Après tout ce temps, Donna et moi avions fini par connaître nos besoins et nos rythmes respectifs. Les choses étaient implicites. On aurait pu dire que nous étions enfermés dans une sorte de routine, mais ce n'était en aucun cas *routinier*. Toutes ces années, nous avions éprouvé du plaisir, sauf les deux derniers mois, pendant lesquels notre chagrin d'avoir perdu Scott nous avait éloignés l'un de l'autre. Si seulement nous avions su ce que l'avenir nous réservait…

Non, je ne pourrais pas revivre ça.

Je redoutais de partager l'intimité de quelqu'un dont j'ignorais les désirs. Et qui ne connaissait pas les miens.

Peut-être que je devais me montrer à la hauteur du discours que j'avais tenu à Celeste. Je devais aller de l'avant.

— Je le vois dans tes yeux, dit Lucy. Ce que tu ressens. Tout ce chagrin.

Je posai mes lèvres sur les siennes et abolis la distance qui nous séparait. Je la serrai très fort contre moi, avant de relâcher mon étreinte, de peur de lui faire mal.

Quel était le bon tempo à adopter ? Quelle était la prochaine étape ? Est-ce que l'un de nous deux allait rompre le charme et dire que c'était une grosse erreur, que nous nous étions laissé emporter, que nous étions, tous les deux, chacun à sa façon, confrontés à une perte, et que ce n'était pas la bonne façon d'y faire face ? Après quoi, Lucy sortirait furtivement de la chambre, fermerait la porte et il n'en serait plus jamais question ?

Lucy commença à défaire ma ceinture.

Nous nous assîmes au bord du lit, nous dévêtîmes fébrilement, envoyâmes valser nos chaussures, passâmes par l'étape des préliminaires maladroits avant de finir sous les couvertures. Deux fois, elle me chuchota que nous ne devions pas faire de bruit.

Nous ne voulions pas réveiller Crystal.

Plus tard, histoire de sauver les apparences, elle regagna sa chambre pour que sa fille l'y trouve à son réveil.

Je dormis comme une souche.

46

Il était 1 h 03 quand Dwayne Rogers sortit du Knight – un des bars les plus glauques du centre-ville, installé sur Proctor Street depuis la nuit des temps –, dans la fraîcheur de la nuit. Il sortit un paquet de cigarettes de sa poche. Cela faisait des années qu'il n'avait pas fumé, mais ces deux dernières semaines il avait repiqué au truc. Ça le calmait, du moins provisoirement. Tout le rituel qui allait avec. Décacheter la cellophane, tapoter le paquet sur son poing pour éjecter la cigarette, la glisser entre ses lèvres, ouvrir la boîte d'allumettes et en craquer une, la regarder flamboyer brièvement, l'approcher de l'extrémité de la cigarette, regarder la lueur chaude du tabac incandescent.

Ces derniers temps, il buvait aussi davantage. Dans les périodes difficiles, vous faisiez ce que vous aviez à faire. Il avait dit à Celeste qu'il avait besoin de prendre l'air. Il avait eu honte de chialer comme ça devant elle. Et là-dessus, Cal qui débarque, qui mate par la fenêtre et qui le voit dans cet état. Il lui était rentré dedans et s'était comporté comme un vrai connard.

Celeste l'avait copieusement engueulé après ça. C'est seulement après son départ qu'il avait compris que son beau-frère avait été chassé de chez lui à cause d'un incendie.

Il avait besoin de prendre l'air pour réfléchir. Ce qu'il n'avait pas dit à Celeste, en revanche, c'était qu'il avait prévu de sortir quoi qu'il arrive.

Il devait se rendre quelque part, à une certaine heure.

Il n'était pas au bar depuis cinq minutes – il n'avait même pas eu le temps de commander une bière – qu'il ressortit. Avant de partir, il salua deux ou trois personnes de sa connaissance, et adressa un petit signe amical au barman.

— Tu n'aurais pas vu Harry dans les parages ? lui demanda-t-il.

— Je ne crois pas, non.

— Si tu le vois, dis-lui que Dwayne est passé.

— Ça roule.

De retour dans la rue, il alluma sa cigarette et attendit. Il n'était pas seul. Un jeune couple se bécotait, appuyé contre un réverbère. Trois hommes, serrés les uns contre les autres, débattaient de ce qui leur faisait préférer les courses de Nascar ou les courses de chevaux. De temps à autre, quelqu'un entrait ou sortait du Knight.

Proctor Street était une rue en pente, orientée nord-sud. Quand Dwayne était plus jeune, il la descendait à skate tard le soir, ou le dimanche de bonne heure, quand il n'y avait presque pas de circulation.

En regardant vers le nord, il vit quelque chose approcher, mais ce n'était pas un gamin sur son skateboard.

C'était un bus du réseau public de Promise Falls, avec son grand pare-brise panoramique.

Les bus ne circulaient pas aussi tard normalement, du moins plus maintenant. Avant, ils sillonnaient la ville jusqu'à la fermeture des bars, mais depuis que les gestionnaires des services municipaux s'étaient mis à tailler dans les budgets, on n'en trouvait plus un seul passé 23 heures.

Mais, ce bus-là, personne n'aurait eu envie de le prendre.

Parce qu'il était en feu.

L'intérieur du bus était embrasé, des flammes sortaient par les fenêtres des deux côtés en vrombissant.

Il dévalait Proctor Street au milieu de la chaussée, prenant de la vitesse. On aurait dit une comète. La rue était en ligne droite, mais sa trajectoire semblait légèrement oblique : il n'allait pas tarder à percuter les voitures garées le long du trottoir.

Dwayne restait là, rivé au trottoir, fasciné par le spectacle.

Les hommes qui débattaient des mérites respectifs des voitures et des chevaux de course s'étaient retournés et regardaient fixement, bouche bée, la boule de feu qui approchait.

— Oh, putain ! s'écria l'un.

— Bordel de merde ! s'exclama l'autre.

Quand le bus passa devant le Knight, il devint évident pour tout le monde qu'il n'y avait personne au volant. Et qu'il n'y avait aucun passager non plus.

La fusée de feu continua sur sa lancée, éclairée toutes les deux ou trois secondes par les réverbères sous lesquels elle passait.

Le numéro 23, en chiffres d'un mètre de haut, ornait l'arrière du bus, sous la fenêtre.

— Regarde ! s'écria le jeune homme qui roulait des pelles à sa petite amie. C'est lui !

— Qui ça ? demanda la fille.

— Le type dont parlaient les flics ! Monsieur 23 !

— Quoi ?

Le bus percuta de biais plusieurs voitures garées de l'autre côté de la rue, déclenchant leurs alarmes, mais la collision le ralentit à peine.

Proctor Street rejoignait Richmond à angle droit une centaine de mètres plus loin. Le bus en flammes coupa l'intersection, emboutit deux voitures garées dans la rue, et s'encastra dans la devanture d'un fleuriste.

— Wouah ! s'exclama Dwayne.

Le vacarme fit sortir d'autres clients du bar.

— Qu'est-ce qui s'est passé, bon Dieu ? demanda quelqu'un.

— Ce bus ! dit Dwayne. Il vient de dévaler la rue en feu ! Nom de nom !

L'attroupement, de plus en plus important, se répandit dans la rue. Le bar se vida. De l'autre côté de Proctor Street, les clients d'un snack-bar ouvert la nuit sortirent en nombre pour voir ce qui se passait.

Le jeune qui avait repéré l'inscription à l'arrière du bus se mit à crier :

— Il y a peut-être une bombe à l'intérieur ! C'est le type qui a fait sauter le drive-in !

Il attrapa sa petite amie par le bras et ils se mirent à remonter Proctor en courant.

Les autres échangèrent des regards, comme s'ils réfléchissaient à ce qu'ils devaient faire eux-mêmes. Ils semblaient partagés entre l'envie d'aller y voir de plus près – l'alarme du fleuriste hululait bruyamment et l'incendie se propageait du bus à l'immeuble – et celle de prendre leurs jambes à leur cou.

Plusieurs d'entre eux se mirent à courir.

Dwayne entendit des bruits de pas lourds venant du haut de la rue et se retourna. C'était un joggeur d'une vingtaine d'années. Il s'arrêta à sa hauteur.

— Bon sang, c'est quoi ce bordel ? demanda le jeune homme, le tee-shirt trempé de sueur.

— Aucune idée, répondit Dwayne. Le machin est passé ici comme une navette spatiale de retour dans l'atmosphère. (Il regarda le joggeur plus attentivement.) Votre tête me dit quelque chose. On se connaît ?

— Je ne pense pas.

— Vous étiez dans le bar l'autre soir, à plus ou moins débiner tout le monde.

— Ouais, ça se pourrait bien. J'avais forcé la dose. Désolé si je vous ai agressé… c'est quoi votre nom ?

— Dwayne.

— Eh bien, désolé, Dwayne. Moi, c'est Victor.

— Salut.

Victor Rooney contempla l'incendie en bas de la rue avec un émerveillement teinté d'effroi.

— C'est pas tous les jours qu'on voit ça, pas vrai ?

47

Derek Cutter avait réglé l'alarme de son téléphone pour 6 heures, mais il ouvrit les yeux cinq minutes avant qu'elle ne se déclenche. La lumière du petit matin filtrait à travers les stores de sa chambre. Il aurait pu rester au lit encore quelques minutes, mais il avait envie de se lever.

Il était excité.

Et surpris d'être excité.

Marla Pickens l'avait invité à venir prendre le petit déjeuner au saut du lit. Avec elle et Matthew, son fils de dix mois. Matthew qui se trouvait aussi être le fils de Derek.

Si Derek avait été sidéré d'apprendre qu'il était père, Marla, elle aussi, avait été quelque peu stupéfaite.

Il y a plus d'un an, il avait appris qu'il allait être papa, et, à ce moment-là, la nouvelle ne l'avait vraiment pas emballé. Elle l'avait terrorisé, en fait. Il avait fait la connaissance de Marla au pub de Thackeray. Ils avaient couché ensemble, et, même s'il était conscient que ce genre d'activité pouvait produire des bébés, il avait été frappé de stupeur quand Marla lui avait annoncé qu'elle était enceinte.

Il ne voulait pas d'enfants, et il ne savait vraiment pas ce qu'il ferait de celui-ci quand il se présenterait. Il ne savait même pas si Marla voulait qu'il s'en mêle. Tout ce dont il était sûr, c'était qu'elle était décidée à garder ce bébé.

Pendant des mois, il avait été une véritable épave.

Et puis il avait appris la nouvelle.

Le bébé était mort à la naissance.

Il n'aurait jamais cru que ça le toucherait autant. Quelques mois auparavant, il aurait été secrètement soulagé d'apprendre que Marla avait perdu le bébé. Il aurait été tiré d'affaire. Problème résolu. Affaire classée. Mais ça l'avait anéanti.

Mon enfant est mort.

Sauf que, évidemment, comme tout le monde le savait à présent, ça ne s'était pas du tout passé comme ça. La mère de Marla et son médecin lui avaient fait croire que le bébé n'avait pas survécu. Dix mois plus tard, Marla retrouvait son enfant.

Mais pour autant, tout n'était pas pour le mieux dans le meilleur des mondes. La mère de Marla et le médecin étaient morts. Et Marla restait sérieusement perturbée. Pendant un temps, elle avait refusé de croire que sa mère s'était tuée en se jetant dans les chutes de Promise Falls. Elle et Matthew vivaient avec son père, et ils recevaient régulièrement la visite des services sociaux.

Mais tout le monde voyait comme un signe encourageant le fait qu'elle veuille impliquer Derek dans l'éducation de Matthew.

Y compris les parents de Derek.

C'était vraiment le côté positif.

Il avait cru qu'ils lui sauteraient à la gorge. Encore étudiant... engrosser une fille... alors qu'il n'avait pas de boulot... Il ne pouvait pas la garder dans son pantalon ?... ce genre de choses.

Ça ne s'était pas du tout passé de cette manière.

Ils ne l'avaient pas vraiment jugé. Son père lui avait simplement fait comprendre qu'il avait un sacré défi à relever, faire le nécessaire, assumer ses responsabilités, et autres formules toutes faites. Le truc vraiment bizarre, c'est que sa propre paternité semblait avoir rapproché Jim et Ellen, qui s'étaient séparés quelques années auparavant.

Ils étaient grands-parents désormais. Et ils semblaient vouloir s'enrichir de cette expérience ensemble.

Ils s'étaient retrouvés plusieurs fois à dîner. Ils étaient allés deux fois chez les Pickens pour voir le bébé. Ils avaient acheté des choses : des couches, des vêtements, de petits livres cartonnés.

Jim avait demandé à son fils s'il voulait revenir travailler avec lui cet été dans sa boîte de paysagiste.

Derek avait accepté.

C'est pourquoi il se sentait plutôt bien ce matin-là. Les événements de l'avant-veille au drive-in étaient encore frais dans sa mémoire, mais il ne comptait pas se laisser démoraliser. Il se précipita sous la douche, s'habilla, et, à 7 heures, il était dehors. Il n'avait pas de voiture, mais Gill Pickens, le père de Marla, lui avait proposé de venir le chercher.

Il était là.

Ils n'avaient pas grand-chose à se raconter. Derek supposait que chaque fois qu'il le regardait, Gill devait probablement se dire : *C'est toi le petit con qui a engrossé ma fille.* Il faut dire qu'on ne pouvait pas lui reprocher son mutisme. Sa femme venait de mourir, et il avait fort à faire.

Marla les attendait à la porte, Matthew dans les bras, quand ils se garèrent dans l'allée.

— Vous arrivez juste à l'heure, dit-elle. Il est mort de faim.

Derek suivit Marla et son fils dans la cuisine.

— Tiens-le pendant que je prépare son petit déjeuner.

— Tu es sûre ?

Elle lui tendit le bébé. Derek le prit sous les bras, le cala contre sa poitrine, en mettant sa main droite dans le dos de l'enfant.

— Je sens son cœur battre.

— Eh bien, tant mieux, plaisanta Marla.

Matthew émettait de doux gargouillis.

— J'ai l'impression qu'il a poussé en quinze jours.

— Il grandit, c'est sûr. Vous êtes beaux, tous les deux ensemble.

Un téléphone portable se mit à sonner.

— C'est lequel ? demanda Marla.

Derek sentit le bourdonnement sur le haut de sa cuisse.

— Le mien, dit-il, mais je ne vois pas qui pourrait m'appeler si tôt. Tu peux le prendre ?

Il rendit Matthew à sa mère, puis sortit le téléphone de la poche de son jean.

— Tiens ? fit-il en lisant le nom sur l'écran.

— Qui est-ce ?

— Lydecker, dit Derek. Comme dans George Lydecker.

Le téléphone continuait à sonner dans sa main.

— Sauf que c'est sa ligne fixe, reprit-il. Pas son portable. Il n'utilise jamais son fixe.

— Qui est George Lydecker ?

— Un abruti.

Le téléphone sonnait toujours. Derek soupira, accepta l'appel.

— Allô !

Ce n'était pas George, mais une femme, et elle parlait suffisamment fort pour que Marla entende chacune de ses paroles.

— Vous êtes Derek ? demanda-t-elle. Derek Cutter ?

— C'est bien moi.

— Je suis Hillary Lydecker. La mère de George. Est-ce que George serait avec vous ?

— Quoi ? Non.

Pourquoi diable George serait-il avec lui d'aussi bon matin ? Mais ce n'était peut-être pas aussi invraisemblable que cela. George était connu pour avoir l'habitude de boire plus que de raison, comater chez un ami, puis retourner chez lui le lendemain matin.

351

— J'ai appelé tous les gens qu'il connaît. J'ai trouvé votre numéro sur une facture de portable. Je pense avoir appelé tout le monde ! dit la mère de George, qui était dans tous ses états. Vous êtes sûr qu'il n'est pas avec vous ?

— Je le saurais. Je ne l'ai pas vu depuis avant-hier soir.

— Nous sommes tous prêts à partir. Nous étions censés prendre un taxi pour l'aéroport il y a deux heures. Nous avons pensé qu'il faisait peut-être la fête, qu'il s'était endormi et qu'il ne s'était pas réveillé à temps pour rentrer à la maison. Nous avons raté notre avion. Nous allons devoir refaire toutes nos réservations.

— Quand l'avez-vous vu pour la dernière fois ? demanda Derek.

— Hier soir, nous avons dîné de bonne heure. Et puis il a dit qu'il sortait. Je lui ai rappelé qu'on prenait l'avion le lendemain matin. Il a promis qu'il serait rentré à temps. J'ai essayé son portable mais je n'arrive pas à le joindre et…

— Je suis sûr qu'il va refaire surface, dit Derek. Vous connaissez George. Je suis sûr qu'il va bien. Il s'est probablement passé ce que vous dites. Il est allé à une soirée, a forcé sur la dose et s'est endormi dans un canapé. Dommage pour votre vol, cependant. C'est vraiment emmerdant.

— J'espère juste qu'il n'a pas fait une grosse bêtise, dit Hillary Lydecker.

48

Ce n'était pas comme si Barry Duckworth s'attendait à ce qu'on lui serve quatre œufs brouillés, une demi-douzaine de tranches de bacon et un monceau de frites maison. Il avait rarement droit à pareil petit déjeuner à la maison. Pour cette sorte de festin, il devait se rendre dans un des merveilleux *diners* graillonneux de Promise Falls.

Mais un pamplemousse et une tranche de pain grillé ? Sérieusement ?

— Maureen, dit-il. Il faut qu'on parle.

Elle était assise en face de lui, en train de boire son café et de jeter un rapide coup d'œil aux infos sur sa tablette avant de partir pour son travail.

— Quel est le problème ? dit-elle. J'ai coupé le pamplemousse en deux, et j'ai même détaché les quartiers au couteau pour que tu ne t'aveugles pas en te projetant du jus dans l'œil. Je l'ai aussi saupoudré d'édulcorant pour qu'il ne soit pas amer. Je ne me voyais pas y mettre du sucre. Ça aurait été contre-productif, non ?

— C'est quoi, ce toast ? Ça ne ressemble pas à mon pain habituel.

— C'est du multicéréales, dit-elle sans lever les yeux de sa tablette. Il y a là un truc assez incroyable qui va t'intéresser.

— On dirait des graines pour les oiseaux collées à la croûte.

— Cela fera de toi un plus beau pinson, dit Maureen. (Elle le regarda.) Oh, mon Dieu, ne me dis pas que tu es en train d'enlever ces graines ?

— Je n'aime pas ça.

— J'ai beurré le pain pour toi. Pas beaucoup, mais c'est du vrai beurre. Je ne vais pas te demander de manger tes toasts sans rien. Mon Dieu, tu continues avec ces graines, on croirait que j'ai voulu t'empoisonner avec.

— J'aime mon pain habituel.

— Je n'en doute pas, dit Maureen. Vraiment, tu vas vouloir voir ça. À moins que tu ne sois déjà au courant.

— Au courant de quoi ?

— Le bus en flammes ? C'est passé sur la chaîne d'Albany. Quelqu'un a fait une vidéo avec son portable.

Duckworth lui fit un signe de la main. Maureen lui tendit l'iPad.

— Tu n'as qu'à appuyer sur la petite flèche, dit-elle.

— Je sais m'en servir.

Il tapota l'écran. Regarda le bus en flammes dévaler la rue, percuter quelques voitures, détruire la boutique d'un fleuriste.

— Nom de Dieu, dit-il, je t'ai acheté des fleurs dans ce magasin.

— Pas dernièrement, fit remarquer Maureen.

— Attends, comment je fais pour la repasser ?

— Appuie sur la petite flèche en forme de cercle…

— C'est bon. Attends. Je veux mettre sur « pause » juste… là.

L'image se figea. Il avait arrêté la vidéo au moment où le bus passait devant la personne qui filmait.

Où l'on apercevait l'arrière du bus.

Avec le numéro 23 en chiffres d'un mètre de haut sur autant de large.

— Regarde ça, dit-il en tournant la tablette.

— Oui, je vois.

— Tu vois le numéro à l'arrière.

— Oui. Il a recommencé ?

Il fixa à nouveau l'écran.

— Il nous envoie un message. Et je ne suis pas foutu de le déchiffrer. (Il secoua la tête d'un air désemparé.) J'ai le sentiment qu'on va droit vers quelque chose.

— Quel genre ?

— Je l'ignore. Mais…

Son téléphone portable se mit à sonner.

— Duckworth.

— Inspecteur, agent Gilchrist à l'appareil.

Gilchrist. *Ted* Gilchrist. La dernière fois que Duckworth l'avait vu, c'était au domicile des Gaynor, en train d'essayer de débrouiller la situation entre David Harwood, sa cousine Marla Pickens, et Bill Gaynor, peu après la découverte du corps de Rosemary Gaynor. Un bon flic.

— C'est à propos du bus ? Je viens d'apprendre la nouvelle.

— Non, boss. C'est autre chose. J'ai préféré vous prévenir directement, vu que c'est probablement vous qu'on va mettre sur le coup.

— Je vous écoute.

— J'étais en train de faire ma patrouille quand, en passant devant une maison, j'ai remarqué que la porte d'entrée était restée entrouverte. J'ai décidé d'aller m'assurer que tout allait bien. Arrivé à la porte, j'ai sonné, personne. J'ai pensé que quelqu'un avait peut-être filé au travail en oubliant de refermer la porte, mais quand j'ai jeté un coup d'œil à l'intérieur, j'ai compris que c'était autre chose.

— Qu'est-ce que c'était ?

— Il y avait le cadavre d'une femme dans l'escalier. La nuque brisée.

Les épaules de Duckworth s'affaissèrent sous le poids de cette nouvelle. *Il se passait trop de trucs bizarres dans cette ville.*

— L'adresse ? demanda-t-il à Gilchrist.

Barry Duckworth, penché au-dessus du corps de Miriam Chalmers, éprouva un douloureux sentiment de culpabilité.

Il aurait dû venir ici la veille au soir pour interroger cette femme.

À ce moment-là, il lui paraissait bien plus urgent de trouver Peter Blackmore, le mari de Georgina, la femme qui était morte dans la Jaguar à côté d'Adam Chalmers. Il fallait qu'il se déplace en personne pour lui annoncer la mauvaise nouvelle.

Des mauvaises nouvelles, il y en avait aussi pour Miriam Chalmers, mais quelqu'un lui avait déjà annoncé la mort de son mari, comme le prouvait le coup de fil passé à son frère alors que Duckworth s'apprêtait à montrer à ce dernier le corps de Georgina Blackmore.

C'est pourquoi l'inspecteur n'avait pas ressenti le besoin pressant de rendre visite à Miriam Chalmers. De plus, il était tellement claqué qu'il ne pensait qu'à rentrer se coucher.

Il se cherchait des excuses.

S'il était venu ici la veille, il aurait peut-être pu empêcher ça. Il serait peut-être arrivé pile au bon moment. Ou alors il aurait peut-être appris quelque chose qui l'aurait amené à penser que cette femme était en danger.

Il était trop tard pour ce genre de remords.

— Des signes d'effraction ? demanda Duckworth à Gilchrist, qui se tenait en haut de l'escalier conduisant au sous-sol.

— J'ai fait le tour de la maison, vérifié les fenêtres, les portes, et je n'ai rien vu, dit-il.

Duckworth étudia l'angle formé par le corps pour essayer de déterminer comment elle s'était retrouvée dans cette position, la tête en bas, les pieds cinq marches plus haut.

— Une chute ? conjectura Gilchrist.

— Je ne pense pas. Si elle était tombée en montant l'escalier, sa tête serait au-dessus des pieds. Si elle était tombée

356

en descendant, elle serait à plat ventre. Je dirais qu'elle montait l'escalier et qu'on l'a poussée, ou tirée en arrière.

— Oui, dit Gilchrist. Je vois ce que vous voulez dire.

Au sous-sol, Duckworth remarqua une pièce derrière lui dans laquelle une lumière était allumée. Elle était dépourvue de porte ; on y accédait apparemment par une bibliothèque coulissante.

Duckworth jeta un coup d'œil dans la pièce.

— Agent Gilchrist !

— Oui, inspecteur ?

— Vous avez vu ça ?

— Oui, monsieur.

— Et vous n'avez pas cru bon de m'en parler ?

— J'allais le faire, et puis j'ai préféré vous laisser la découvrir par vous-même. Pour l'impact. Et franchement, j'aurais été bien en peine de vous en donner une description. C'est le genre de chose qu'il faut voir par soi-même. Je vais refaire un tour là-haut.

Duckworth considéra les photos encadrées sur le mur. Le très grand lit, la moquette vintage à longs poils, le dessus-de-lit soyeux, qui avait été dérangé. Comme si quelqu'un s'était enveloppé dedans.

Vu le thème de la décoration, il se demanda aussitôt si Miriam Chalmers n'avait pas été agressée sexuellement. Il la regarda à nouveau, à trois bons mètres de distance. Il ne semblait pas qu'on ait touché à ses vêtements.

La légiste lui en dirait plus.

Il leva ensuite les yeux vers le haut des escaliers, où Gilchrist se tenait quelques instants plus tôt.

— Vous avez appelé Wanda ? cria-t-il vers l'étage.

— Ouais, répondit Gilchrist de quelque part dans la maison. Avant d'ajouter : J'ai trouvé quelque chose.

Duckworth ne bougea pas. Il n'avait pas envie de se frayer un chemin en contournant à nouveau le cadavre. Il attendit.

Gilchrist reparut, quelque chose de petit et de blanc à la main, à peu près de la taille d'une carte de visite.

C'était, effectivement, une carte de visite.

— Le nom me dit quelque chose, dit l'agent. Il n'y a pas eu un Cal Weaver chez nous ?

49

Cal

Lorsque Crystal Brighton, encore en pyjama, entra dans la cuisine, je jetai un coup d'œil en direction de sa mère. Je buvais une tasse de café et je pris brusquement conscience du spectacle que j'offrais : celui d'un inconnu, enfin, pas tout à fait inconnu, puisque Crystal et moi nous étions déjà rencontrés, assis à la table du petit déjeuner.

La petite fille ne me regardait pas, ni ne regardait sa mère, elle regardait seulement le bloc-notes qu'elle tenait de la main gauche. Elle avait un crayon dans la droite et griffonnait tout en marchant.

Elle écarta une chaise d'un coup de coude et s'assit.

— Crystal, dit Lucy, tu te rappelles M. Weaver ?

L'enfant leva les yeux de son dessin une demi-seconde, prit acte de ma présence, puis reprit son travail tandis que sa mère posait un verre de jus d'orange devant elle.

— Oui, dit-elle.

— Il y a eu un incendie la nuit dernière là où il habite, et comme les pompiers ne voulaient pas le laisser rentrer chez lui, je lui ai proposé de dormir dans la chambre d'amis.

Cela suscita son intérêt. Elle me regarda.

— Grand comment, l'incendie ?

— Mon appartement n'a pas été détruit, répondis-je, mais ça sent la fumée partout.

— Des gens ont été tués ?

— Non.

Lucy fit le tour de la table pour aller poser un bol de Cheerios devant Crystal.

— Sur quoi tu dessines ? demanda-t-elle.

— Du papier.

Lucy lui prit le porte-bloc des mains, enleva la feuille du dessus, la retourna et fit la grimace.

— Bon sang, Crystal, c'est la facture d'électricité.

— Seulement d'un côté, fit valoir la fillette. De l'autre côté, il n'y a rien.

— Combien de fois je t'ai dit de…

Lucy s'interrompit. Elle ne tenait peut-être pas à houspiller sa fille en ma présence.

— S'il te plaît, ne fais pas ça.

Crystal se retourna vers moi et demanda :

— Est-ce que le roman graphique que je vous ai donné a brûlé dans l'incendie ?

— Non, dis-je. Il est intact. Il est toujours dans ma voiture.

— Vous l'avez lu ?

— Pas encore. Mais je compte le faire bientôt. Quand je l'aurai lu, je te dirai ce que j'en pense.

Elle reporta son attention sur ses céréales, en fourra une cuillerée dans sa bouche et mastiqua.

— Tu ferais bien de te dépêcher, dit sa mère. Tu t'es levée tard.

— Je me suis réveillée pendant la nuit et je n'ai pas réussi à me rendormir.

— Eh bien, c'est dommage.

Je sentis qu'il était temps de prendre congé. Je finis mon café et me levai.

— Il faut que j'y aille. Je vais aller voir l'étendue des dégâts. Merci pour tout. Ça m'a fait plaisir de te voir, Crystal.

— Ne pars pas tout de suite, me dit Lucy. Laisse-moi préparer Crystal pour l'école.

Je n'aurais pas dû être surpris qu'elle veuille me parler en privé, étant donné que nous avions couché ensemble à peine quelques heures plus tôt. Je n'arrivais toujours pas à déterminer si cela avait été une bonne idée. Lucy me plaisait. Elle me plaisait beaucoup, même. Le moment que nous avions passé ensemble, bien qu'ayant débuté timidement, était rapidement devenu passionné, agressif même. Lucy avait pris les commandes, et j'avais été ravi de les lui céder. Après ce qu'elle avait enduré ces deux derniers jours, elle avait sans doute eu besoin de sentir qu'elle contrôlait au moins cet aspect de son existence.

— Bien sûr, dis-je en acquiesçant de la tête. Je peux attendre ici quelques minutes.

Mais il fallait vraiment que je passe à mon appartement. Il était très vraisemblable qu'il allait falloir me trouver un nouvel endroit où vivre, peut-être pas définitivement, mais au moins pour quelques semaines. Si l'immeuble était jugé dangereux, il me faudrait une autorisation rien que pour récupérer mes affaires.

Le peu que je possédais.

Je pensai à Celeste et à Wayne. Hors de question de m'incruster chez eux pendant ma recherche d'appartement. Je louerais une chambre dans un motel à la sortie de Promise Falls. Et je ne voulais pas m'installer chez Lucy. Je n'étais pas opposé à l'idée de la voir davantage, mais il était un peu tôt pour entamer une cohabitation. D'autant que cela pourrait heurter la sensibilité de Crystal, qu'un homme qu'elle connaissait à peine vienne habiter sous son toit.

— Allez, ma puce, lui dit sa mère. Tu vas être en retard.

Crystal enfourna une dernière cuillerée de Cheerios, puis retourna à l'étage en courant, son porte-bloc à la main.

— Je l'aime bien, dis-je.

Lucy m'adressa un sourire dubitatif, comme si elle ne savait pas si elle devait me croire. Elle suivit Crystal à l'étage. J'entendis une conversation étouffée – surtout du côté de Lucy – à propos du brossage des dents, des devoirs à rassembler, du déjeuner à ne pas oublier. Sans doute le sac en papier posé sur le comptoir de la cuisine. Quelques minutes plus tard, Crystal revint, saisit le sac sur le comptoir, se retourna, et courut vers la porte.

— Lisez mon truc, dit-elle en passant devant moi.

— Promis ! répondis-je au moment où Lucy revenait dans la cuisine.

— Mon lacet est défait ! cria Crystal depuis la porte d'entrée.

— Eh bien, refais-le !

On entendit des soupirs, des bruits de chaussures, puis le claquement de la porte.

— La voilà enfin partie, soupira Lucy.

Elle remplit un mug de café, s'adossa contre le plan de travail et but une gorgée.

— Je pense que j'aurais bien besoin de quelque chose de plus fort, ajouta-t-elle.

Je souris mais ne dis rien. Je pensais à quel point le tumulte d'un enfant dans une maison me manquait.

— J'ai aimé hier soir, dit-elle, puis elle fit la grimace. Enfin, je suis désolée pour l'incendie, bien sûr. Mais à part ça.

— Moi aussi, dis-je en me levant.

Je m'approchai d'elle, la pris par la taille, et l'attirai vers moi.

Lucy posa son mug, mit ses bras autour de mon cou et ses lèvres contre les miennes.

Les choses en restèrent là un moment. Cette fois, lorsqu'elle entreprit de défaire ma ceinture, elle se montra plus adroite. Et sa main s'aventura.

— Je ne travaille pas aujourd'hui, dit-elle tout bas. Je suis en congé pour événement familial. Mais je pourrai faire mon deuil plus tard.

Et je pouvais aussi remettre ma possible recherche d'appartement à plus tard.

Mon portable sonna.

— Laisse tomber, dit-elle, ses lèvres sur mon cou.

— Euh, hélas non, dis-je. Je dois répondre.

Je mis un peu d'espace entre nous, sortis mon téléphone de ma veste en tenant mon pantalon de l'autre main.

— Allô ?

— Cal, Barry Duckworth. Où es-tu ?

50

David Harwood était encore à moitié endormi, mais il avait entendu sonner son portable.

— Ouais ?

— On y va, on le fait, dit Randall Finley.

— Quoi ? On fait quoi ? Il est quelle heure, bon sang ?

— Il est, euh… presque 5 h 30. C'est le grand jour. Je vais annoncer ma candidature. Je suis prêt. Je vous ai dit que j'étais prêt à passer à l'action. Tout se met en place.

David rejeta les couvertures, posa les pieds par terre. Il changea son téléphone d'oreille.

— Randy, écoutez-moi. On n'est pas prêts. On n'a pas rédigé de programme. On n'a même pas de slogan. Vous devez attendre que tout ça soit en place avant de vous lancer.

— Je suis parfaitement prêt, déclara l'ancien maire. J'ai des tuyaux, de quoi nous mettre en train. On va sortir quelque chose qui va foutre un peu le bordel, et on travaillera sur le reste ces prochains jours.

— Quel genre de tuyaux ?

— Vous verrez.

— Randy, écoutez, vous ne pouvez pas me laisser dans le flou. Vous m'avez embauché pour diriger votre campagne, alors je ne peux pas me lancer comme ça, à l'aveuglette.

— Vous êtes... Ne vous faites donc pas de bile, on passe à l'action. Appelez les gens que vous avez l'habitude d'appeler. La télé, les journaux d'Albany, CNN, je m'en fous. Rameutez-les. Je compte sur vous pour faire jouer vos relations. Vous avez bossé dans les médias... vous savez comment ça marche. On fera ça à midi. Dans le parc près des chutes. Ça fera un joli arrière-plan, avec l'eau qui tombe.

— Si vous voulez que les gens fassent le déplacement, lui fit remarquer David, il faut que je leur promette quelque chose qui vaille la peine. Votre décision de vous présenter n'est pas suffisante.

Un silence à l'autre bout de la ligne.

— Très bien, dites-leur que je vais leur faire une révélation stupéfiante sur la façon dont les choses sont gérées dans cette ville. Une bombe. Et que c'est la raison pour laquelle je me présente. Pour remettre de l'ordre.

— Il m'en faut davantage, insista David. Quelque chose de précis.

— Je ne veux pas tout déballer maintenant, dit Finley. Ce serait comme de sortir une nana canon au restaurant et d'éjaculer dans votre pantalon avant le dessert.

David ferma les yeux un moment, se massa les tempes.

— J'aimerais mieux ne pas leur présenter les choses de cette manière.

— D'accord, alors dites-leur que cela concerne l'incompétence des services de police. Et la question de savoir si nos forces de l'ordre ont les outils nécessaires pour coincer le gugusse au numéro 23.

— Le quoi ?

— Bon sang, David, vous ne regardez pas les infos ?

— J'ai eu beaucoup de choses à faire hier.

Finley lui parla de la conférence de presse qu'avait donnée Barry Duckworth.

— C'est dingue, dit David. Absolument dingue.

— Je sais, s'exclama Finley, incapable de masquer son enthousiasme. Ça va exactement dans le sens de ce que je vais leur révéler.

— Qu'est-ce que vous me cachez ?

Ou plutôt, qu'avez-vous inventé ? songea David.

— Vous découvrirez ça en même temps que les journalistes. Mais c'est de l'or en barre. Du solide.

David poussa un soupir de défaite.

— Je vais passer quelques coups de fil, dit-il. Oh, encore une chose.

— Quoi donc ?

— J'aimerais parler avec Mme Finley.

— Pour quoi faire ?

— Les épouses participent toujours aux campagnes. Je veux lui parler de son rôle.

— C'est ma plus proche conseillère, dit Finley. C'est ça, son rôle. Vous n'avez pas besoin de lui parler.

Il raccrocha.

David posa le téléphone sur la table de nuit, resta un moment immobile la tête dans les mains, les coudes sur les genoux.

— Une mauvaise nouvelle ? demanda Samantha.

David se tourna, Samantha était allongée à côté de lui.

— Désolé si ça t'a réveillé.

— Ça ne fait rien. Je ne dormais plus. Je me disais qu'il fallait que j'aille chercher Carl. Que je le ramène ici, que je le prépare pour l'école.

Ethan avait invité Carl à dormir. Et David dormait chez Sam – quoiqu'ils n'aient pas dormi longtemps.

La veille au soir, à l'instant où Sam avait accepté le principe d'un dîner en tête à tête, lui avait affirmé qu'elle serait heureuse de sortir avec lui un de ces jours, David avait demandé : « Et pourquoi pas maintenant ? »

Sam ne s'était pas sentie en position de refuser. Après tout, cet homme avait arraché son fils à une tentative d'enlèvement et les enfants, qui s'entendaient à merveille, étaient sous la garde d'Arlene chez David.

Vers 23 heures, David avait jeté un coup d'œil à sa montre :

— Oh, merde.

— Mon Dieu, ça faisait des années que je n'avais pas veillé aussi tard, avait commenté Sam. Ramène-moi chez toi. Je récupère Carl et je rentre.

Mais quand il lui avait ouvert la portière, Sam s'était retournée, son visage avait effleuré le sien, et il l'avait embrassée. Avidement. Sam lui avait rendu la pareille. Le même genre d'élan de passion instantanée dont ils avaient fait l'expérience dans sa cuisine des semaines auparavant.

Le dos plaqué contre la voiture, elle avait soufflé : « Chez moi. »

David avait appelé sa mère.

— Où es-tu ? avait demandé Arlene, en chuchotant presque. Ethan devrait déjà être couché, mais ce n'est pas évident de le mettre au lit alors que Carl est toujours là.

— Invite Carl à dormir.

Il avait jeté un coup d'œil à Sam, qui avait opiné de la tête.

— À dormir ? avait dit Arlene. Il n'a apporté ni pyjama, ni brosse à dents, ni vêtements de rechange pour demain et…

— *Maman*, débrouille-toi.

Sa mère avait observé un moment de silence.

— Je vais voir ce que je peux faire. Je te verrai demain matin, à moins que tu ne partes pour le Mexique ?

— Merci, maman, avait-il conclu.

Et cinq minutes plus tard, ils étaient dans le lit de Samantha Worthington. La première fois avait été frénétique et précipitée. La seconde, une heure plus tard, plus lente et plus tendre. Ils s'étaient endormis tous les deux vers 2 heures du matin.

Le coup de fil de Randall Finley, trois heures et demie à peine plus tard, l'avait donc réveillé d'une manière on ne peut plus brutale.

David expliqua rapidement la situation à Sam.

— Finley. Je travaille pour lui. Il veut se faire réélire maire.

— Je ne le connais pas, avoua Sam, qui se redressa et s'appuya contre la tête de lit, sans recouvrir ses seins nus avec le drap.

— Il était maire avant que tu t'installes ici. Il a connu une chute très spectaculaire, provoquée, entre autres choses, par une histoire concernant une prostituée mineure. Il tente un come-back.

— On peut revenir sur le devant de la scène après ce genre de scandale ?

David réfléchit.

— Si quelqu'un en est capable, c'est bien Finley. Écoute, j'ai une tonne de coups de fil à passer. Ça ne te dérange pas que je saute sous la douche ?

Samantha sourit.

— Je te rejoins.

Quarante minutes plus tard, dont près de la moitié sous la douche, ils sortirent de la maison de Samantha.

— Tu sais ce qui pourrait être amusant ? demanda-t-elle.

— Plus amusant que ce qu'on vient de faire ?

— Je me disais… non, laisse tomber.

— Non, quoi ?

— Je vais trop vite. Tu vas me trouver lourde.

— Ça ne fait rien, dit David. Vas-y, dis-moi.

— C'est juste que, comme les garçons ont l'air de bien s'entendre, on pourrait peut-être faire quelque chose avec eux un de ces jours. Tous les quatre.

— Mais bien sûr. Excellente idée. Tu pensais à quoi ?

— Je ne sais pas. Un ciné, ou peut-être même… Tu as déjà campé ?

— Camper ? Sous la tente, tu veux dire ?

Elle sourit.

— Oui, sous une tente. Avec des sacs de couchage, des marshmallows carbonisés et des moustiques. La totale.

— Non, jamais. Tu amènes Carl camper ?

— On est allés deux fois au lac Luzerne. Dans un endroit qui s'appelle Camp Sunrise.

Et au même moment, le soleil fit son apparition.

— Oui, pourquoi pas, parlons-en, dit David. Ça pourrait être amusant.

— Comment on va expliquer ça aux garçons exactement ? demanda Sam.

— On n'a pas à s'expliquer, dit-il. On est adultes.

— Tu es en train de me dire qu'Ethan ne se posera pas de questions ? Carl, lui, ne s'en privera pas, c'est sûr.

— Ma mère aussi, dit David d'un air résigné.

Sam lui fit un grand sourire.

— Est-ce que je fais bien de fréquenter un homme qui vit toujours avec ses parents ?

— Je ne vis pas avec mes parents, ce sont eux qui vivent avec moi. Et plus pour très longtemps, j'espère.

Sam se pencha et l'embrassa sur la joue.

— C'était bien. Tu me plais. Mais je ne suis pas le genre de fille à attendre près du téléphone. Si tu appelles, super. Si tu n'appelles pas, je comprendrai le message. Je pourrai encaisser. Tu n'as pas à t'inquiéter pour moi.

David se tourna sur son siège pour la regarder.

— J'appellerai.

Le visage de Sam avait semblé près de se fissurer en mille morceaux.

— D'accord.

— Allons préparer nos petits gars pour l'école, dit-il, et il démarra.

Un demi-pâté de maisons plus loin, Ed Noble, dans la Cadillac de Garnet et Yolanda Worthington, les observait.

Ces deux-là, ensemble, songea-t-il. L'enculé qui lui avait cassé la gueule, et la salope de mère de Carl.

Il pourrait faire d'une pierre deux coups. Littéralement. Libérer Garnet et Yolanda de leurs soucis, et prendre sa revanche sur ce Harwood. Yolanda pourrait lui offrir ce que Garnet envisageait sérieusement de donner à Samantha pour la faire taire. Quelle idée débile. Bon, il ne palperait peut-être pas autant, mais ça ferait quand même un beau paquet.

Le gosse finirait par retourner chez les grands-parents, et tout serait au poil. Sauf qu'il devrait peut-être se planquer pendant plusieurs années. Mais, avec le fric, ça ne serait pas un problème. Ce n'était pas comme si sa famille allait lui manquer. Ses parents étaient morts, et il avait juste une sœur qui, aux dernières nouvelles, vivait dans la rue à Pittsburgh.

Il ne lui dirait pas qu'il avait touché cet argent. Elle aurait envie de troquer sa caisse d'emballage Frigidaire pour un carton Miele.

Cela avait été tout un drame la veille au soir, quand Yolanda avait poussé son mari à considérer son idée de supprimer Samantha. Garnet avait pété un câble. Il avait dit qu'ils avaient suffisamment d'ennuis comme ça. À quoi Yolanda avait répondu que puisqu'ils étaient déjà dans le pétrin jusqu'au cou, autant faire tapis.

Garnet était devenu écarlate. Ed avait vu le moment où il allait saisir Yolanda à la gorge et l'étrangler.

Alors il était intervenu. « OK, OK, n'en parlons plus », avait-il dit avant de faire un clin d'œil à Yolanda. Puis il lui avait demandé de le déposer à la gare routière, ou de l'accompagner jusqu'à Albany, où il pourrait attraper un train. Ils seraient débarrassés de lui une bonne fois pour toutes.

Une fois sur le parking, Yolanda lui avait confié les clés de la Cadillac.

— Faites ce que vous avez à faire. Quand ce sera fini, Garnet se fera une raison. Je vous paierai bien... Ne vous en faites pas pour ça.

Ed s'apprêtait à monter en voiture quand Yolanda l'avait retenu et avait plongé la main dans son sac pour y prendre quelque chose, qu'elle lui avait tendu.

Ed était allé se mettre en planque devant la maison de Samantha. Elle était arrivée chez elle vers minuit, en compagnie de ce Harwood. Comme, une demi-heure plus tard, ils n'avaient toujours pas repassé la porte, Ed en avait déduit que le type était en train de se faire astiquer, et ne ressortirait sans doute pas avant le lendemain. Alors il s'était garé dans la rue et s'était endormi. Quand il avait ouvert les yeux, la voiture de Harwood était toujours là. Une demi-heure plus tard, les deux tourtereaux étaient sortis.

Il allait les suivre, voir ce que ça donnerait. Attendre qu'une occasion se présente. Une chose était sûre : il n'allait pas les tamponner pour leur faire quitter la route. Garnet serait super énervé s'il rayait sa Caddy. Plusieurs options s'offraient à lui, grâce au petit quelque chose que Yolanda lui avait donné avant qu'il monte dans la voiture. Il tendit le bras pour s'assurer qu'il était toujours là.

Un pistolet. Un Ruger LCP. L'arme parfaite pour une femme ; léger, facile à transporter dans un sac à main de taille raisonnable. Son côté féminin ne dérangeait pas Ed, du moment qu'il faisait le job.

51

Cal

— Qu'est-ce qu'il y a ? demanda Lucy Brighton alors que je remettais le téléphone dans ma veste.

— Un vieil ami, inspecteur à Promise Falls. Il veut me voir.

— À quel sujet ?

— Je n'en sais rien.

Je reboutonnais mon pantalon, tout en me sentant un peu idiot.

— Il faut que tu partes tout de suite ?

Je fis oui de la tête. L'embrassai rapidement.

— Ça va si je t'appelle plus tard ?

— Oui, bien sûr. Je pensais avoir à m'occuper du reste de l'organisation des funérailles aujourd'hui, mais c'est à Miriam de le faire, tu ne crois pas ?

— Tu lui as parlé ? Depuis qu'on sait que ce n'est pas elle qui était dans la voiture avec ton père ?

Lucy secoua la tête.

— Je ne sais pas trop quoi lui dire.

— Elle ne t'a pas appelée ?

Nouveau non de la tête.

— Je lui téléphonerai. Quand tu seras parti.

— Très bien. À tout à l'heure.

Nous nous dirigeâmes vers la porte.

— Oh, non, soupira Lucy.

Elle regardait le sac contenant le déjeuner de Crystal. La fillette avait dû le poser quand elle avait refait son lacet, puis l'oublier.

— Je te jure, dit Lucy. Et avec tout ce que j'ai à faire aujourd'hui, je...

— Laisse-moi m'en occuper. Je le lui déposerai à l'heure du déjeuner.

— Je ne peux pas te...

— Ça ne me dérange pas, je t'assure.

Duckworth m'avait demandé de le retrouver au Kelly's, un *diner* du centre-ville. Je le trouvai attablé dans un box, devant une tasse de café, et une assiette sur laquelle, à en juger par les salissures rouges, s'était trouvée une part de tarte à la cerise.

Nous échangeâmes une poignée de main tandis que je me glissais en face de lui.

— Comment ça va, Barry ?

— Bien, bien, dit-il avant de montrer l'assiette du doigt avec une grimace contrite. Je n'ai pas eu le temps de petit déjeuner ce matin.

— Les tartes ont toujours été bonnes ici. Et on ne peut pas se tromper en prenant de la tarte au petit déjeuner.

— Maureen ne serait pas franchement du même avis.

— Comment va-t-elle ?

— Bien.

— Et Trevor ?

Barry Duckworth sourit.

— C'est gentil de te souvenir de lui. Ça va.

— Tu l'emmenais au travail de temps en temps, pour lui montrer la boutique. Mais c'était il y a longtemps. Je suppose qu'il doit faire un bon mètre de plus maintenant.

— Oh, oui. Et toi, alors ? Tu reviens t'installer ici ?

— Je suppose. Mais il se peut que j'aie à me trouver une nouvelle piaule. Je vis au-dessus de cette librairie qui a été touchée par un cocktail Molotov hier soir.

— Je ne suis même pas au courant. En revanche, je sais pour le bus.

— Quel bus ? demandai-je.

Nous échangeâmes nos informations respectives. Il me parla du numéro à l'arrière du bus. J'avais entendu parler de sa conférence de presse, sur cette étrange série d'événements qui paraissaient liés.

— Est-ce que ce qui s'est passé à la librairie pourrait avoir un rapport quelconque avec ces autres événements ? me demanda Barry.

Je réfléchis.

— Je n'ai remarqué aucune apparition de ton sinistre numéro 23. Rien de mystérieux dans mon histoire. Deux petites frappes qui voient en Naman le responsable de l'explosion au drive-in parce qu'il a un nom musulman, donc un nom de terroriste.

— Connards, s'indigna Duckworth. Enfin, bon, si je t'ai demandé de venir...

Barry sortit de sa poche une de mes cartes de visite et la posa sur la table.

— J'en ai déjà une, plaisantai-je.

— Devine où j'ai trouvé ça.

J'en avais donné quelques-unes depuis mon retour à Promise Falls. Tout récemment à l'ex-femme d'Adam Chalmers, Felicia, et une autre à Miriam, la veille au soir, quand elle m'avait surpris dans sa maison.

— Dis-le-moi. Ça nous ferait gagner du temps.

— Au domicile des Chalmers. Adam et Miriam Chalmers. Tu les connais ?

— Je n'ai jamais rencontré Adam. Miriam, si.

— Souvent ?

— Juste une fois.

— Ça s'est passé quand ?

— Bon sang, Barry, dis-moi juste ce qu'il y a.

Barry Duckworth but une gorgée de son café.

— Elle est morte hier soir. Il semblerait qu'on l'ait poussée dans l'escalier. Elle s'est brisé le cou.

On peut essayer d'être cool, de paraître blasé, mais là, j'étais vraiment déstabilisé.

— Quoi ?

Il me répéta l'histoire.

Je pris le temps de digérer la nouvelle.

— Et tu as trouvé ma carte là-bas.

— C'est bien ça.

Je pensai à Lucy, et me demandai si elle avait déjà essayé de joindre Miriam pour l'organisation des obsèques. Pourvu qu'elle n'aille pas la voir. D'un autre côté, si la maison était une scène de crime, elle ne pourrait pas s'en approcher. N'empêche, il fallait la prévenir. Elle serait aussi abasourdie que je venais de l'être.

— Je dois mettre quelqu'un au courant, dis-je à Barry. Immédiatement.

Je sortis mon téléphone et appelai Lucy.

— Cal ?

— Il est arrivé quelque chose.

— Quoi ?

— Tu as essayé d'appeler Miriam ?

— J'essaie de trouver le courage de le faire.

— C'est inutile. Miriam est morte.

Un silence de sidération.

— Tu es toujours là ?

Je m'étais débrouillé, jusqu'ici, pour éviter de prononcer le nom de Lucy devant Duckworth.

— Tu veux dire que c'est elle qui a été tuée au drive-in ? me répondit-elle quand elle retrouva sa voix. Ils avaient donc raison la première fois ? Mais tu l'as vue. Tu m'as dit que tu l'avais vue. Que tu lui avais parlé.

— C'est vrai. C'est arrivé plus tard.

— Mon Dieu, non.

Barry fit courir son doigt sur son assiette, rassemblant quelques miettes, un reste de garniture à la cerise, et le lécha.

— Cal, comment... ? Elle a été tuée ?

— Oui. Je vais devoir expliquer à la police ce que je faisais dans la maison.

— Tu leur parleras de cette pièce... ?

— Ils finiront par la trouver, si ce n'est pas déjà fait.

— Dis-leur tout ce que tu penses devoir leur dire.

— Je te rappelle plus tard. Quand j'en saurai davantage.

Mon café arriva au moment où je rangeais mon téléphone. Barry tapotait ma carte de visite. Un tempo lent et régulier.

— Je lui ai donné ma carte, dis-je.

— Quand ?

J'hésitai. Même si Lucy m'avait autorisé à tout dire à Barry, il était dans ma nature de garder certaines choses pour moi.

— Tu sais que je pourrais t'embarquer, dit Barry. Tu te trouvais manifestement dans cette maison, et tu as peut-être été la dernière personne à l'avoir vue vivante, ce qui pourrait faire de toi un suspect potentiel. (Il sourit.) Mais je t'aime bien. Alors dis-moi tout. Quand lui as-tu donné cette carte ?

— Hier soir.

Je lui précisai l'heure. Barry sortit son calepin et griffonna quelque chose.

— Pourquoi étais-tu allé la voir ?

— Ce n'était pas pour la voir.

Barry pencha la tête.

— Tu n'y allais pas pour voir son mari ?

— Non, répondis-je. Je savais qu'il était mort. Au drive-in. Je la croyais morte, elle aussi.

— Alors tu as fait un saut chez eux pour laisser ta carte au cas où l'un d'eux reviendrait à la vie ?

Je lui expliquai que j'étais déjà venu dans la maison. Que j'avais été engagé par la fille d'Adam, Lucy Brighton. Je lui en donnai la raison.

— Tu as trouvé la chambre ? demandai-je.

Barry resta impassible.

— On a trouvé *une* chambre.

— Ils appelaient ça la salle de jeux. Adam et Miriam étaient adeptes du *lifestyle*.

— Le *lifestyle* ?

À mon tour d'être celui qui sait.

— Le sexe à plusieurs couples. Il semblerait que quelqu'un se soit invité dans la maison et soit reparti avec plusieurs DVD. Des vidéos amateurs, apparemment. Juste après l'effondrement de l'écran, Lucy m'a demandé de les récupérer.

Barry hocha lentement la tête.

— Ce que tu as fait ?

— Non.

— Je te pensais doué pour ce genre de chose, s'étonna l'inspecteur de police.

Je me forçai à sourire.

— Ma cliente a sagement estimé, je pense, qu'il ne servait pas à grand-chose d'investir une fortune dans leur recherche. Je crois savoir où ces DVD ont fini et je ne pense pas qu'ils représentent une menace. D'après moi, ils ont été détruits.

— Détruits par quelqu'un qui apparaît dessus.

— C'est mon sentiment.

— Tu sais de qui il s'agit ?

Je haussai les épaules, bus un peu de café.

— J'ai ma petite idée. Mais je ne suis pas sûr que ce soit si important que ça.

— Avec la mort de Miriam, ça pourrait l'être.

— Effectivement.

— Tu vas me le dire ?

— J'y réfléchis.

— Je te paie le café si tu me donnes son nom. Tu sais ce que je gagne chaque mois et, donc, que c'est un geste très généreux de ma part.

— Je pense que le type qui chapeaute la sécurité à Thackeray pourrait être impliqué.

— Duncomb ?

— Tu le connais ?

— Nos chemins se sont croisés.

Il sembla se perdre dans ses pensées pendant un moment, puis il me dévisagea. Il se demandait s'il pouvait me faire confiance. Mais, en raison de notre passé commun – et les souvenirs du temps où nous bossions ensemble n'étaient pas trop mauvais –, il finirait probablement par admettre que je n'étais pas son suspect numéro un.

— Je peux avoir ton opinion sur quelque chose ? me demanda-t-il.

— Je t'écoute.

— Si ta femme avait disparu, est-ce que tu traînerais avec un ami en espérant son retour, est-ce que tu passerais le temps à regarder des films ? Parce que je pense que c'est ce qu'ils étaient en train de faire quand j'ai débarqué hier soir.

Je pris une autre gorgée de café.

— Je trouve ça peu vraisemblable. La disparue, c'est la femme de qui ?

— Du professeur. Peter Blackmore.

— Comment s'appelle-t-elle ?

— Georgina, dit Barry Duckworth.

— C'est cette femme qui a été tuée dans la voiture avec Adam ?

— Ouaip.

— Ils le savaient quand tu les as surpris à mater des films ?

— Ça m'étonnerait, dit Barry. C'est moi qui leur ai annoncé la nouvelle.

— Et tu penses qu'ils n'étaient pas en train de regarder un best of de Bruce Willis ?

— Je ne pense pas, non. Blackmore a caché les DVD pour que je ne les voie pas. Alors pourquoi mater du porno amateur au moment où tu es censé te demander ce qui est arrivé à ta femme ?

Je réfléchis à la question.

— Ça va te coûter plus cher qu'un café.

— Ça te dit, une part de tarte ? Je vais peut-être m'en prendre une autre.

— Ça me va.

Barry fit signe à la serveuse.

— Je vais vous prendre une part de tarte à la cerise, dis-je. Vous pouvez mettre de la chantilly dessus ?

— Bon sang, comme si je roulais sur l'or, dit Barry.

— Ça marche, dit la serveuse. Et pour vous ? demanda-t-elle à Barry.

— Vous en avez à la myrtille ?

— Oui.

— J'en prendrais un morceau.

Alors qu'elle s'éloignait, Barry ajouta :

— Maureen dit que je dois manger plus de fruits.

— Alors quelle était ta question ? demandai-je.

— Pourquoi rester là à mater du porno amateur alors que tu es censé t'inquiéter pour ta femme disparue ?

Je m'accordai un instant de réflexion.

— Parce qu'il y a quelque chose sur ces DVD qui t'inquiète encore plus ?

— Ouais, possible.

Pendant que Barry réfléchissait à cette hypothèse, une pensée me tournait dans la tête, mais je ne m'étais pas encore résolu à l'exprimer tout haut.

Je pensais à Felicia Chalmers assise dans sa voiture non loin de la maison d'Adam et Miriam avant que j'y passe la veille au soir. Avant que Miriam arrive. Avant que Miriam soit assassinée.

J'avais vu Felicia s'en aller.

Mais, à présent, je me demandais si elle n'y était pas retournée.

52

Clive Duncomb trouva Peter Blackmore dans son bureau vers 10 heures.

— Où étais-tu passé, bordel ?

Blackmore portait les mêmes vêtements que la veille. Il était assis devant son ordinateur et regardait la pièce d'un air absent. Il se tourna vers Duncomb, mais sans vraiment le voir.

— Je te cause, dit Duncomb. Après avoir parlé avec Miriam, j'avais de très bonnes nouvelles, mais tu avais disparu. Qu'est-ce que tu as foutu ?

Blackmore marmonna quelque chose.

— Quoi ?

— Je suis allé faire un tour. En voiture.

— Toute la nuit ?

— Je suppose. Je me suis baladé. On vit dans un pays libre, non ?

— Tu devais aller identifier Georgina. Tu l'as fait ?

Blackmore dévisagea Duncomb comme s'il s'exprimait dans une langue étrangère.

— Est-ce que j'ai fait quoi ?

— Est-ce que tu l'as identifiée ! Mais bordel, secoue-toi !

— Non, dit-il à voix basse. Je n'ai pas eu le courage.

— Il y a un certain nombre de choses que tu dois faire. Il faut que tu ailles voir les flics, que tu l'identifies. Ensuite ils l'enverront au funérarium. Et sa famille ? Tu as appelé quelqu'un de sa famille pour les prévenir ?

— Je te l'ai dit. Je roulais.

— Où es-tu allé ?

Blackmore battit plusieurs fois des paupières.

— Je ne me rappelle plus exactement.

— Qu'est-ce que tu fous ici, d'ailleurs ? Tu ne devrais pas être là.

— J'ai un cours, dit-il en remuant des papiers sur son bureau sans vraiment les regarder. Je crois.

— Rentre chez toi, dit Duncomb en faisant le tour du bureau. Tu es en vrac.

Puis, il s'approcha pour sentir son odeur.

— Bon sang, tu pues. Tu as bu ?

— Peut-être un peu, admit Blackmore.

— Tu ne peux pas rentrer chez toi en voiture. Je vais t'appeler un taxi.

— Je ne veux pas rentrer chez moi. Je n'aime pas être là-bas. Je n'arrête pas de me dire que Georgina va pousser la porte.

Duncomb saisit Blackmore sous les aisselles et le mit debout. Ce faisant, il aperçut les mains du professeur.

— C'est quoi, ça ?

— Hein ?

— Sur tes mains, c'est quoi ?

Blackmore examina ses paumes comme s'il ne les avait jamais vues.

— Je pense que c'est du sang.

— Qu'est-ce qui s'est passé ?

— Je suis tombé, dit-il d'une voix éteinte. À un moment je me suis garé. J'ai cru que j'allais vomir. Et j'ai vomi.

Il sourit, comme s'il était fier d'avoir pu prédire cet incident.

— Je me suis mis à quatre pattes. J'ai dû me couper les mains sur du gravier.

— Bon Dieu, il faut que tu sortes d'ici.

— C'est quoi, les bonnes nouvelles ?

— Hein ?

— Tu as dit que tu avais de bonnes nouvelles à m'annoncer.

— Je te le dirai plus tard, quand tu auras suffisamment dessoûlé pour être capable de te les rappeler.

— Non, dis-moi maintenant. J'ai besoin qu'on me remonte le moral. (Il se pencha vers Duncomb, comme s'il lui confiait un secret.) J'ai eu beaucoup de tragédies dans ma vie récemment.

— Les DVD, dit Duncomb. Celui qu'on cherchait en particulier, qu'on avait peur de ne pas retrouver ?

— Celui avec Olivia ? demanda Blackmore en élevant la voix.

— Moins fort, putain ! grinça Duncomb entre ses dents. Oui, celui avec Olivia.

— Eh bien, quoi ?

— Adam s'en était déjà débarrassé. Il a été détruit.

Les paupières de Blackmore papillonnèrent de nouveau comme s'il émergeait d'un profond sommeil.

— Qu'est-ce que tu as dit ?

— Il n'y a plus de vidéo d'Olivia Fisher. Ni des autres filles. Adam les a détruites. Il a gardé celles avec nous. C'est carrément gênant, si quelqu'un les a visionnées, mais au moins on ne risque pas de nous embarquer au poste pour interrogatoire dans le cadre d'une enquête pour meurtre.

— Miriam ne les avait pas, alors ? demanda le professeur.

— Non. Ils ont été détruits.

— Ah.

— Allez, Peter. Ça nous fait un souci de moins.

Blackmore se laissa choir sur sa chaise.

— Je suppose, dit-il.

— Tu supposes ? Allez, on est tirés d'affaire. Tout va bien à présent.

Blackmore pivota sur sa chaise et leva les yeux sur Duncomb.

— Non, Clive, tout ne va pas bien. On a... On a fait des trucs moches...

— C'est du passé, mon ami.

— Comment tu fais pour vivre avec elle ? demanda Blackmore.

— Quoi ? Qu'est-ce que tu racontes ?

— Liz. Comment tu fais ?

— Peter, ne t'aventure pas sur ce terrain.

— Elle a été avec combien d'hommes à ton avis ? Je veux dire, c'était une pute, non ?

— Je n'ai jamais utilisé ce terme. Elle dirigeait une affaire.

— Oui, un bordel. Comment fais-tu... ? Comment peux-tu vivre avec quelqu'un d'aussi... sale.

— Il faut que tu arrêtes de parler d'elle comme ça, Peter.

— Ce n'est pas ce que tu ressens ? Moi, je me sens sale. Les trucs que j'ai faits avec elle. Les trucs qu'on a faits les uns avec les autres. Parfois, la nuit, dans mon lit, j'ai l'impression de sentir des insectes grouiller sous ma peau.

Blackmore était la cible la plus facile que Duncomb ait jamais rencontrée. Assis là, juste en face de lui. Il le frappa d'un direct au visage. Ce qui les fit tomber, lui et sa chaise. Dans sa chute, il accrocha son clavier avec le bras et il le reçut sur la tête.

Duncomb écarta la chaise et se pencha au-dessus de Blackmore.

— Que je ne t'entende plus jamais parler de Liz de cette manière, tu as compris ? martela-t-il.

Blackmore porta les doigts à ses lèvres, regarda le sang, puis à nouveau Duncomb.

— C'est toi qui l'as fait ?

— Fait quoi ?

— Est-ce que c'est toi qui as tué Olivia ?

— Nom de Dieu, Peter, je te jure, si tu continues à déblatérer ce genre de conneries, je…

Duncomb brandit à nouveau le poing.

— Vas-y, frappe-moi encore, l'invita Blackmore. Ne te gêne pas. Je ne ferai rien pour t'en empêcher. Mais plus fort cette fois.

— Tu es bourré.

— Je n'ai jamais été aussi lucide. Frappe-moi encore !

— Parle moins fort !

— Vas-y ! Défonce-moi la gueule ! Je veux sentir quelque chose ! Allez !

Duncomb alla fermer la porte du bureau pendant que Blackmore essayait péniblement de se relever. Quand il put voir l'homme qui avait été son ami, il sourit.

Duncomb le regarda fixement.

— Je n'ai plus peur de toi. Et tu sais pourquoi ? Parce que je n'ai plus rien à perdre. Un homme qui n'a plus rien à perdre n'a aucune raison d'avoir peur.

Duncomb garda les yeux rivés sur Blackmore encore cinq secondes.

— Il faut que tu te ressaisisses, Peter. Occupe-toi de Georgina. Fais ce que tu as à faire. On n'a rien à craindre. On va s'en sortir.

— Ce n'est pas parce que ces DVD ont été détruits que ces choses n'ont pas eu lieu.

Duncomb pesa ses mots :

— Tu penses avoir dépassé le stade de la peur. Fais-moi confiance si je te dis que tu te trompes.

Il sortit du bureau, sans se donner la peine de refermer la porte.

— Je ne suis plus ta marionnette ! cria Blackmore dans son dos. Tu entends ça, Clive ? C'est fini !

Duncomb poursuivit son chemin.

53

Ed Noble suivit David Harwood et Samantha Worthington jusqu'à ce qu'il supposa être la maison de Harwood. La voiture de Samantha, celle dont il avait taillardé les pneus, était garée dans la rue.

Ils descendirent de voiture, Samantha Worthington portait un sac plastique.

Ed se gara en retrait, à cinq maisons de là. Il dut attendre pratiquement une demi-heure avant qu'il se passe à nouveau quelque chose : le couple finit par ressortir avec deux garçons. Ed reconnut Carl, ce petit con, mais l'autre gamin ne lui disait rien. Il supposa que c'était le chiard de Harwood.

Les garçons portaient des sacs à dos. Carl se tenait à côté de la voiture de sa mère ; l'autre garçon s'était positionné près de celle de Harwood. Mais avant de monter dans l'un ou l'autre des deux véhicules, les deux adultes discutèrent, face à face, presque front contre front.

Ed essaya de deviner ce qu'ils pouvaient se raconter.

Sam dit quelque chose aux gamins et ils sautèrent tous les deux à l'arrière de sa voiture. Mais elle lambinait. Elle et son copain de baise – *Comme s'il restait le moindre doute*, songea Ed – continuaient à blablater.

Puis ils échangèrent une rapide étreinte, et un baiser tout aussi furtif. Ils ne pouvaient décemment pas se mettre à copuler devant les gamins.

Chacun monta dans sa propre voiture.

À cet instant, Ed fut confronté à une alternative. Suivre Worthington, ou suivre Harwood ?

Bien entendu, si Yolanda avait été avec lui, la question ne se serait pas posée. Il devait suivre Samantha. C'était là que se trouvait l'argent. Yolanda ne lui refilerait pas un sou pour avoir buté Harwood. Elle n'en avait absolument rien à foutre de lui.

Mais, pour Ed, c'était une autre histoire. Il avait vraiment envie de tuer ce type. Tant qu'ils avaient été tous les deux ensemble, il pensait avoir une fenêtre de tir, sans jeu de mots, pour le faire. Il avait manqué sa chance.

Il pouvait attendre qu'ils soient à nouveau réunis. À voir leurs roucoulades, ce serait probablement plus tard dans la journée. Mais il n'avait pas beaucoup de temps pour faire le boulot. La police devait être en train de les rechercher, lui, Garnet et Yolanda. Il devait passer à l'action.

Il décida donc de suivre Samantha Worthington.

Harwood se dirigeait droit vers lui, si bien qu'il dut se recroqueviller sur son siège pour ne pas être repéré.

Lorsque la voiture de Harwood eut disparu, il se redressa et démarra. Il resta une bonne centaine de mètres derrière Sam.

Comme il s'y attendait, Sam avait pris la route de la Clinton Public School. Il resta prudemment en retrait, il ne voulait surtout pas se retrouver à nouveau coincé au milieu des mères en monospace, et risquer d'être reconnu.

De toute façon, il savait déjà où Sam irait ensuite. Autant la précéder.

Arrivé à la laverie automatique, il se gara un peu plus loin dans la rue.

Sans surprise, Sam apparut cinq minutes plus tard. Elle allait sans doute entrer par l'arrière. Dans cinq autres minutes environ, la laverie serait ouverte à la clientèle.

Tu entres et tu lui en colles une dans la tête, se dit Ed.

De la façon dont il voyait les choses, et dont Yolanda devait les imaginer, elle aussi, si la police n'arrivait pas à prouver qu'elle avait commandité le meurtre, les autorités n'auraient pas d'autre solution que de confier le gamin à ses grands-parents paternels. Et quand Brandon sortirait de prison, pour peu qu'il se tienne à carreau, il obtiendrait probablement la garde de son gosse.

Un garçon devrait être avec son père, raisonna Ed.

Un garçon avait besoin d'un homme pour lui apprendre la vie. Une mère, même une bonne mère, ne pouvait pas faire ça. Dans l'idéal, un enfant avait besoin de ses deux parents, un de chaque sexe – et pas ces conneries de couple homosexuel dont on parlait à tout bout de champ –, mais si un garçon devait n'en avoir qu'un, ce devrait être son père. Ed supposait que l'inverse était vrai pour une fille. Si elle devait être élevée par un seul parent, il valait mieux que ce soit par sa mère.

Ed Noble était plutôt conservateur pour ce qui touchait à ces questions.

Carl, dans quelques années, repenserait probablement à ce qu'il allait se passer aujourd'hui comme une bonne chose. Un véritable tournant dans son existence.

Il décida d'arriver par la porte de service. Entrer par la porte de devant ne s'était pas révélé une très bonne stratégie la dernière fois. Sam l'avait repéré sur le trottoir avant même qu'il ait passé la porte. Cela lui donnait trop de temps pour parer le coup à venir. Ou fuir. Et puis il y avait le risque que des clients soient en train de laver leur linge.

Comme cet abruti qui lui avait jeté de la lessive à la figure.

Ouais, c'était par l'arrière qu'il fallait passer.

Il tendit la main pour prendre l'arme sur le siège à côté de lui. Il était temps d'en finir.

54

Cal

Une fois ma tarte servie, je ne voyais aucune raison valable de cacher à Barry Duckworth que j'avais vu Felicia, l'ex-femme d'Adam, garée dans la rue des Chalmers.

— Putain, tu lui as parlé ?

Je lui rapportai notre bref échange.

— Si elle s'apprêtait à tuer Miriam, je ne pense pas qu'elle m'en aurait parlé, fis-je observer.

— Mais quand tu l'as vue, elle ne savait certainement pas que Miriam était encore en vie.

— C'est exact. Elle a dit qu'elle allait faire des démarches auprès de son avocat pour savoir si elle avait droit à une part de la succession d'Adam maintenant que Miriam était morte. (Je marquai une pause.) Si elle est revenue à la maison, elle a pu voir Miriam se garer dans l'allée. Juste avant qu'elle entre dans la maison et tombe sur moi.

— Ça a dû lui faire un sacré choc.

— Loin de moi l'idée de t'expliquer comment faire ton boulot, repris-je, mais tu devrais peut-être lui en toucher deux mots.

Je lui donnai son adresse.

Il sourit.

— Tu n'aurais pas dû arrêter.

Une allusion, supposai-je, au fait que j'avais quitté la police de Promise Falls pour partir vivre à Griffon, au nord de Buffalo, près de la frontière canadienne, et pris une licence de détective privé.

— Tu n'étais pas un mauvais flic.

Je n'avais pas eu vraiment le choix. J'avais failli tabasser à mort un homme qui avait fui après avoir provoqué un accident mortel. La scène avait été filmée par ma caméra embarquée. Le chef de l'époque avait fait disparaître la vidéo en échange de ma démission.

Quand je repensais à cette erreur de jugement, je me rendais compte à quel point elle avait été catastrophique. Si je n'avais pas agressé ce conducteur, je n'aurais pas perdu mon boulot, nous ne serions pas partis pour Griffon, et je n'aurais pas été entraîné dans cet affreux gâchis qui avait coûté la vie à ma femme et à mon fils.

J'avais perdu mon sang-froid pendant cinq secondes et ma vie avait basculé.

— J'étais un flic nul, dis-je. Un flic stupide.

— Pas stupide au point que je ne veuille pas te demander ton avis sur quelque chose. Quelque chose qui n'a rien à voir avec l'autre truc.

— Quoi ?

— Cette histoire de numéro 23.

— Oui ?

— Tu as des idées ? À part que c'était l'âge auquel tu pensais enfin perdre ta virginité.

Je secouai la tête.

— Le psaume 23 ?

— Bon sang, mais qu'est-ce que vous avez tous avec ce psaume 23 ? Si c'était ça, ce serait quoi, le message entre les lignes ?

Je finis ma tarte.

— C'est pour répondre à ces questions que tu te fais un paquet de fric. Merci pour la tarte, Barry. Il faut que j'aille voir si j'ai encore un toit sur la tête.

Un ruban jaune barrait la devanture calcinée de Naman's Books, ainsi que la porte ouvrant sur l'escalier de mon appartement. Je restai un moment sur le trottoir, à mesurer l'ampleur des dégâts. Naman était là avec une sorte d'homme à tout faire, en train de fixer des panneaux de contreplaqué à l'emplacement des fenêtres.

— Naman ! appelai-je.

Il se retourna, me vit. Pas l'esquisse d'un sourire, mais on pouvait difficilement le lui reprocher.

— Cal, dit-il en désignant le sinistre d'un geste du bras. Regardez. Non mais regardez-moi ça.

— Je suis désolé.

— C'est fini pour moi.

— Peut-être pas.

— On verra ça. La fille de l'assurance vient aujourd'hui. Elle m'a déjà dit que tous mes livres, parce qu'ils sont d'occasion, parce qu'ils sont vieux, ne valaient probablement rien. J'avais des milliers de dollars de livres, Cal. Des milliers. Et ils me disent qu'ils ne me donneront rien ? À quoi bon avoir une assurance ? Et presque aucun livre n'a brûlé. La plupart sont trempés. Bousillés par ces crétins de pompiers.

— Il fallait bien qu'ils éteignent l'incendie, rétorquai-je. Si les livres n'avaient pas été aspergés, ils auraient fini par brûler. L'immeuble est toujours debout. Il peut être réparé. Et, Naman, je sais que c'est peut-être difficile d'être sensible à cet argument, mais vous êtes sain et sauf. Les crétins qui ont fait ça auraient pu vous tuer.

Et me tuer.

Le regard qu'il me lança me fit l'effet d'un coup de poignard.

— Vous ne valez pas mieux que les autres. « Estimez-vous heureux. Ça aurait pu être pire. Ne faites pas de vagues. »

— Ce n'est pas ce que j'ai dit. Je suis juste content que vous soyez sain et sauf. Je vais vous donner un coup de main. Qu'est-ce que je peux faire ?

— Je n'ai pas besoin de votre aide, répliqua-t-il sur un ton cassant. Allez vous trouver un autre logement. C'est ce que vous allez faire, non ?

Je jetai un coup d'œil à la porte de mon appartement. Les pompiers y avaient apposé un autocollant m'interdisant d'entrer dans l'immeuble sans être escorté par un membre de la brigade.

— On se reparle plus tard, dis-je à Naman.

Je m'approchai de la porte, arrachai l'autocollant, et montai à mon appartement.

Il n'y avait apparemment aucun dégât, mais l'endroit empestait. Naman avait raison. Ce n'était plus vivable. Pendant un certain temps, voire définitivement. Il pouvait s'écouler des semaines, des mois même, avant que les réparations soient faites, le courant rétabli.

J'entrepris donc de faire mes bagages.

Je sortis deux valises de la penderie, et les remplis non pas avec des vêtements, mais avec des dossiers, des factures, un ordinateur portable et quelques livres.

Les photos encadrées de Donna et Scott sur ma commode. Peut-être les seuls objets de valeur dans la pièce.

Je possédais peu de chose. Quand j'avais vidé la maison de Griffon, et transporté mes affaires à Promise Falls, presque tout était parti au garde-meuble. De retour ici, je m'étais dit que j'aurais peut-être une maison un jour, mais j'avais eu tôt fait de me rendre compte que ce n'était pas pour tout de suite. Pourquoi aurais-je eu besoin d'une maison, de toute façon ? Même ce studio offrait plus d'espace qu'il ne m'en fallait. J'avais donc vendu mes meubles à un grossiste environ un an plus tard et m'étais débarrassé de mon box en location.

La perspective de partager un jour un espace avec une ou plusieurs personnes m'avait paru tellement éloignée que je ne voyais aucune raison de m'y accrocher.

Cette pensée me ramena à Lucy et à sa fille Crystal.

J'étais loin d'envisager quoi que ce soit de sérieux avec cette femme. Et pourtant, c'était la première, depuis que j'avais perdu Donna, avec laquelle je pouvais imaginer une vie commune. Peut-être étais-je grisé par la qualité de nos ébats. Très longtemps, j'avais douté de pouvoir m'autoriser à nouveau ce genre de plaisir. Cela m'aurait semblé mal, d'une certaine manière. Déloyal. La nuit précédente avait marqué une sorte de tournant. Elle m'avait permis, en quelque sorte, d'envisager un avenir qui ne soit pas simplement un deuil perpétuel.

Lucy me plaisait. Je savais que j'avais envie de la revoir.

Mais chaque chose en son temps.

J'ouvris un des tiroirs de la commode, en sortis des sous-vêtements et des chaussettes, les reniflai. L'odeur de fumée n'avait pas seulement envahi la pièce autour de moi. Elle imprégnait aussi les vêtements. Si elle avait pénétré à l'intérieur de la commode, j'étais sûr que toutes les affaires accrochées dans la penderie, dont deux ou trois costumes, devaient empester encore plus.

Il y avait un rouleau de sacs-poubelle dans le meuble sous l'évier de la cuisine. J'en pris trois et commençai à les remplir. Les costumes et les chemises habillés, je les déposerais au pressing. Je pourrais m'occuper du reste à la laverie automatique.

Il n'y avait rien à sauver dans le frigo puisque le courant était coupé depuis la veille. Je vidai le lait et la crème dans l'évier. Remplis un sac-poubelle avec à peu près tout le reste. Quant aux produits emballés qui se trouvaient dans le placard – céréales, sucre, beurre de cacahuète –, je n'avais pas envie de m'embêter avec ça pour l'instant, et je les laissai à leur place.

Il me fallut faire quatre allers-retours pour tout descendre jusqu'à la voiture. Je mis les affaires dont j'allais avoir besoin dans le coffre, les sacs de vêtements à l'arrière.

Je retournai à l'appartement une dernière fois pour récupérer l'arme que je gardais dans un coffre au-dessus de ma penderie. L'idée de laisser une arme à feu dans la voiture, même dans un coffre, ne me plaisait pas. On pouvait le voler et le forcer plus tard. Alors je sortis mon pistolet et le glissai dans un holster de ceinture. J'avais un permis, et elle serait en grande partie dissimulée par ma veste.

Il était temps de lever le camp.

Je déposai mes costumes et mes chemises au pressing, avant de prendre le chemin de la laverie.

— Salut ! dit Sam qui était en train de récupérer la monnaie dans les machines.

— Comment allez-vous ? demandai-je les bras alourdis par mes trois sacs.

Je lui présentai à nouveau mes excuses pour ne pas avoir pu arriver à l'école à temps la veille.

— N'empêche, si jamais vous vous retrouvez dans le pétrin, et que vous vouliez me redonner ma chance, n'hésitez pas à appeler, lui dis-je. Même si j'espère que vous ne vivrez plus jamais ce genre d'expérience.

— C'est gentil à vous.

— Ils ont coincé le type qui a fait ça ?

Elle posa son sac de monnaie sur un lave-linge. Les pièces produisirent un bruit sourd.

— Ils le cherchent. Et pas seulement lui, mes ex-beaux-parents aussi, qui l'ont probablement engagé pour enlever mon fils.

— Je crois comprendre pourquoi vous vouliez échapper à cette famille.

— Garnet, mon ex-beau-père, est presque un être humain respectable. *Presque*. Mais Yolanda, sa femme, je vous jure, il y a quelque chose qui ne va pas chez elle.

Elle est à moitié folle. Elle est réellement persuadée qu'elle peut enlever Carl, l'élever elle-même, sans que ça ait des répercussions judiciaires pour elle et psychologiques pour mon fils. Comme si les règles normales de la vie en société ne s'appliquaient pas à elle. C'est une femme dangereuse.

— Et maintenant, vous craignez pour votre sécurité ?

Sam hésita.

— Pas vraiment. À l'école, tout le monde sait qu'il faut faire attention. Je vais aller le chercher aujourd'hui et tous les jours pendant un moment, jusqu'à ce que la police les ait arrêtés. Et il faudrait qu'ils soient totalement malades pour tenter quelque chose après ce qui s'est passé hier.

— Espérons-le.

Elle examina mes sacs de linge.

— Quelles que soient les horreurs qui arrivent dans le monde, il faut bien laver son linge, pas vrai ?

J'acquiesçai de la tête.

— Heureusement que je suis votre seul client à cette heure. Il se peut que je monopolise toutes les machines.

— Pourquoi tout ce linge ?

Je lui racontai l'incendie.

— Mon Dieu, dit Sam, qui souleva le sac de pièces et enroula le cordon autour de son poignet. Cette ville est en train de se désintégrer ou quoi ?

Je n'avais pas pris la peine de trier les vêtements par couleurs avant de les fourrer dans les sacs-poubelle, et j'essayai d'y mettre un peu d'ordre.

— Rien n'a l'air d'être sale, constata Sam. (Elle prit un tee-shirt au hasard, le renifla, fit la grimace.) Ça sent juste la fumée.

— Ouais, dis-je en secouant la tête.

Elle sortit au moins une douzaine de pièces de vingt-cinq cents de sa bourse.

— Offerts par la maison.

— Ce n'est pas la peine, merci.

Sam leva les yeux au ciel.

— Vous m'avez aidée hier. C'est vraiment le moins que je puisse faire.

— Merci.

Pendant que Sam continuait à vider la monnaie des autres machines, je répartis mes vêtements dans une demi-douzaine d'entre elles, versai la lessive, insérai la monnaie. Je m'apprêtais à m'asseoir, pour commencer à chercher des appartements à louer à Promise Falls, quand je me rendis compte que je n'avais pas fermé ma voiture à clé.

— Flûte.

— Quoi ?

— J'ai laissé ma voiture ouverte.

Je sortis sur le trottoir, avec l'intention de verrouiller la voiture à distance, mais je remarquai que la vitre côté passager était à moitié baissée.

Tandis que je fermais la vitre, je vis la bande dessinée de Crystal sur le siège à côté de moi. Correction, son *roman graphique*.

Et son déjeuner.

Merde, me dis-je à moi-même. Je regardai ma montre. J'avais encore le temps de finir ma lessive avant que Crystal ne réclame son déjeuner. D'ici là, j'aurai peut-être aussi eu le temps de jeter un œil à son livre pour lui dire ce que j'en pensais.

Je pris les pages agrafées, et retournai à l'intérieur de la laverie. Sam n'était plus là. Je supposai qu'elle était dans le bureau du fond, dont la porte était fermée.

Je me laissai tomber sur une des chaises en plastique, déplaçant légèrement mon holster de ceinture pour qu'il ne me gêne pas, et posai le livre de Crystal sur mes genoux.

Sur la page de titre, ornée de grandes lettres en caractères gras, on lisait : *Des bruits dans la nuit*, par Crystal Brighton.

Elle avait passé toute la page au feutre noir, laissant uniquement les lettres en blanc.

Je soulevai la couverture, maintenue par une seule agrafe dans le coin supérieur gauche, en faisant attention de ne pas la déchirer. Le dessin de la première page montrait une petite fille dans son lit, tard le soir, le clair de lune filtrant par les rideaux de la fenêtre, les couvertures remontées jusqu'au nez. Les yeux de la fillette étaient ouverts, et elle avait l'air effrayée.

C'était très réussi. Crystal, aussi bizarre fût-elle, avait un véritable talent.

En jetant un coup d'œil aux pages suivantes, je remarquai que Crystal avait employé, pêle-mêle, toutes sortes de papiers. Il y avait beaucoup de feuilles d'imprimante standard, mais elle avait aussi utilisé ce qui lui tombait sous la main : le dos d'un prospectus vert pâle pour Cutter Landscaping, une feuille rose pour un service d'aide à domicile. Et, sans doute au grand dam de sa mère, elle avait dessiné au recto d'une page qui détaillait les projections d'inscriptions du conseil d'établissement de son école.

Je me demandai combien de temps Lucy avait pu passer à chercher ce document.

Néanmoins, le travail de Crystal était à l'évidence plus intéressant que cette question somme toute accessoire. Je poursuivis ma lecture : le personnage principal de cette histoire, qui, comme on pouvait s'y attendre, se prénommait Crystal, se glissait hors des couvertures et allait à la fenêtre. « Qui est-ce ? demandait-elle. Qui est là ? Que voulez-vous ? »

Un phylactère émergeait dans l'obscurité. « Nous t'attendons. »

« Qui êtes-vous ? répétait la Crystal de la bande dessinée. Que voulez-vous ? » La fillette descendait l'escalier en courant et sortait de la maison. « C'est toi, grand-père ? C'est toi ? »

« Viens dans les bois, disait la voix. Viens dans les bois, et tu le sauras. »

Je levai les yeux une seconde, remarquai que le voyant s'était éteint sur une de mes machines. Sans lâcher le livre, je me levai de mon siège.

J'ouvris le couvercle : mes vêtements baignaient dans l'eau. J'appuyai de nouveau sur le bouton de démarrage, sans résultat. Peut-être fallait-il refermer la machine pour qu'elle redémarre. Je laissai retomber le couvercle, appuyai sur le bouton.

Rien.

— Sam ? appelai-je en jetant un coup d'œil vers la porte du bureau. Je crois qu'une machine vient de rendre l'âme !

J'attendis que la porte s'ouvre, ou qu'elle me réponde de l'intérieur du bureau, mais il ne se passa ni l'un ni l'autre.

— Sam ! appelai-je à nouveau.

Sans doute était-elle au téléphone.

55

Le triangle Chalmers-Duncomb-Blackmore commençait à prendre une certaine consistance dans l'esprit de Barry Duckworth. Les trois couples avaient été amis. Georgina Blackmore se trouvait dans la voiture d'Adam Chalmers quand l'écran s'était effondré. Tous les six s'adonnaient à des pratiques échangistes.

Il y avait cette *pièce*.

Et, d'après Cal Weaver, on y avait stocké des vidéos à caractère sexuel, que quelqu'un avait précipitamment subtilisées après que la nouvelle de la mort d'Adam et de Miriam avait été connue.

Sauf que Miriam n'avait pas été tuée.

Pas à ce moment-là.

Elle avait été assassinée quand elle était retournée chez elle et après que Duckworth avait annoncé à Duncomb et Blackmore, en pleine séance de visionnage de DVD à ce moment-là, qu'elle était encore en vie.

Pas la peine d'être Sherlock Holmes pour en déduire que tous ces éléments étaient liés.

Duncomb, conclut Duckworth, était un salaud au cuir épais. Mais pas le professeur. C'était lui, le maillon faible. Duckworth était persuadé que s'il pouvait s'enfermer en tête à tête avec cet homme dans une salle d'interrogatoire, il parlerait. S'il n'avouait pas lui-même avoir commis le meurtre de Miriam Chalmers, il aiguillerait Duckworth dans la bonne direction.

Et il y avait l'ex-femme, Felicia. Elle était dans sa voiture garée dans la rue des Chalmers peu avant que Miriam refasse surface.

On parlait de troupeau pour les oies. De harde pour les cerfs. De meute pour les loups. Mais quand des suspects se trouvaient en si grand nombre dans une seule affaire, songea l'inspecteur, il n'y avait pas de mot correspondant. Si le nom n'avait pas été déjà pris pour les vipères, il aurait bien dit un *nœud* de suspects.

Il se présenta devant l'immeuble de Felicia Chalmers et appuya sur le bouton de l'interphone. Comme personne ne répondait, il sonna chez le gardien. Un homme brun, de petite taille, portant une chemise à carreaux aux manches relevées finit par se manifester. Après que Duckworth eut montré son insigne, l'homme répondit à ses questions.

— Je crois qu'elle travaille aujourd'hui, dit-il à Duckworth. On est mardi, non ? Elle prend son dimanche et son lundi. Si vous pensez qu'elle a quelque chose à se reprocher, moi, ça m'étonnerait. C'est quelqu'un de bien. Elle ne me fait jamais d'histoires.

— Vous savez où elle travaille ?

— Nissan.

— Quoi ?

— La concession Nissan, dit-il. Elle vend des voitures.

Duckworth se mit en route pour Promise Falls Nissan. Dans le showroom, les voitures neuves étincelaient sous la lumière artificielle. Il avait à peine fait trois pas dans la salle qu'il se faisait alpaguer par un jeune homme trop empressé dans un costume bleu.

— Qu'est-ce que je peux faire pour vous aujourd'hui ? demanda-t-il en exhibant un sourire d'animateur de jeu télévisé.

— Je cherche Felicia Chalmers.

— Vous êtes sûr ? Parce que si vous cherchez une nouveauté, je peux certainement vous renseigner.

— Non, c'est Mme Chalmers que je veux voir.

Sa figure s'allongea. Il se tourna vers une femme assise derrière le bureau de l'accueil.

— Tu peux aider ce monsieur à trouver Felicia ?

Il s'éloigna, dépité. La femme décrocha son téléphone et sa voix se fit immédiatement entendre dans tout le bâtiment.

— Felicia est demandée à l'accueil.

Quelques secondes plus tard, Felicia Chalmers se portait à ma rencontre. Elle avait appris à sourire dans le même centre de formation que son jeune collègue.

— Vous me cherchiez ? dit-elle en tendant la main.

— Barry Duckworth. Serait-il possible de vous parler ?

— Bien sûr ! Suivez-moi dans mon bureau.

Ce n'était qu'un cubicule formé par trois cloisons tapissées de tissu gris. Felicia se glissa derrière le bureau et invita Duckworth à prendre une chaise.

— Alors, vous êtes à la recherche d'une nouvelle voiture ? demanda-t-elle.

— Je crains que non.

— Oh. Eh bien, si vous cherchez un modèle d'occasion, je peux vous mettre en relation avec Gary, mais les conditions de crédit sont tellement raisonnables qu'il n'est pas difficile de se payer une voiture neuve sans se soucier...

— Je suis de la police de Promise Falls.

Il lui montra brièvement son insigne.

— Je suis inspecteur.

— Oh, je vois. Si c'est au sujet de la voiture qui a disparu, vous devriez en parler au directeur.

— Une voiture disparue ?

— Cela remonte à plusieurs semaines. Quelqu'un a sorti une Xterra pour un essai et n'est jamais revenu. Il nous avait montré un permis, mais il était bidon.

— Ce n'est pas la raison de ma visite.

— Ah, bien.

— Je veux savoir pourquoi vous étiez garée devant la maison de votre ex-mari hier soir ?

Elle n'aurait pas eu l'air plus sidérée si je m'étais levé et que j'avais baissé mon patalon.

— Je vous demande pardon ?

— Hier soir. On vous a vue dans votre voiture à proximité du domicile d'Adam et de Miriam Chalmers. J'aimerais vous questionner à ce sujet.

— Euh, j'étais juste assise là, c'est tout.

— Pourquoi ?

— Eh bien… vous savez, il est mort.

— Oui, je suis au courant.

— Et j'imagine que je me sentais… Je ne sais pas… Un peu triste. En repensant à notre vie commune. Je roulais et je suis passée devant la maison où lui et moi avions vécu. Il y a une loi contre ça ? Ça a été un moment plutôt pénible pour moi.

— Et pourtant vous êtes au travail deux jours après seulement.

— Qu'est-ce que je suis censée faire ? Rester chez moi à broyer du noir ? Écoutez, Adam était un type bien, et ce qui est arrivé me rend malade, mais il faut aller de l'avant, vous comprenez ?

— À quelle heure êtes-vous arrivée là-bas ? Hier soir.

— Je ne le sais même pas. Peut-être 20 ou 21 heures ? Peut-être un peu plus tard ?

— Êtes-vous descendue de voiture ? Êtes-vous allée jusqu'à la maison ? Avez-vous sonné à la porte ?

— Non.

— À quelle heure êtes-vous partie ?

Felicia réfléchit.

— Cet homme est arrivé… un détective privé. Il était passé me voir hier matin. Weaver ? On a échangé deux

mots, et ensuite je suis partie… Attendez, quand vous dites
« On vous a vue », c'est lui ?

— Vous n'y êtes pas retournée ?

— Pourquoi toutes ces questions ? Qu'est-ce que ça peut
faire que j'y sois retournée ou pas ?

Comme le policier restait muet, elle ajouta :

— Écoutez, je vais être franche avec vous.

Il se redressa sur sa chaise.

— Je vous écoute.

— Quand j'ai dit à mon avocat que je pensais pouvoir
prétendre à quelque chose sur la succession, en tant que
dernière ex-femme survivante d'Adam, il m'a répondu que
tout irait à sa fille, mais il doit bien y avoir une faille quelque
part, non ? Je veux dire, nous étions toujours en contact.
Je lui apportais un soutien affectif. Alors je faisais le tour
du quartier, pour voir s'il n'y avait pas de maison en vente.
Ensuite, je comptais regarder leurs prix sur Internet. Je ne
sais pas ce qu'Adam a pu laisser. En termes de succession,
vous comprenez ? C'était un genre de panier percé. Mais
juste au cas où, je voulais…

Duckworth se pencha en avant.

— Vous n'avez pas vu Miriam Chalmers arriver chez elle
hier soir ? Vous étiez déjà partie à ce moment-là ?

Felicia ouvrit la bouche, mais il lui fallut quelques
secondes pour trouver ses mots. Il n'y en eut qu'un, en fait :

— Quoi ?!

— Hier soir, avez-vous vu Miriam Chalmers rentrer chez
elle ?

— Mais qu'est-ce que vous racontez ? Miriam est morte.
Elle est morte dans l'accident avec Adam.

— Miriam n'a pas été tuée dans l'explosion du drive-in.

— Oh, non, dit Felicia.

— Oh, non ?

Elle tenta de se rattraper.

— Je veux dire, wouah. J'ignorais totalement qu'elle était encore en vie. Mais personne n'a été tué dans la voiture avec Adam ? Ils ont dit que quelqu'un était avec lui.

— Quelqu'un, oui. Mais ce n'était pas Miriam.

— Qui était-ce alors ?

— Vous connaissez une certaine Georgina Blackmore ? Felicia secoua la tête.

— Georgina ? Adam m'a peut-être parlé d'elle, mais... Nom de Dieu. Ça change tout. Je vais devoir appeler mon avocat, lui dire... Je n'y crois pas.

Elle s'éclaircit la voix, remua des brochures sur son bureau, leva la tête : une actrice se préparant à changer de rôle.

— Eh bien, je suis de tout cœur avec Miriam. Quelle terrible tragédie pour elle. Mais au moins, elle n'a rien. Je ne suis donc peut-être pas la seule femme survivante d'Adam finalement. Et c'est très bien. Je n'avais sans doute droit à rien de toute façon. Mais il ne s'agit pas de moi.

Elle fit mine de décrocher le téléphone sur son bureau, puis retira sa main.

— Je ne comprends pas pourquoi vous me posez toutes ces questions, alors. Qu'est-ce que ça peut faire l'endroit où j'étais garée ou ce que je faisais hier soir ?

— Avez-vous vu quelqu'un d'autre, à part M. Weaver, hier soir, autour du domicile des Chalmers ?

— Non. Personne. Que se passe-t-il ?

— Vous êtes toujours la dernière épouse survivante d'Adam, lui annonça Duckworth. Je n'annulerais pas tout de suite ma démarche auprès de mon avocat si j'étais vous. Tout n'est peut-être pas encore totalement perdu.

56

Pour un peu, David Harwood aurait été fier de lui.

Deux camionnettes de télévision avaient fait le déplacement depuis Albany, chacune avec son propre cameraman et son envoyé spécial, ainsi que des journalistes du *Times Union* et de WGY, la radio de débats et d'opinion. Les véhicules étaient alignés dans la rue à proximité du parc de Promise Falls, les chutes d'eau offrant une toile de fond parfaite à la conférence de presse.

Bon, d'accord, CNN n'était peut-être pas venu. Matt Lauer n'avait pas fait le voyage depuis le Rockefeller Center pour faire un duplex avec New York. Mais David pouvait s'estimer satisfait. Il avait passé quelques coups de fil à la hâte à des gens qui travaillaient dans les deux chaînes de télévision, au journal et à WGY. Il avait contacté d'autres organes de presse, mais ces derniers avaient décliné l'invitation. Néanmoins, ce n'était pas si mal. Avoir deux chaînes de télévision sur place était assurément un plus.

Il informa les journalistes que l'ancien maire avait deux annonces à faire. La première, il n'en faisait pas grand mystère : il allait se porter de nouveau candidat à la mairie de Promise Falls ; pour la seconde, il leur demandait un peu de patience car M. Finley tenait absolument à la dévoiler lui-même. Mais ils ne regretteraient pas d'être venus.

David s'excusa et alla rejoindre Finley qui se tenait recro-quevillé derrière le volant de sa voiture. David monta côté passager.

— C'est bon, on est parés, dit-il.

— C'est tout ce que vous avez pu réunir ?

— Vous plaisantez ? Je n'en espérais pas tant. Surtout dans des délais si courts. C'est vous qui avez impérativement tenu à faire connaître votre décision aujourd'hui.

— Vous avez appelé Anderson Cooper ?

— Vous êtes sérieux ?

— Je suis un sujet de reportage intéressant, David. Tout le monde adore les histoires de come-back.

— Si vous étiez Richard Nixon ressuscité d'entre les morts, vous auriez *peut-être* fait venir Anderson Cooper jusqu'ici. Mais ce n'est pas le cas. Il y a du monde. On a deux télés d'Albany. Je n'y croyais pas. C'est bien, Randy. Croyez-moi sur parole.

— Si vous le dites.

— Et avant que vous n'alliez les retrouver, il y a quelque chose que je voudrais mettre au clair avec vous.

— Quoi donc ?

— Ne me refaites jamais le coup d'hier.

Le visage de Finley était un masque d'innocence.

— Qu'est-ce que vous me chantez ?

— Parler de ma femme, de ce que mon fils ignore à son sujet. Insinuer que vous pourriez combler ses lacunes.

— Je faisais juste la conversation.

— Je lui ai parlé hier soir. En fait, il n'y avait pas grand-chose à révéler. Il avait déjà tout découvert sur Internet. Il n'y a plus de secrets qui tiennent à l'ère de Google. Alors, je vous avertis, n'imaginez pas que vous ayez une quelconque prise sur moi. Vous n'obtiendrez rien de moi en me faisant chanter. C'est bien compris ?

Finley hocha lentement la tête.

— David, vous vous méprenez totalement sur mon compte. Je...

— Gardez votre salive pour la presse, dit David en indiquant le parterre de journalistes d'un mouvement de tête. Alors, on y va ?

— On y va, répondit Finley en tirant la poignée de la portière.

Finley s'approcha de la petite meute en souriant, et David se rendit alors compte de l'énorme erreur qu'il avait commise.

L'ancien maire se présentait seul devant les caméras.

Où étaient ses soutiens ? Où étaient les membres de la famille, proche et moins proche, de Randall Finley ? Où étaient les habitants ordinaires de Promise Falls qui voulaient voir leur ville se redresser ? Pourquoi David n'avait-il pas réuni des gens qui avaient perdu leur boulot à cause de la fermeture de Five Mountains ? Aurait-il été si difficile de trouver quelques anciens collègues restés sur le carreau après la faillite du *Standard* ?

Merde, merde et re-merde.

Non, mais, minute ! Il y avait encore largement le temps pour ça. Ce n'était pas la première ni la dernière conférence de presse de Finley. Il y en aurait beaucoup d'autres. Et s'il avait convoqué les médias ce jour-là, c'était pour la bombe qu'allait lâcher Finley. Inutile de brouiller le message.

Quel qu'il fût.

Il n'avait pas réussi à soutirer la moindre info à Finley au sujet de la seconde annonce. Celui-ci avait même refusé que David lui écrive quelques phrases de lancement sur le papier. Il allait improviser, et n'avait, selon lui, pas besoin d'un discours préparé. Pas besoin de notes. Un véritable homme politique, avait-il dit à David, parle avec son cœur, pas en lisant un putain de prompteur.

Cette approche était risquée, mais David décida d'être optimiste. Peut-être que tout se passerait comme sur des roulettes.

— Merci à tous d'être venus, dit Finley, se positionnant dos aux chutes, mais pas trop près, de façon à ce que leur bruit ne couvre pas ce qu'il avait à dire. Tout le monde est prêt ?

Les deux hommes équipés de caméras vidéo se rapprochèrent. Les journalistes du *Times Union* et de la station de radio tendirent leurs micros.

— Vous me connaissez, commença-t-il. Je suis Randall Finley, et, aujourd'hui, j'aimerais vous parler avec sincérité de quelque chose qui me tient particulièrement à cœur. De cette ville, la ville de Promise Falls, et de ses habitants.

J'aurais dû ameuter une foule, songea David. *Je suis un amateur à ce jeu.*

— Regardez ce qu'elle est devenue depuis que je ne suis plus maire. Un parc d'attractions censé nous apporter des emplois a mis la clé sous la porte. La société qui devait faire construire une prison privée ici a renoncé à son projet. Des entreprises, grandes et petites, sont parties. La ville réduit même l'entretien de base et la modernisation de ses infrastructures.

Finley ménagea une pause dramatique.

— Si seulement nos problèmes n'étaient qu'économiques, peut-être trouverions-nous une issue, mais ce n'est pas le cas, mes amis. Notre ville vit dans la terreur. Dans notre ville, les gens ont peur de laisser leurs portes ouvertes, même quand ils sont chez eux, en pleine journée. Il y a, et j'imagine que je vais en faire ricaner quelques-uns, il y a quelque chose de malfaisant dans cette ville. Quelque chose de très, très inquiétant.

« La semaine dernière encore, j'ai été témoin d'un massacre rituel d'animaux. Des messages menaçants ont été griffonnés sur des mannequins sur la grande roue de Five

Mountains. La nuit dernière, un bus en flammes a dévalé une des artères principales de la ville. Et le pire de tout, c'est sans nul doute ce fou qui a posé une bombe dans notre cinéma en plein air, tuant quatre personnes. Un acte terroriste qui a bouleversé non seulement cette ville, mais le pays tout entier. Et nous savons maintenant que ces événements sont tous liés. C'est ce que les services de police ont reconnu hier. Mais ont-ils trouvé des suspects ? Ont-ils la moindre piste ? Si c'est le cas, ils se gardent bien de nous le dire. Ils préfèrent nous maintenir dans un état de malaise permanent.

David entendit une voiture se ranger le long du trottoir. Il tendit le cou, aperçut le conducteur qui observait la scène assis au volant. C'était l'inspecteur Barry Duckworth.

— Incroyable, continua Finley. Comment de telles choses peuvent-elles se produire ici ? Tout indique que l'explosion du Constellation était un acte terroriste. Et quelle a été la réaction de la police ? On peut faire sauter des bombes chez nous en toute impunité ? Qu'est-ce que ce sera demain ? Je répète : qu'est-ce que ce sera demain ?!

Duckworth était descendu de sa voiture et traversait le parc à pas mesurés, attentif au discours de Finley.

— Mais ce mal qui a infesté notre ville ne s'est pas uniquement manifesté ces deux dernières semaines. Il couve depuis trois ans. Depuis trois ans au moins. Il a commencé ici, précisément à l'endroit où nous sommes.

Une autre pause. Duckworth s'était posté derrière les caméras, bras croisés, attentif.

— C'est ici qu'une jeune femme du nom d'Olivia Fisher a été sauvagement assassinée. Vous vous rappelez tous cette triste nuit, je le sais. Ce fut un crime monstrueux, et trois années ont passé sans qu'il y ait la moindre arrestation. Vous vous dites peut-être que l'affaire a été classée. Et vous pensez peut-être à cette affaire récente, le meurtre de Rosemary Gaynor. La police voudrait vous faire croire que son médecin l'a tuée pour couvrir une adoption illégale. Mais ce que la police vous cache, c'est que les meurtres de Rosemary Gaynor et d'Olivia Fisher présentent des similitudes stupéfiantes, et qu'il est tout à fait invraisemblable que le médecin ait pu commettre les deux. Ce qui signifie qu'il y a un tueur dans la nature. Un tueur sadique qui attend de pouvoir frapper à nouveau. Et il se peut très bien que la même personne se soit lancée dans une campagne de terreur contre cette ville. Monsieur 23, comme on l'appelle.

Duckworth décroisa les bras.

— Mais le plus grave, poursuivit Finley en élevant la voix, c'est que la police de Promise Falls a tardé à faire le lien entre ces deux crimes. Elle a perdu un temps précieux à rassembler les pièces du puzzle. Et on peut imputer cet état de fait directement au chef de la police.

Duckworth repéra David, se rapprocha de lui et le saisit par le bras.

— C'est quoi ce cirque ?

— Il se présente à la mairie, répondit David tout bas.

— C'est quoi ces conneries au sujet d'Olivia Fisher et de Rosemary Gaynor ? Où veut-il en venir ?

David dégagea son bras.

— Il a ses sources.

Finley continua.

— Exactement. Je parle ici de Rhonda Finderman. Qui a été l'enquêtrice principale sur l'affaire Olivia Fisher. Mais elle est tellement accaparée par des inepties bureaucratiques, tellement absorbée par les avantages et les privilèges de sa position, qu'elle a relâché son attention. Elle n'a pas vu que l'affaire Gaynor était la copie conforme du meurtre Fisher, et qui sait jusqu'à quel point cela a été préjudiciable à l'enquête ?

Duckworth agrippa de nouveau David.

— Il ne peut pas dire ça.

— Trop tard.

— Est-ce qu'il a prévenu Finderman avant de tout balancer devant les caméras ?

— J'imagine qu'elle va en entendre parler.

— Et où est notre *mairesse*, Amanda Croydon, dans tout ça ? poursuivit Finley. Où est la supervision ? Est-ce que quelqu'un est au courant de ce qui se passe ? Est-ce que notre maire actuel en a la moindre idée ? J'aimerais croire qu'elle se désintéresse de la façon dont les services de police sont gérés parce qu'elle est trop occupée à attirer de nouveaux emplois à Promise Falls. (Il sourit.) Si seulement.

Finley attendit une fraction de seconde, prit une inspiration.

— C'est pour cette raison que je reviens. C'est pour cette raison que, aujourd'hui, je me déclare candidat à l'élection municipale de Promise Falls. Je veux à nouveau diriger cette ville et lui rendre sa splendeur d'autrefois. Je veux sauver Promise Falls.

Il marqua un nouveau temps d'arrêt, comme s'il attendait des applaudissements.

Il offrit un sourire embarrassé et ajouta :

— Je suppose qu'il doit y avoir quelques questions.

— Qu'est-ce qui, moralement, vous autorise à vous représenter à cette élection après ce qui s'est passé pendant votre mandat ? demanda la journaliste d'une des chaînes de télévision.

— Aujourd'hui, je ne répondrai qu'à des questions portant sur l'état actuel de Promise Falls et les raisons pour lesquelles je souhaite redevenir son maire, répliqua Finley. Les électeurs ne trouveront pas plus qualifié que moi. Je connais cette ville de fond en comble. Je connais chaque centimètre carré de ses infrastructures. Je connais Promise Falls comme la paume de ma main.

Il brandit sa main droite, et examina effectivement la paume de sa main.

Non, non, non, pensa David.

— Je serais ravi de répondre à une question dont ce serait le sujet, ajouta-t-il.

La journaliste insista.

— Quand vous étiez maire, pendant la campagne que vous avez menée pour briguer un mandat plus important, vous avez admis avoir eu des relations sexuelles avec une prostituée mineure. Une toute jeune fille. Vous pensez vraiment que les électeurs vont choisir quelqu'un possédant votre profil ? Vous pensez que les habitants de Promise Falls ont oublié cet épisode ?

— Je croyais qu'elle était plus âgée, laissa échapper Finley.

David se couvrit brièvement les yeux.

— Et ça aurait rendu la chose acceptable ? demanda le journaliste du *Times Union*.

— Écoutez, personne ne s'intéresse plus à ça. De l'eau a coulé sous les ponts. Ça remonte à des années. Ce qui intéresse les gens, ce sont les questions sérieuses, et pas ressasser telle ou telle fredaine que j'ai pu commettre ou ne pas commettre par le passé.

— Savez-vous ce qu'est devenue cette fille ? demanda la même journaliste télé.

— J'ai toujours dit que j'espérais qu'elle trouve le soutien dont elle avait besoin pour reprendre sa vie en main.

— Elle est morte, dit la femme. Vous ne saviez pas qu'elle était morte ?

Finley commençait à s'empourprer.

— Je crois effectivement avoir entendu cette triste nouvelle, mais ça n'a aucune espèce de rapport avec...

— Non, elle est morte d'une vie passée dans la rue. Elle...

— La question qu'il faut poser, reprit Finley, c'est comment le chef de la police a pu passer à côté d'une chose pareille. Le lien entre ces deux meurtres effroyables. Et

412

pourquoi rien n'a été fait pour essayer de retrouver un possible tueur en série dans cette ville. Sans parler de la relation probable entre ces meurtres et les événements qui se sont produits récemment.

— Est-ce que vous avez payé les services d'autres prostituées mineures ? demanda le reporter de la station de radio.

Le front de Finley perlait de sueur.

— C'est en train de tourner à la catastrophe du *Hindenburg*, dit David Harwood.

Il avait murmuré mais Duckworth l'avait entendu.

— Le zeppelin a du plomb dans l'aile, commenta celui-ci.

— Ne craignez-vous pas qu'on vous accuse de faire de la récupération en annonçant votre candidature à l'endroit où Olivia Fisher a été assassinée ? demanda le journaliste du *Times Union*.

— C'est fait exprès ! répondit Finley. Vous ne comprenez donc pas ! Vous êtes débiles ou quoi ?

— Mon Dieu ! s'exclama David.

— Même Lui ne pourrait rien pour vous, à mon avis, constata Duckworth.

— Voilà, merci. C'est tout pour aujourd'hui, dit Finley. Mon directeur de campagne, M. Harwood, est à votre disposition pour d'autres questions.

Il fendit la petite assemblée et se dirigea vers sa voiture, mais les journalistes étaient accrochés à ses basques.

— Quel âge pensiez-vous qu'elle avait ? cria quelqu'un.

— Que pense votre femme de votre candidature ? demanda un autre.

— Mais putain de merde, s'écria Finley, qui continuait à avancer, tête baissée, c'est de l'histoire ancienne !

Duckworth s'était porté à la hauteur de l'ancien maire.

— D'où est-ce que vous sortez ça, salopard ? dit-il.

Finley le regarda et, bien que l'annonce de sa candidature ait viré au fiasco, il réussit à sourire.

— Plein de bonnes choses à votre fils, dit-il en arrivant à sa voiture.

Il appuya sur le bouton de sa télécommande, s'assit rapidement à l'avant et verrouilla immédiatement les portières.

David frappa à la vitre côté passager.

— Hé ! cria-t-il. Laissez-moi monter !

Mais Finley démarra en trombe, laissant les journalistes, et David, plantés là.

Duckworth eut besoin de quelques secondes pour reprendre son souffle.

— Alors, ça se passe comment, ce nouveau boulot ? finit-il par demander à David.

57

Ed Noble gara la voiture derrière la laverie de façon à pouvoir s'enfuir rapidement une fois qu'il aurait tué Samantha Worthington. Il ne verrouilla pas les portières. Le truc qu'il aurait vraiment aimé faire, c'est laisser les clés sur le contact, moteur en marche. Presser la détente, ressortir par la porte de derrière, sauter dans la voiture et mettre les bouts. Mais ça n'était pas possible.

Il se sentait un peu surexcité par tout ça. Et, pour être honnête avec lui-même, un peu effrayé aussi.

Ed n'avait jamais tué personne. Blessé, certainement. Il y avait eu cette fois dans le North End où Brandon et lui – avant que Brandon ne braque cette banque et qu'on ne l'envoie en taule – avaient salement dérouillé un type qui avait maté sa copine – enfin, son ex-copine. Ils l'avaient traîné dans la cour quand le gars était allé pisser, et lui avaient cogné sur la tête jusqu'à ce qu'il perde connaissance, et puis ils avaient tenté ce truc qu'ils avaient vu dans un film, quand le méchant ouvre la bouche d'un type pour que sa mâchoire repose sur le bord du trottoir, comme s'il essayait d'en croquer un morceau, et lui écrase la nuque à coups de pied.

Putain, ce bruit. Comme un morceau de bois qu'on casse en deux.

C'était probablement ce qu'Ed avait commis de pire. Jusqu'à ce qu'il tente de kidnapper ce gosse. Mais même ça, c'était peu de chose comparé à ce qu'il s'apprêtait à faire. C'était comme ajouter une nouvelle ligne à son CV. Quand les gens découvraient ce dont vous étiez capable, les boulots qu'on vous proposait devenaient de plus en plus intéressants. Ça reviendrait aux oreilles de Brandon, et à celles des types qu'il fréquentait en cabane. Et Ed pourrait se charger pour eux de choses qu'ils aimeraient voir régler à l'extérieur avant leur sortie.

Le bouche à oreille, il n'y avait que ça pour assurer votre publicité.

Il ne se dirigea pas directement vers la porte. Il longea le mur prudemment, la main posée sur l'arme sous sa chemise, pour s'assurer qu'elle était bien là, même si elle lui pressait les côtes. Il y avait une fenêtre crasseuse entre lui et la porte. Il jeta un œil à l'intérieur de la laverie.

La fenêtre donnait sur la pièce du fond. On pouvait y voir un bureau posé dans un coin, des produits d'entretien, une machine à trier les pièces, des mini-paquets de lessive et d'autres produits sur une table de travail. Sur le premier mur, le calendrier d'une boîte d'électroménager qui assurait sans doute l'entretien des machines. Sur le mur opposé, une porte ouvrait sur la partie publique. Ed pouvait apercevoir Samantha en pleine conversation, mais la porte n'était pas suffisamment ouverte pour voir avec qui.

Ce n'était pas bon, ça.

Il espérait qu'il n'y aurait personne, mais d'un autre côté elle faisait tourner un commerce, il était toujours possible qu'il y ait des clients. S'il pouvait éliminer Sam dans le bureau, porte fermée, il aurait le temps de s'enfuir sans se faire repérer.

Il passa rapidement devant la fenêtre, saisit le bouton et le tourna lentement. Il tira la porte d'un centimètre par seconde jusqu'à ce qu'il ait la place de se faufiler. Une fois à l'intérieur, il referma la porte sans bruit derrière lui.

Sam continuait de parler avec cet homme. Il était question d'incendie, de vêtements qui sentaient la fumée.

La voix de l'homme lui parut familière.

Impossible.

Il aurait juré que le type avec qui elle parlait était le même que celui qui, la veille, lui avait balancé de la lessive dans les yeux. S'il devait buter un témoin, autant que ce soit lui, non ?

Il traversa la pièce sans faire de bruit, se posta près de la porte.

Attendit.

L'homme était en train de dire qu'il n'avait pas verrouillé sa voiture. Le cœur battant, il prit l'arme dans sa main droite.

Des bruits de pas vers lui.

Au cas où quelqu'un d'autre aurait été en train de faire une lessive, il voulait que la porte soit fermée à clé avant de presser la détente.

Il lui fallait ces quelques secondes supplémentaires.

Elle entra dans la pièce, passant juste devant lui.

Il se rua sur elle par-derrière, la ceinturant avec le bras au bout duquel la main tenait son arme, plaquant l'autre main sur sa bouche. Elle parvint à crier un millième de seconde.

— Pas un bruit, lui souffla-t-il à l'oreille.

Elle se tortilla dans ses bras, se débattit furieusement jusqu'à ce qu'il soulève l'arme de façon qu'elle la voie.

Sam se figea.

— Voilà qui est futé, dit-il. Ne fais pas de bêtises et ça va très bien se passer.

Ouais, c'est ça.

— On va juste aller tous les deux jusqu'à la porte.

Il la fit reculer, une main toujours sur sa bouche, l'autre pressant l'arme sur sa tempe. Quand ils furent près de la porte, il la ferma d'un coup de pied.

— Je ne veux pas t'entendre, menaça-t-il, en retirant sa main le temps de tirer le verrou.

Il était soulagé qu'elle n'ait pas pu crier. Le flingue avait dû lui clouer le bec. Il pouvait relâcher son étreinte. Elle se retourna, les yeux écarquillés, une expression d'effroi sur le visage.

C'était plutôt bandant de voir à quel point elle semblait terrifiée.

— Et maintenant ? dit-elle. Qu'est-ce que tu veux à la fin ?

— À qui est-ce que tu parlais ?

— Quoi ?

— À côté. C'est le même connard qu'hier ?

Elle ne quittait pas l'arme des yeux.

— Dis-moi juste ce que tu veux, Ed.

— Moi rien, c'est Yolanda qui veut ça.

Fais-le, maintenant. Si tu attends, tu vas commencer à gamberger. Ne joue pas les prolongations.

— Carl est à l'école, dit-elle. Et ils le surveillent de près. Tu ne pourras pas refaire le coup d'hier.

— Ce n'est pas ça que veut Yolanda. Enfin, si, elle veut toujours Carl, mais elle a trouvé un autre moyen d'arriver à ses fins.

Sam finit par comprendre et son menton se mit à trembler.

— Allons, Ed. Tu n'es pas sérieux. Même Yolanda ne ferait pas une chose pareille.

Ed Noble sourit nerveusement.

— On n'en fait pas deux comme elle, il faut reconnaître. (Il brandit l'arme.) Ça n'a rien de personnel. Je veux dire, de mon côté.

— Sam, cria quelqu'un derrière la porte.

58

« Plein de bonnes choses à votre fils. »

Les mots de Randall Finley résonnaient aux oreilles de Barry Duckworth.

« Plein de bonnes choses à votre fils. »

Trevor était à la maison. Il était passé prendre des CD et s'était aventuré dans la cuisine juste après que Barry avait fait part à Maureen de ses interrogations au sujet de sa supérieure.

Mais rendre publiques ses arrière-pensées était bien la dernière chose qu'il aurait voulue. D'accord, Rhonda aurait peut-être dû porter plus d'attention au meurtre de Rosemary Gaynor. Elle aurait vu les points communs qui auraient permis de faire le lien avec celui d'Olivia Fisher. Cela aurait orienté sa propre enquête dans une autre direction dès le départ. Néanmoins, il n'avait pas du tout l'intention d'accuser qui que ce soit. D'ailleurs, Rhonda aurait été en droit de lui retourner la critique. Pourquoi n'avait-il pas cherché à comparer cette affaire avec des crimes antérieurs non élucidés ? Pourquoi ne s'était-il pas lui-même renseigné sur les enquêtes qui avaient été menées pendant son absence ?

Raconter tout ça à Maureen avait été pour lui une sorte d'exutoire. Une façon de se soulager momentanément d'une partie de son fardeau. Il s'était peut-être montré injuste en pointant la responsabilité de Finderman. Mais il y avait eu ce grand déballage sur la place publique. Si elle n'avait pas déjà eu vent des accusations portées par Randall Finley, ça ne tarderait plus maintenant.

Assis dans sa voiture, il se demanda s'il devait l'appeler. Prendre les devants. Lui rapporter les propos de Finley à la presse et lui révéler de qui l'ancien maire tenait ses informations. Cracher le morceau. Assumer ses responsabilités et démissionner.

Sauf qu'il n'en était pas absolument certain.

Avant d'appeler sa patronne, il devait parler à son fils.

Celui-ci décrocha au bout de trois sonneries.

— Allô ?

— Où es-tu ? demanda Duckworth.

— Papa ?

— Où es-tu, là, tout de suite ?

— Au boulot, répondit Trevor.

— À Finley Springs ? Ou sur la route en train de faire une livraison ?

— Sur la route.

— Où ça ?

— Je viens d'entrer dans Greenwich. J'ai à peu près cinq arrêts à faire.

— Je te rejoins là-bas.

— Je ne vais pas y rester très...

— Il y a une station-service et une boutique Cumberland Farms dans la grand-rue. Tu vois où... ?

— C'est un de mes points de livraison.

— Je t'y retrouve. Dans vingt minutes.

— Papa, que se passe-t-il ? Il est arrivé quelque chose à maman ? Est-ce qu'elle... ?

— Tu as intérêt à y être, dit Duckworth avant de raccrocher.

Ignorant toutes les limitations de vitesse, et après avoir allumé le gyrophare rouge intégré à la calandre, Duckworth couvrit le trajet jusqu'à Greenwich en quinze minutes. Quelques centaines de mètres plus loin, il repéra le fourgon Finley Springs sur le parking du Cumberland Farms, près de la route.

Trevor, qui avait guetté son arrivée, descendait du fourgon quand Barry Duckworth s'arrêta sur le parking dans un crissement de pneus.

— Qu'est-ce qu'il y a ? demanda Trevor. Tu vas me mettre en retard pour le reste de ma tournée.

Duckworth s'approcha de son fils et pointa l'index sur sa poitrine.

— Tu ne devineras jamais ce que Randy a raconté aujourd'hui.

— Hein ?

— À la conférence de presse. À l'instant. Il a balancé tout un tas de trucs désobligeants à propos de ma patronne. Depuis, je me gratte la tête pour comprendre d'où il a pu sortir tous ces trucs.

— Pourquoi tu me racontes ça ? demanda Trevor, la gorge serrée.

— Je me demandais juste si tu avais une idée sur la question.

Trevor détourna le regard.

— Qu'est-ce que j'en sais, moi ? Il est un peu barge. Tout le monde sait qu'il dit que des conneries.

— Tu m'as entendu parler à ta mère.

Trevor resta de marbre.

— Tu m'as entendu parler de ça avec ta mère. Tu étais à la porte de la cuisine et tu as entendu.

— Tu parles toujours de trucs de boulot. Comment je suis censé savoir ce qui est privé et ce qui ne l'est pas ?

Duckworth posa les deux mains sur la poitrine de son fils et le poussa en arrière. Trevor trébucha et parvint à se rattraper avant de tomber sur le bitume.

— Bon Dieu, tu l'as vraiment fait, dit Duckworth, les joues en feu. J'espérais me tromper. J'espérais qu'il avait eu l'info par quelqu'un d'autre. Qu'est-ce qui t'est passé par la tête, putain ?

— Je ne sais pas ! cria Trevor.

— Tu réalises ce que tu as fait ? Ce connard va transformer ça en enjeu de campagne. Il va cibler ma patronne. Tu penses que ça ne se retournera pas contre moi, peut-être ? Que ça ne va pas me revenir en pleine gueule ? Qu'est-ce que je vais lui raconter quand elle va me remonter les bretelles ? Hein ?

— Je suis désolé ! lâcha Trevor, les larmes aux yeux.

— Tu m'as bien mis dans la merde ! Bravo ! Mon propre fils ! C'est une vengeance ? C'est ça ? Un vieux grief que tu as contre moi et que tu as décidé de régler en me faisant perdre mon boulot ? Tu penses que je vais être le seul à trinquer ? Tu penses que ça ne va pas faire de mal à ta mère ? Bon Dieu, qu'est-ce qui t'a pris de lui parler de ça ?

— J'ai dit que j'étais désolé ! Tu ne sais pas comment il est.

— Je le sais mieux que personne. De quoi est-ce que tu parles ?

Trevor se détourna, tête baissée.

— Trev, dit Duckworth. Parle-moi.

— Je lui devais quelque chose, dit son fils, le dos toujours tourné.

— Tu lui devais quoi ?

Trevor se tourna lentement.

— C'est à propos de Trish.

Duckworth baissa la voix.

— Eh bien, quoi ?

— Il y a eu... Il s'est passé quelque chose entre nous. Un accident. Un malentendu.

Duckworth prit son fils par le bras, et doucement, lentement, le fit se retourner.

— Quel genre d'accident ? Quand ?

— Juste avant notre séparation. Elle allait me mettre une gifle et j'ai voulu l'en empêcher... et j'ai plus ou moins fini par la frapper.

— Tu l'as frappée ?

— Et M. Finley est un proche de la famille de Trish. Il a discuté avec elle de la possibilité d'aller à la police pour porter plainte, et, à l'entendre, il l'aurait plus ou moins dissuadée de le faire, mais que ça pourrait changer, selon que je coopérais avec lui ou pas. Alors, quand je t'ai entendu parler de ces meurtres avec maman, j'ai pensé que c'était quelque chose dont il pourrait se servir. Je ne voulais pas te faire un sale coup. Mais je voulais qu'on soit quittes, lui et moi, tu comprends, pour ne plus rien lui devoir.

— Qu'est-ce qu'il a dit ?

Trevor baissa la tête.

— Il a dit que c'était un début.

— C'est un putain de maître chanteur, dit Duckworth. Je vais le tuer.

— Il m'a évité d'avoir des ennuis. J'ai fait une bêtise. Je n'ai jamais eu l'intention de frapper Trish. Vraiment pas. J'ai juste fait un grand mouvement du bras pour dévier le coup, tu comprends ? Mais, ma main, elle l'a reçue en plein sur la tempe...

Trevor se mit à pleurer.

— J'ai vraiment merdé. J'ai merdé grave. Je déteste ce boulot. Je déteste travailler pour ce gros con. Je... Je n'ai pas...

— Viens là, chuchota Duckworth.

Il prit son fils dans ses bras, lui tapota doucement le dos.

— Je regrette tellement, dit Trevor, le visage enfoui contre l'épaule de son père. Je t'ai mis dans la merde.

— On va trouver une solution, tenta de le rassurer Duckworth. On va trouver une solution.

59

— Je savais que vous seriez ici, dit Victor Rooney.

Walden Fisher, un genou à terre devant les pierres tombales de sa femme et de sa fille, se retourna vers l'homme qui se tenait juste derrière lui, sur la pelouse du cimetière.

— Victor ?

— Vous y venez presque tous les jours. Je suis passé chez vous, comme vous n'y étiez pas, j'ai pensé que vous seriez au cimetière.

Walden se releva en prenant appui sur son genou. L'herbe avait mouillé la jambe gauche de son pantalon.

— Tu voulais me voir pour une raison particulière ?

— Je suis venu vous dire au revoir.

— Au revoir ?

— Les choses ne marchent pas bien pour moi ici. J'ai essayé de reprendre le boulot, mais c'est à se taper la tête contre les murs. Je ne trouve rien. Cette ville n'a rien à offrir.

— C'est dur partout, fit remarquer Walden. Pas seulement à Promise Falls.

— C'est possible. Mais je pense que ça va être de pire en pire dans cette ville.

— Qu'est-ce que tu veux dire ?

— Juste un sentiment.

— Où comptes-tu aller ?

— Je ne me suis pas encore décidé. À Albany peut-être. C'est à côté. Mais il se pourrait aussi que je parte plus loin. Peut-être à Seattle. J'ai des amis avec qui j'étais au lycée là-bas. Ils ont peut-être de bons plans.

— C'est bien d'avoir plusieurs options.

— Je sais que, pour vous, je suis responsable.

— Pardon ?

— Ce qui est arrivé à Olivia, vous pensez que c'est ma faute.

— Je ne sais pas de quoi tu parles, Victor. Je ne t'ai jamais accusé d'avoir tué Olivia.

— C'est vous qui m'avez envoyé cet inspecteur ? Duckworth ? Il est venu chez moi pour me demander comment je gérais ce qui était arrivé à votre fille. Pourquoi ferait-il ça ?

— Je ne l'ai pas envoyé t'interroger. Enfin, il est revenu me poser quelques questions. Je suppose qu'ils n'ont pas totalement renoncé à trouver le meurtrier d'Olivia. J'imagine que la conversation a dévié sur toi, mais...

— C'était donc vous.

— Désolé, Victor. Je n'ai jamais eu l'intention de te causer des ennuis.

— Vous m'en voulez parce que j'étais censé la retrouver. Dans le parc. Et que j'étais en retard. Si j'étais arrivé à l'heure à notre rendez-vous, Olivia serait toujours vivante.

— Je n'ai jamais dit ça, se défendit Walden.

— Ce n'est pas la peine. Je le sens. Moi aussi, je me le reproche. J'ai... J'ai juste perdu la notion du temps. Si j'étais arrivé cinq minutes plus tôt, on se serait retrouvés dans ce bar, à boire un verre, manger un morceau.

— On pourrait faire beaucoup de reproches à beaucoup de monde, dit Walden.

— Ce n'est pas comme si j'avais décidé de me donner l'absolution, mais je veux passer à autre chose. Il faut que j'essaie de me reprendre en main. Peut-être que je pourrai y arriver ailleurs, en repartant de zéro.

— Ne précipite rien, Victor. Donne-toi au moins le temps de la réflexion, profite du week-end du Memorial Day.

Victor jeta un coup d'œil aux pierres tombales, puis regarda à nouveau Walden Fisher.

— Vous aussi, vous devriez.

— Quoi donc ?

— Passer à autre chose. Venir ici tous les jours… Parler à Olivia et à votre femme, comme si elles pouvaient vous entendre. Ce n'est peut-être pas très sain. Peut-être que ça vous empêche de continuer à vivre votre vie.

— C'est ça, ma vie. Ma vie, c'est honorer leur mémoire.

Victor hocha la tête d'un air pensif.

— Bon, je suppose que j'ai dit ce que j'avais à dire.

Il se tourna à moitié, comme s'il s'apprêtait à partir, puis se ravisa.

— Vous avez entendu parler de ce truc hier soir ?

— Quel truc ?

— Le bus.

Walden secoua la tête.

— Quel bus ?

— Un bus de Promise Falls. Un bus municipal. J'étais en train de faire mon jogging, et j'ai vu ce truc qui descendait la rue comme une boule de feu. Un bus vide, sans chauffeur, en flammes. Il s'est encastré dans la boutique du fleuriste, l'immeuble a pris feu.

— C'est horrible. Il y a eu des morts ? Des blessés ?

Victor secoua la tête.

— Je ne pense pas. Il n'y avait personne dans le bus. Il y avait un grand numéro 23 à l'arrière. Ça, vous avez dû en entendre parler.

— En effet, dit Walden.

— Tout ce qui est arrivé, le drive-in et pas mal d'autres trucs, tout est lié d'une manière ou d'une autre.

— C'est ce qu'ils disent. (Walden secoua la tête, per-
plexe.) Pourquoi quelqu'un ferait une chose pareille ?
Victor sourit :
— C'est *la* question, n'est-ce pas ?

60

Cal

— Sam ! appelai-je, alors que j'étais toujours là à regarder cette porte fermée juste devant moi.

Malgré le faible grondement des lave-linge que je venais de lancer, je crus entendre un verrou tourner.

Il y avait quelque chose là-dedans qui ne me semblait pas normal.

Sans quitter la porte des yeux, je posai le roman graphique de Crystal sur l'une des machines, mais, trop près du bord, il tomba, ouvert, sur le sol.

Je le laissai là et m'avançai vers la porte.

— Hé, Sam ! J'ai l'impression qu'une des machines est tombée en panne !

Pas de réponse.

Je me rapprochai encore, collai mon oreille à la porte. Quelqu'un chuchotait de l'autre côté. J'étais pratiquement sûr de reconnaître la voix de Sam.

— Sam, est-ce que tout va bien ? demandai-je, la bouche tout contre la porte.

Un silence. Puis :

— Oui. Tout va bien.

Son ton, crispé, me convainquit du contraire.

— Une des machines a l'air HS, dis-je à travers la porte.

Nouveau silence.

— Je... J'irai jeter un œil dans une minute.

Je sortis mon arme de son étui, la tins de la main droite, pointée sur le sol.

— C'est quoi votre plan, Ed ?

Un long silence cette fois-ci. Si Samantha avait été enfermée toute seule, elle aurait répondu, presque instantanément : « Quoi ? » ou peut-être : « Ed ? »

Le fait qu'elle n'ait pas réagi immédiatement me confirma qu'il la retenait de force dans cette pièce. Je l'avais déstabilisé en l'appelant par son prénom. Il avait besoin de quelques secondes pour trouver ce qu'il soufflerait à Sam.

La réponse finit par arriver.

— Il n'y a pas d'Ed ici, dit Sam d'une voix qui semblait sur le point de se briser.

— Ed, vous allez ouvrir cette porte et laisser Sam sortir. Vous êtes blessée, Sam ?

— Pas pour l'instant, dit-elle.

— C'est bien, dis-je d'une voix égale. C'est bien, Ed. Vous laissez sortir Sam, et il n'y aura de casse pour personne. Qu'est-ce que vous en dites ?

Deux secondes de silence, puis :

— Va te faire foutre !

Présence d'Ed Noble confirmée.

— Il est armé ! cria Sam.

— Ta gueule ! cria Ed.

Je changeai de place, me plaquant contre le mur à côté de la porte.

— Ed, c'est le genre de situation qui peut très vite dégénérer. Quelles que soient vos intentions, ça ne va pas se passer comme vous le voulez. Vous ne vous en tirerez pas. Le mieux que vous puissiez faire, c'est de partir. Vous êtes entré par-derrière, c'est ça ? Alors filez. Passez la porte et partez. Je ne vous poursuivrai pas. Laissez Sam là où elle est et tirez-vous sans dommage. Vous m'entendez ?

— Ouais, je vous entends.

— Ça vous paraît jouable comme plan ?

— J'imagine. Pas de bobo, c'est ça ?

— C'est ça. Vous vous tirez, point barre.

— Vous avez raison, dit-il presque gaiement. Je ne sais pas ce qui m'a pris. Il existe de meilleurs moyens pour résoudre les problèmes, pas vrai ?

J'entendis le verrou coulisser.

— Les gens peuvent avoir des désaccords, mais la meilleure chose à faire c'est de s'asseoir et de discuter de façon raisonnable.

Le bouton de porte tourna lentement.

— C'est ça, Ed. Votre attitude me plaît, dis-je en soulevant mon arme. Je suis content qu'on ait pu arranger les choses sans qu'il y ait de blessés. Ça va toujours, Sam ?

Rien.

— Sam ?

Et elle cria :

— *Attention...*

La porte s'ouvrit à la volée. Ed Noble, le nez couvert de bandages, jaillit comme un sprinter au son du coup de pistolet de départ. Il s'élança dans la pièce et se jeta à terre, l'arme brandie, pointée dans ma direction.

On aurait dit qu'il reproduisait une cascade qu'il avait vue dans un film. Peut-être que Liam Neeson ou Kiefer Sutherland étaient capables de tirer en plein vol plané et de toucher leur cible, mais quand Ed Noble fit feu, sa balle passa à côté de moi, quelque part sur la gauche, et finit dans un séchoir.

Le hublot éclata en mille morceaux.

Ce n'était pas parce que ce type n'était pas le meilleur tireur du monde qu'il n'était pas dangereux. À l'instant où il avait passé la porte, je m'étais également jeté à terre. Mais j'avais beau être armé, je ne comptais pas défourailler au petit bonheur.

Si je devais tirer, ce serait pour faire mouche.

Ed Noble ne comptait pas en rester là. Après sa glissade, il tira de nouveau, sa deuxième balle se rapprochant un peu plus de sa cible. Le projectile toucha un autre séchoir contre le mur derrière moi, cette fois à une soixantaine de centimètres du sol.

— Merde ! dit-il.

Couché sur le côté, je me préparai à faire feu.

Mais Ed Noble détala, en crabe, vers la large table au fond de la laverie sur laquelle les clients pliaient leur linge.

C'était dangereusement près de la porte du bureau, où, je le remarquai à cet instant, se tenait Sam, les yeux écarquillés, une main sur la bouche, observant la scène.

— Reculez ! criai-je.

Tête baissée, je courus à l'autre bout de la pièce, où j'aurais un meilleur angle de tir sur Ed Noble qui, allongé sur le dos, me visait.

Un autre coup de feu, la balle se logea dans le plafond cette fois.

Je tirai, mais il eut le temps de rouler vers le bureau. La balle toucha le sol et ricocha sur une machine en produisant un bruit métallique. Si je tirais à nouveau, la prochaine balle risquait de finir dans la pièce adjacente et de toucher Sam.

Il ne s'était pas écoulé dix secondes depuis que tout cela avait commencé.

— Tu ne bouges pas ! criai-je, alors qu'Ed Noble tentait de se relever en même temps que moi.

Tout alla très vite.

Pendant qu'il regardait dans ma direction, Sam entra dans la pièce principale, le bras droit tendu, comme un lanceur de base-ball.

Ce n'était pas une balle qu'elle tenait dans sa main, mais la bourse remplie de pièces de monnaie, le cordon solidement enroulé autour de son poignet.

Elle la balança en y mettant toutes ses forces.

Ed le vit arriver juste avant l'impact, trop tard pour changer quoi que ce soit à ce qui allait suivre. Le sac rempli de métal le cueillit en plein sur son nez cassé, et son cri de douleur fut plus retentissant que tous les coups de feu échangés jusqu'alors. Il fit deux pas en arrière en chancelant.

— Putain de bordel ! cria-t-il en se couvrant le visage de sa main libre.

J'aurais pu le descendre, et ce n'était pas l'envie qui m'en manquait, mais, au lieu de cela, je me précipitai sur lui et le jetai à terre avec une telle violence qu'il en eut le souffle coupé. Il me fallut un peu de temps pour lui faire lâcher son arme, que Sam s'empressa de récupérer.

Ed Noble avait les plus grandes difficultés à respirer. Il était recroquevillé sur lui-même, les genoux ramenés contre lui, son nez bandé pissant le sang.

— Yo... lan... da ! dit-il entre deux spasmes. C'est elle... qui... a donné l'ordre ! Tout est... sa faute !

Sam pointait l'arme sur la tête d'Ed Noble.

— Espèce d'enfoiré, dit-elle.

— Ne faites pas ça, la suppliai-je. Ne tirez pas, Sam. Pensez à Carl.

Elle ne baissa pas l'arme.

— Je n'en peux plus. C'est fini. Je ne peux plus supporter ça.

— Je sais, je sais. Mais il va aller en prison maintenant. Yolanda, aussi. Donnez-moi cette arme, Sam.

Elle mit une dizaine de secondes avant de s'exécuter. Je glissai le pistolet dans la poche de ma veste.

Elle récupéra le sac de pièces couvert de sang.

— Je ne pourrais pas le frapper encore une fois avec ça ? Je soupirai.

— Après tout... Faites-vous plaisir.

61

Même si Barry Duckworth brûlait d'aller dire tout le bien qu'il pensait de ses méthodes à Randall Finley toutes affaires cessantes, il avait d'autres priorités. Lorsqu'il était tombé sur la conférence de presse de Finley, il essayait de mettre la main sur Peter Blackmore.

Il s'était rendu à son domicile, mais personne n'avait répondu à ses coups de sonnette. Un coup d'œil jeté à travers quelques fenêtres lui avait permis de conclure que ce n'était pas parce qu'il refusait de venir ouvrir. Même s'il était en plein drame personnel, Blackmore avait peut-être décidé, malgré tout, de se rendre sur le campus. Pas forcément pour faire cours, mais pour consulter son grand pote Clive Duncomb.

Duckworth serait arrivé à la fac plus d'une heure auparavant s'il n'avait pas fait ce crochet imprévu par Greenwich pour voir Trevor.

À cette heure-ci, Blackmore était peut-être déjà rentré chez lui. Plutôt que de le traquer physiquement, Duckworth passa quelques coups de fil. Chez lui, d'abord, en vain, puis au département de lettres de l'université. Il tomba sur une secrétaire à qui il demanda si le professeur était dans les locaux du département.

— Je l'ai vu dans les parages, dit la secrétaire. Il est dans un drôle d'état. Je ne sais pas si vous êtes au courant, mais il vient de perdre sa femme. Je ne sais absolument pas pourquoi il est venu aujourd'hui. Je pense qu'il ne sait pas comment s'occuper. Il se pourrait qu'il soit dans son bureau. Vous voulez que je vous le passe ?

Duckworth répondit qu'il ne voulait surtout pas le déranger, étant donné les circonstances.

Il appuya un peu plus fort sur la pédale d'accélérateur.

Au moment où il pénétrait sur le campus, il croisa une autre voiture roulant en sens inverse conduite par Peter Blackmore. Il pila, effectua un rapide demi-tour, et se lança à sa poursuite. Il fit même hurler la sirène. Blackmore se rangea sur le bas-côté tel un conducteur modèle.

Quand l'inspecteur arriva à sa hauteur, Blackmore baissa sa vitre.

— Monsieur l'agent, je suis sûr que je ne conduisais pas trop vite et…

Lorsqu'il s'aperçut qu'il n'avait pas été arrêté par un agent de la circulation, il lâcha une exclamation de surprise.

Duckworth se pencha en avant, les coudes sur la portière. Il eut un mouvement de recul en apercevant Blackmore. Son visage était contusionné et ensanglanté. Les jointures de ses mains aussi.

— Professeur, qu'est-ce qui vous est arrivé ?

— Oh, dit-il en se touchant le visage avec hésitation, comme s'il avait besoin de se rappeler qu'il était blessé. Un simple malentendu.

— Qui vous a fait ça ?

— C'est sans importance.

Duckworth se recula.

— Vous voulez bien descendre du véhicule, monsieur ?

— Je vous assure, tout va bien.

— Descendez de voiture, professeur.

Blackmore hocha la tête et descendit de sa voiture.

— Je n'ai pas bu, si c'est ce qui vous inquiète. Enfin, pas ces deux dernières heures, en tout cas.

— Je veux évaluer votre état. Vous vous êtes battu, professeur. Vous avez les mains en sang, un œil au beurre noir, et vos joues sont tuméfiées. Si vous me racontiez ce qui s'est passé ?

— Je vais bien, vraiment.

— Qu'avez-vous fait depuis hier soir ?

— J'ai… J'ai pensé à Georgina. À cette catastrophe.

— Vous n'êtes pourtant pas venu l'identifier.

— J'étais trop bouleversé. Je vais y aller aujourd'hui.

— Pourquoi êtes-vous passé à votre bureau ?

— Je ne savais pas quoi faire d'autre. J'ai roulé toute la nuit, j'ai réfléchi…

— Rouler où ?

— Ici et là.

— Vous êtes allé chez les Chalmers ?

— Pourquoi j'aurais été chez eux ?

— Pour voir Miriam, suggéra Duckworth. Vous étiez tout retourné de découvrir qu'elle n'avait pas été tuée des suites de l'explosion, que c'était Georgina qui était dans la voiture avec Adam. Peut-être fallait-il que vous voyiez Miriam pour accepter l'idée qu'elle était vivante, avant de trouver le courage d'aller identifier le corps de votre femme.

— Je… Je vois ce qui peut vous faire penser ça. Mais, la vérité, c'est que je ne supporterais pas de savoir. Je n'aurais pas le courage de recevoir la confirmation de ce qui s'est produit. Je ne voulais pas voir Miriam, et je ne voulais pas aller identifier Georgina. Je sais… Je sais que je dois regarder les choses en face. Mais je ne suis pas prêt.

— Cela pourrait peut-être vous aider si on allait voir Miriam tous les deux. Ce serait peut-être une première étape utile avant l'identification.

Le professeur regarda Duckworth en plissant les yeux.

— Je ne crois pas que ce serait une bonne idée.

— Pourquoi ça ?

Il secoua lentement la tête.

— Elle… Elle va rejeter la faute sur moi, non ? Ma femme, avec son mari ? Elle va peut-être se demander si j'étais au courant, et pourquoi je n'ai pas empêché Georgina de le voir.

— On pourrait tout aussi bien renverser les choses ? N'avez-vous pas quelques raisons de lui en vouloir ? Votre femme serait toujours en vie si elle n'avait pas été avec Adam. Si Miriam ne s'était pas absentée quelques jours, c'est elle qui aurait pu être dans cette voiture au drive-in à la place de Georgina.

Blackmore avait l'air perdu.

— Je ne sais vraiment pas. Je ne sais pas quoi penser de tout ça.

Il baissa les yeux sur le trottoir.

— Peut-être en vouliez-vous à Miriam à cause de ça. Peut-être étiez-vous perturbé par vos petits arrangements avec les Chalmers. (Duckworth se tut une fraction de seconde.) Et avec Clive Duncomb et sa femme.

Blackmore releva la tête pour regarder l'inspecteur droit dans les yeux.

— Je vous demande pardon ?

— Est-ce qu'« arrangement » est le mot qui convient ? Je ne suis pas vraiment au fait de la manière dont cela fonctionne, l'échangisme. Ce genre de chose.

Le professeur sembla se décomposer sous les yeux de Duckworth.

— Je… Je ne comprends pas ce que vous me demandez.

— Ce n'était pas chez les Chalmers que ça avait lieu ? Dans cette pièce spéciale au sous-sol ? Personnellement, si j'avais eu une pièce en sous-sol aussi grande, je pense que j'y aurais mis une table de billard. Mais bon, regardez-moi. J'ai quarante kilos à perdre. Il n'y a pas beaucoup de femmes parmi nos relations qui voudraient s'envoyer en l'air avec un gros tas comme moi. Je ne suis pas ce qu'on appelle un éphèbe. Encore que, et ne le prenez pas mal, même si vous n'êtes pas vilain, vous n'êtes pas Ryan Gosling non plus. Clive, lui, avec cet air d'autorité, cette mâchoire taillée à la serpe, je comprends qu'il puisse attirer les femmes, et je suppose qu'Adam Chalmers était lui aussi un homme à femmes. Dites-moi comment ça fonctionnait. Quand vous échangiez vos partenaires, vous couchiez avec la femme de Clive un soir, et puis avec la femme d'Adam un autre ? Ou les deux en même temps ? Ou alors est-ce que tout le monde se jetait dans le lit et s'éclatait ensemble en même temps ? Ou encore, et pardonnez-moi si c'est trop personnel, est-ce que les épouses faisaient aussi l'amour entre elles et les maris entre eux ? Ça va, professeur Blackmore ? Vous n'avez pas l'air bien.

— Je crois que je vais faire un malaise.

— Vous devriez vous asseoir. (Duckworth posa la main sur son épaule, et le guida avec douceur jusqu'au coffre.) Maintenant, je veux que les choses soient claires. Je ne vous pose pas toutes ces questions par lubricité. Il m'a simplement semblé que, si c'était le genre d'activité à laquelle vous vous adonniez tous, il se pourrait que les cassettes que vous avez enregistrées contiennent certaines choses que vous ne voudriez pas voir tomber entre de mauvaises mains. Enfin, pas des cassettes. Des DVD, pour être exact. Des disques.

La lèvre inférieure de Blackmore trembla.

— Comment savez-vous… ?

— Il m'a juste paru bizarre, hier soir, à un moment où on vous aurait imaginé occupé à chercher votre femme, que M. Duncomb et vous soyez apparemment en pleine orgie cinématographique. J'ai été surpris que vous ayez trouvé quelque chose de plus important à faire que rechercher votre femme. Pour quelle raison ces vidéos étaient-elles votre priorité à un moment pareil ? Et puis, quand j'ai découvert cette petite salle de jeux au domicile des Chalmers, j'ai commencé à comprendre. Surtout quand j'ai vu le matériel sous le lit. Vous faisiez des films. Vous enregistriez vos séances. Vous étiez en train de passer les DVD en revue et...

Blackmore eut un haut-le-cœur.

Il fit un pas vers le trottoir, se pencha, et vomit.

— Oh, mon Dieu, gémit-il. Oh, mon Dieu.

Duckworth poursuivit :

— Je disais donc que vous étiez en train de passer ces DVD en revue, pour y chercher quelque chose qui vous inquiétait. Quelque chose qui vous inquiétait tellement qu'il était plus important de vous pencher là-dessus que de chercher Georgina. Et puis, coup de théâtre, vous découvrez que Miriam est toujours vivante. Ça a changé quelque peu la donne, non ? C'est cette partie qui me donne du fil à retordre, et je me demandais si vous ne pourriez pas éclairer ma lanterne.

Blackmore s'essuya la bouche avec la manche de sa veste, se redressa.

— Non... ce n'est pas ça.

— Je suppose qu'il y avait une part de chantage là-dedans, mais qui faisait chanter qui ?

— Ce n'est pas ça.

— Est-ce que Miriam détenait quelque chose de compromettant sur vous et Duncomb ? demanda Duckworth.

Il s'approcha du professeur, ignorant l'odeur aigre qui émanait de lui.

— C'est pour ça que vous êtes allé chez elle hier soir et que vous l'avez tuée ?

Blackmore tendit la main pour s'appuyer au coffre de sa voiture.

— Quoi ?

— Vous m'avez entendu.

— Miriam est morte ?

— Vous paraissez surpris. Mais regardez-vous. Vous êtes dans un état lamentable. Vous avez du sang sur les mains.

Vous vous êtes battu. C'est Miriam qui vous a fait ça avant que vous ne la poussiez dans l'escalier ?

— Non, non ! Ça…, dit-il en montrant son visage du doigt. C'est Clive. C'est Clive qui m'a fait ça.

— Pourquoi Duncomb ferait une chose pareille, professeur ?

— Parce que… Parce qu'il veut que je me taise.

— Que vous vous taisiez à quel sujet ? À propos du meurtre de Miriam ?

— Non ! Ça n'a rien à voir avec ça ! Je ne savais pas qu'elle était morte ! Quand est-ce arrivé ? Clive lui a parlé au téléphone ! Hier soir ! Vous étiez là !

— En même temps que vous vous rendiez compte que c'était votre femme qui était morte dans la voiture au Constellation.

— Exactement ! s'exclama-t-il en hochant vigoureusement la tête. Comment Miriam pourrait-elle être morte ?

— Pour quelle raison Clive Duncomb vous a-t-il tabassé ?

Blackmore tremblait, ses yeux furetaient partout, comme s'ils cherchaient une échappatoire.

— Il pense que je vais parler. Mais pas de Miriam.

— De qui, alors ?

Le professeur n'arrêtait pas de secouer la tête.

— Parlez ! s'emporta Duckworth. Qu'est-ce qui l'inquiète ? Qu'est-ce qu'il y a sur ces vidéos ?

Blackmore marmonna quelque chose.

— Quoi ?

— … via.

— Qu'est-ce que vous dites ?

— Olivia, dit le professeur.

Ce fut au tour de Barry Duckworth d'être réduit au silence. Du moins pendant quelques secondes.

— Olivia ?

— C'est ça.

— Olivia comment ?

— Olivia Fisher. La jeune femme qui...

— Je sais qui est Olivia Fisher. Qu'est-ce qu'elle vient faire dans cette histoire ?

— Parfois, Clive... Clive invitait des étudiantes de Thackeray chez Adam et Miriam. Il mettait quelque chose dans leur vin... vous savez... ? Comment on appelle ça ?

— Des roofies, dit Duckworth. Du Rohypnol. La drogue du viol.

— C'est ça. Et ensuite elles prenaient part aux... festivités. Sauf Olivia. Elle a piqué au truc. Elle n'avait pas besoin d'être droguée. Mais cela signifie aussi qu'elle a tout gardé en mémoire.

— Tout le monde était d'accord avec ça ?

Blackmore hocha la tête d'un air penaud.

— Mais c'était Clive et sa femme, Liz, qui voulaient ramener des filles. On a accepté... tous.

— Georgina, aussi.

Il acquiesça de la tête.

— Elle était partagée. Elle culpabilisait, mais, en même temps, je crois qu'elle était sous le charme d'Adam. J'ignore si la soirée au drive-in était sa première sortie en tête à tête avec lui. Ça ne signifiait pas grand-chose de particulier pour elle de voir Adam, surtout si on considère qu'elle avait déjà couché avec lui.

Cet aspect de l'histoire n'intéressait pas Duckworth, en tout cas pas pour le moment.

— Quand avez-vous associé Olivia Fisher à vos petits jeux ?

— Ça remonte à quelques années. Enfin, avant qu'elle ne se fasse tuer, évidemment. Peut-être un mois avant.

— Vous étiez en train de chercher les DVD où elle apparaissait ?

Il hocha la tête.

— Quand on... Quand Clive a appris qu'Adam et Miriam avaient été tués au drive-in, il s'est dit que Lucy, leur fille, finirait par trouver ces enregistrements. Mais, en fait, il n'y avait aucune raison de s'inquiéter. Miriam nous a révélé qu'Adam avait détruit tous les DVD potentiellement compromettants. Toutes les vidéos avec les filles de Thackeray. Olivia, Lorraine...

— Lorraine ?

— Je ne me rappelle plus son nom de famille. Ça a été un gros soulagement quand on a appris ça, parce que, si quelqu'un était tombé sur ces films, en nous voyant avec Olivia, il aurait pu penser que...

— Que vous l'aviez tuée ?

— Sa présence sur ces vidéos nous reliait à elle, on aurait pu penser que nous avions quelque chose à voir avec le meurtre.

— Et ce n'est pas le cas ?

— Absolument pas. Je vous le jure.

— Et Clive ?

Blackmore croisa le regard de l'inspecteur.

— Je n'en sais rien.

— C'est pour vous faire comprendre que vous n'aviez pas intérêt à parler qu'il vous a roué de coups ? Est-ce qu'il a tué Olivia parce qu'il craignait qu'elle aussi ne se mette à parler ?

Blackmore se prit la tête à deux mains, comme pour empêcher son crâne d'exploser.

— Je ne sais pas. Je ne sais pas ce qui passe dans la tête de cet homme. Peut-être que c'est ce qu'il est en train de faire. Il se débarrasse de tous ceux qui représentent une menace éventuelle. Il a fait sauter la tête de ce gamin, vous savez ?

— Mason Helt.

— Oui. Je comprends les raisons qu'il a eues de le faire, mais... je pense qu'il a *aimé* ça. Vous comprenez ce que je veux dire ? Ça lui a plu d'abattre ce gamin. Ça lui a plu de pouvoir faire ça et de n'avoir aucun compte à rendre.

— Professeur Blackmore, je vais vous demander de m'accompagner et de faire une déposition au poste de police.

— Non, je ne peux pas faire ça.

— Il le faut. Vous devez le faire pour vous-même. Vous devez soulager votre conscience. Vous vous sentirez mieux. C'est la seule chose à faire, croyez-moi.

— Clive... Il va péter un câble.

— Nous nous occuperons de M. Duncomb. Ne vous en faites pas pour ça.

— Il me tuera.

— Nous ferons en sorte que ça ne se produise pas.

Le professeur ne semblait pas convaincu.

— Je dois faire quelque chose, dit-il.

— Oui : une déposition au poste de police.

— Non, dit-il. Je vais m'y prendre autrement.

— Et comment comptez-vous... ?

Blackmore se jeta sur lui. Frappa Duckworth sur la poitrine avec ses deux mains, violemment. Duckworth tomba à la renverse, l'arrière de sa tête heurta le bord du trottoir.

Pendant un court instant, il fut tout étourdi.

Blackmore sauta dans sa voiture, mit le contact.

— Arrêtez ! dit Duckworth en se redressant. Arrêtez, merde !

Blackmore avait déjà enclenché la marche avant.

62

Cal

Le premier réflexe de Sam fut d'appeler l'école et de demander au secrétariat de faire sortir Carl de sa classe, de le garder dans le bureau et de ne pas le perdre de vue une seule seconde.

Deux policiers en tenue débarquèrent rapidement dans la laverie automatique. En fait, ils étaient déjà en route avant même que je passe mon coup de fil. Des passants avaient entendu des coups de feu et quelqu'un avait appelé la police.

Au téléphone, je leur avais fait comprendre que la fusillade était terminée, mais comme je savais aussi que la police passerait la porte en état d'alerte maximale, je fis donc en sorte qu'elle ne nous trouve pas, Sam et moi, une arme à la main. Mais nous étions tous les deux aux aguets, prêts à museler Ed Noble s'il tentait de s'enfuir.

Après que les flics eurent jeté un coup d'œil à Noble, vautré par terre, gémissant, le nez en sang, ils appelèrent une ambulance. Un inspecteur du nom d'Angus Carlson arriva avant elle.

J'expliquai ce qui s'était passé, même si un examen de la laverie offrait une multitude d'indices. Des impacts de balles au plafond et dans un lave-linge, un hublot de séchoir explosé, du sang par terre. Plusieurs machines continuaient de tourner, remplies de mes vêtements enfumés.

Je dévoilai mon identité à Carlson en lui précisant que j'étais un ancien flic de Promise Falls, et que, s'il avait besoin de se renseigner sur mon compte, il pouvait appeler Barry Duckworth.

— C'est mon équipier, dit Carlson. Ou mon responsable. Plus ou moins.

— Il prétend qu'on l'a poussé à faire ça, dis-je en prenant Carlson à part. Les ex-beaux-parents de Mme Worthington veulent la garde de son fils. Apparemment, la mère de son ex-mari, qui purge une peine de prison, a pensé que le meilleur moyen d'arriver à ses fins était de tuer Mme Worthington.

— Certaines mères sont le mal incarné, dit Carlson.

— Je pense qu'elle est toujours en ville quelque part.

Les ambulanciers arrivèrent, mais Carlson leur fit signe de patienter. Il voulait échanger quelques mots avec Ed Noble avant qu'on ne le conduise à l'hôpital.

— Monsieur Noble ?

— Cette salope m'a pété le nez ! pleurnicha-t-il. C'est la deuxième fois en deux jours.

— Ouais, intervint Sam. Et je recommencerais bien une troisième fois.

Carlson se retourna, l'index levé.

— C'est bon, je ne dirai plus rien, dit-elle.

— Monsieur Noble, vous êtes en état d'arrestation. Vous avez...

— Je peux vous donner quelqu'un ! Je peux balancer le nom de la personne qui m'a poussé à faire ça !

— La mère de l'ex-mari de cette femme ?

— Ouais ! Yolanda. C'est elle qui a tout manigancé, mec. Je témoignerai contre elle. Juré. Si on fait un deal, je vous dirai tout.

— L'endroit où elle se trouve en ce moment, par exemple ?

— Ouais.

— Mais encore ?

— Le Walcott.

Ed Noble n'avait manifestement pas compris qu'on négociait d'abord les termes d'un deal, et qu'on ne divulguait ses informations qu'après que les deux parties étaient tombées d'accord.

Carlson se releva, s'entretint avec les agents en tenue. Il leur ordonna d'aller cueillir Yolanda et son mari au Walcott. Après quoi, il chargea un autre agent d'accompagner Ed Noble à l'hôpital et de le surveiller de près.

Une fois Noble évacué, Carlson enregistra nos dépositions, séparément. Aussi absurde que cela puisse paraître, je demandai à poursuivre ma lessive pendant qu'il interrogeait Sam. Par chance, les balles avaient épargné les machines que j'avais mises en route.

Carlson refusa. Je ne devais toucher à rien. Cette laverie automatique était, après tout, une scène de crime, et tout ce qu'elle contenait pouvait devenir un indice matériel.

Chiotte.

Je m'aperçus que le roman graphique de Crystal était toujours par terre et je décidai de mon propre chef qu'il n'était pas concerné par le décret de Carlson. Je constatai avec soulagement qu'il n'avait souffert d'aucun dommage. Pas de sang, pas de verre brisé, pas d'eau provenant d'une machine criblée de balles.

Il s'était ouvert en tombant, quelque part au milieu. La Crystal du dessin avait manifestement, à un moment ou à un autre, quitté sa chambre pour s'aventurer dans la ruelle d'une sorte de Gotham sombre et dangereuse, attirée là par la voix de son grand-père. Elle serrait contre elle un ours en peluche manchot.

Dans la bulle au-dessus de la tête de la petite fille, on pouvait lire : « Je te trouverai ! Je te trouverai ! »

Mais ce fut autre chose, quelque chose que Crystal n'avait pas dessiné, qui attira mon attention quand je me baissai pour ramasser le livre.

L'envers de la page précédente était une lettre manuscrite.

L'écriture, petite, méticuleuse et facilement déchiffrable, noircissait presque toute la page. La lettre n'était pas datée.

Elle commençait par *Chère Lucy*.

Et se terminait par *Avec tout mon amour, ton père*.

Je posai la lettre sur le dessus de la machine et la lus du début à la fin.

— Merde alors ! dis-je en reposant la page.

63

Duckworth se releva avec difficulté et regarda la voiture de Peter Blackmore disparaître au bout de la rue.

— Eh merde, dit-il en se frottant le crâne.

Il sentit du sang. Regarda ses doigts, chercha un mouchoir en papier dans sa poche.

Après s'être essuyé, il sortit son téléphone.

— Ouais, c'est Duckworth. Il faut que je passe un avis de recherche.

Il communiqua au dispatcher les caractéristiques détaillées de la voiture de Blackmore, dont le numéro d'immatriculation. Duckworth fournit également une description du conducteur.

— Les agents doivent l'approcher avec prudence, mais je ne pense pas que l'individu soit armé. Il est recherché pour interrogatoire dans plusieurs affaires d'homicide. Je veux aussi que quelqu'un aille à Thackeray, trouve le chef de la sécurité, un certain Clive Duncomb... Oui, c'est ça, celui qui a abattu le jeune étudiant, et me le garde au chaud au poste. Où est Carlson ?

Le dispatcher lui répondit que l'inspecteur fraîchement promu prenait des dépositions suite à une fusillade dans une laverie automatique.

— Eh merde ! dit Duckworth avant de raccrocher.

Le téléphone n'avait pas regagné sa poche depuis cinq secondes qu'il se mettait à sonner.

— Ouais ? dit-il, s'attendant à d'autres questions de la part du dispatcher.

— Barry ?

Une voix de femme.

Rhonda Finderman.

— Bonjour, chef.

— Tu as entendu ce que cette enflure de Finley raconte sur moi ?

— Le moment est mal choisi.

— Sans blague ? On se demande où il a été cherché toutes ces infos ? Pour autant que je sache, tu es la seule personne qui m'ait suggéré qu'il y avait un lien entre les deux affaires qu'il a citées. Alors qui d'autre que toi a pu les lui fourguer ?

— Chef, je vais...

— Tu m'avais déjà dit que Finley furetait, qu'il fouillait mes poubelles pour favoriser son come-back. S'il n'a pas eu l'info de toi ? De qui alors ? Carlson ? C'était Angus Carlson ? Si c'est lui, je te jure, je lui fais remplir des contre-danses jusqu'à la fin de ses jours. Je savais que c'était une erreur de le faire passer inspecteur.

— Ce n'était pas Carlson.

— Nom de Dieu, Barry, tu déconnes...

— Chef... Rhonda, je suis à la poursuite d'un suspect. Je dois y...

— Non, attends. Tu as dit à ce salaud...

Duckworth raccrocha et se lança à la poursuite de Blackmore.

Tandis qu'il roulait au hasard dans les rues de Promise Falls, Peter Blackmore se contorsionna pour sortir son téléphone.

Première sonnerie, deuxième sonnerie. On décrocha enfin.

— Qu'est-ce qu'il y a, Peter ?

— Clive, elle est morte !

— Qui est morte ?

— Miriam !

— Tu es cinglé, dit le chef de sécurité. Peter, tu dois accepter ce qui s'est passé. Georgina a été tué au drive-in. Pas Miriam. Je lui ai parlé. Tu étais là. Je lui ai parlé et elle va très bien.

— Après ! cria Blackmore dans le téléphone. Elle a été tuée après que tu lui as parlé !

— D'où tu sors ça ? Qui te l'a dit ?

— Duckworth !

Duncomb resta silencieux au bout du fil.

— Clive ?

— Je suis là.

— C'est toi, n'est-ce pas ?

— Quoi ?

— C'est toi qui l'as tuée.

— Mais bon sang, pourquoi est-ce que j'aurais tué Miriam ?

— Elle avait peut-être quelque chose de compromettant sur toi. Et pas juste une vidéo où apparaissait Olivia Fisher. Quelque chose qui vous concernait toi et Liz. Qui date peut-être de l'époque où vous viviez à Boston. Est-ce que c'était quelque chose de ce genre ?

— Tu débloques, Peter. Tu veux me coller ça sur le dos, mais c'est toi qui étais en vadrouille toute la nuit. C'est toi qui t'es pointé ce matin couvert de sang. C'était quoi *ton* mobile ? Pourquoi est-ce que tu la tuerais ? Parce que ce n'était pas elle qui était dans la voiture avec Adam ? Parce que c'est elle qui aurait dû mourir, et pas Georgina ?

— Non ! Je n'ai rien à voir là-dedans !

— Qu'est-ce que tu lui as raconté ? demanda Duncomb.

— À qui ?

— Qu'est-ce que tu as dit à Duckworth ?

Blackmore garda le silence quelques secondes.

— Rien, finit-il par dire.

— C'est des conneries, dit Duncomb. Qu'est-ce que tu lui as dit ?

— Rien. Je ne lui ai rien dit du tout, mentit le professeur, qui essayait de se calmer. Mais il se posait des questions à ton sujet.

— Quel genre ?

— Le genre dont on ne discute pas au téléphone.

— Bon Dieu, tu m'accuses bien au téléphone d'avoir tué Miriam, alors pourquoi ne pas m'en dire plus sur ce qui te préoccupe ?

— C'est compliqué. Où es-tu ?

— Je suis à la banque. Dans le centre, sur Claymore. Je peux te retrouver.

— Reste où tu es. Devant l'agence. Je passe te prendre.

— Où es-tu ?

— À cinq minutes à tout casser. Je te raconterai tout quand je te verrai.

Blackmore raccrocha et effectua un demi-tour, manquant couper la route à un fourgon Finley Springs.

Quand il s'était relevé en se touchant l'arrière de la tête, Duckworth avait eu le temps d'apercevoir la voiture de Blackmore prendre à droite avant de disparaître.

Après avoir raccroché au nez de Rhonda Finderman – un geste qui lui vaudrait certainement de sérieux ennuis –, il prit la même direction. Il avait le pied lourd sur l'accélérateur. À chaque intersection, il jetait un rapide coup d'œil dans les deux directions. Maintenant que tous les véhicules de patrouille de Promise Falls avaient été alertés, il espérait que l'un d'eux tomberait sur la voiture du professeur.

Où pourrait-il bien aller ? Chez lui ? À l'université ? Ce serait les deux premiers endroits où la police irait le chercher.

Les derniers mots du professeur lui laissaient penser qu'il était à la recherche de Clive Duncomb. Ce qui signifiait qu'il était très certainement en route pour la fac. Duckworth appela le central.

— Passez-moi les services de sécurité de Thackeray.

L'opération prit une quinzaine de secondes. Un homme répondit.

Duckworth se présenta.

— C'est une urgence. Il faut que je parle à votre patron. Immédiatement.

— Il n'est pas là, répondit l'homme. Il est allé en ville.

— Où ça ?

— Il a dit qu'il allait à la banque.

— Quelle banque ? Où ?

D'après l'homme, elle se trouvait sur Claymore. Avant qu'il ait pu ajouter quoi que ce soit, Duckworth fit demi-tour et fonça dans la direction opposée.

Gyrophare rouge allumé, sirène branchée.

Moins d'une minute, avec de la chance.

Devant lui, il aperçut la voiture de Blackmore arriver en sens inverse et tourner dans Claymore. Trois voitures précédaient celle de Duckworth, mais, grâce aux hurlements de sa sirène, elles libérèrent le passage. Il tourna brusquement dans Claymore, en faisant crisser ses pneus.

À une centaine de mètres devant lui, le professeur se dirigeait vers la banque, devant laquelle se trouvait Duncomb.

Celui-ci descendit du trottoir, fit trois pas sur la chaussée vers la voiture de Blackmore.

Et tout alla très vite.

Blackmore donna un brusque coup de volant sur la droite et écrasa la pédale de l'accélérateur. Duncomb n'eut pas le temps de réagir. La voiture le percuta, projetant son corps sur le capot.

— Non ! s'écria Duckworth, les mains cramponnées au volant.

La tête de Duncomb traversa le pare-brise en même temps que la voiture montait sur le trottoir et allait s'écraser sur le muret en pierre devant la banque.

L'airbag du conducteur se gonfla instantanément.

Duckworth s'arrêta brutalement et courut vers la scène de crime. Lorsqu'il arriva devant la voiture de Blackmore, l'airbag s'était déjà dégonflé.

Et par une étrange ironie, le visage de Blackmore touchait celui de Clive Duncomb.

Du moins, ce qu'il restait de sa face ensanglantée et lacérée.

Duckworth, hors d'haleine, ouvrit la portière de Blackmore.

Celui-ci tourna lentement la tête vers lui et sourit.

— Je l'ai eu, dit-il. Je l'ai bien eu.

64

David Harwood retrouva Randall Finley dans son usine d'embouteillage.

— C'était quoi, ça ! hurla Finley au moment où David entra dans son bureau. C'était le 11 Septembre des conférences de presse ! Un désastre ! Vous êtes un idiot ! Voilà ce que vous êtes ! Un idiot ! Qu'est-ce qui m'a pris de penser que vous seriez à la hauteur ?

David s'avança et, penché au-dessus du bureau, pointa Finley du doigt, l'air furibond.

— Je vais vous dire qui est l'idiot, moi ! répliqua-t-il. C'est un type qui ne veut pas écouter. Je n'ai pas cessé de vous répéter qu'il fallait planifier les choses. Que chaque action, chaque mot devait être soupesé. Il aurait fallu qu'on décide d'une stratégie et qu'on s'y tienne. Mais non, vous vous êtes réveillé ce matin, et vous vous êtes dit : « Le jour est venu ! On va faire ça aujourd'hui ! Je veux une conférence de presse dans trois heures ! Que David se débrouille ! » Eh bien, c'est comme ça qu'un idiot s'y prend.

Finley envoya valser sa chaise d'un coup de pied.

— Ça ne les intéressait même pas ! Les infos que j'avais sur le chef de la police ! Rien à foutre !

— Ils auraient pu s'y intéresser, dit Harwood. Ça les intéressera probablement. Mais enfin, vous pensiez sincèrement qu'ils ne vous interrogeraient pas sur les raisons qui vous ont obligé à renoncer à la politique ? Vous ignoriez vraiment que cette prostituée mineure était morte ?

— Je l'ai peut-être su, dit Finley. Ça m'était sorti de la tête.

— Vous avez été maire de cette ville. Je suis sûr que des gens vous appréciaient parmi ceux qui ont voté pour vous. Mais, en chemin, vous avez perdu tout votre instinct politique à force de vous regarder le nombril. Vous pensez que je suis un idiot ? Très bien. Je démissionne. Trouvez-vous quelqu'un d'autre. Mais je vous file un tuyau : faites passer vos entretiens d'embauche au zoo. Trouvez-vous un singe savant. C'est ça qu'il vous faut. Quelqu'un qui vous obéira au doigt et à l'œil, qui ne vous dira jamais que vous faites une erreur, qui n'a pas une seule idée originale dans la tête. Quelqu'un qui vous dira que vous faites un super-boulot quand, en réalité, vous vous comportez comme le dernier des abrutis.

David se retourna et prit la porte.

— Au revoir et bon débarras ! lança le maire en cherchant un autre objet dans lequel donner un coup de pied.

Faute de mieux, il s'empara de la chaise qu'il avait envoyée dinguer à l'autre bout de la pièce et la jeta de l'autre côté.

Puis il resta planté là, furieux, le front perlé de sueur.

— Merde ! hurla-t-il avant de se précipiter vers le parking.

Il rattrapa David au moment où celui-ci montait dans sa Mazda.

— Hé ! appela Finley. Attendez !

— Vous ne pouvez pas me virer, pauvre con, dit David, une main sur la portière : je démissionne. Vous ne m'avez pas entendu ?

— Je ne veux pas vous virer, dit-il en reprenant son souffle. Et je ne veux pas que vous démissionniez.

— Quoi ?

— Je ne veux pas que vous démissionniez.

— Oubliez ça, dit David en se laissant tomber sur le siège.

Il voulut fermer sa portière, mais Finley s'y cramponna des deux mains.

— Non, écoutez. Écoutez-moi juste une seconde.

David attendit.

— D'accord, vous avez raison, reconnut Finley avec un grand sourire. J'ai brûlé mes cartouches trop vite.

David ne rit pas.

— Bon Dieu, qu'est-ce que vous voulez de moi ? Je viens de vous dire que vous aviez raison. J'aurais dû suivre votre conseil. J'aurais dû savoir à quoi m'attendre, qu'ils me ressortiraient l'histoire de la prostituée. J'ai été débile de penser qu'ils ne le feraient pas. À partir de maintenant je vais vous écouter. Promis.

David secoua lentement la tête.

— Je vous offre une rallonge de deux cents dollars par semaine, continua Finley. À dire vrai, je ne sais pas si je pourrais trouver quelqu'un – d'aussi intelligent que vous, je veux dire – qui accepterait de travailler pour moi.

David détourna la tête, regarda le tableau de bord.

— Je suis bien de votre avis.

Finley comprit qu'il avait gagné.

— Ce sont des excuses que vous voulez ? Je suis désolé. Je suis désolé de ne pas vous avoir écouté, et je suis désolé de vous avoir traité d'idiot.

David le regarda.

— J'aurais dû faire venir des soutiens.

— Pardon ?

— J'aurais dû rameuter des gens, leur mettre des pancartes *Finley à la mairie* dans les mains. Quelque chose à montrer aux caméras. Même si c'était juste la famille et les amis. Même une demi-douzaine de personnes. Même ça, ça aurait été bien. Mais je n'y ai pas pensé. Vous ne m'avez pas laissé assez de temps.

— Oui, je comprends. Totalement.

— Il faut qu'on s'assoie autour d'une table et qu'on mette tout à plat. Qu'on balise vos positions sur tout un tas de sujets. Qu'on détermine vos réponses aux questions embarrassantes. Parce qu'elles resurgiront constamment. Maintenant, vous le savez : vous devrez y faire face. En faire quelque chose de positif. Admettez-le : vous avez des défauts. Vous avez fait des choses dont vous n'êtes pas fier, mais ça ne veut pas dire que vous vous moquez de ce qui peut arriver à cette ville, que vous ne voulez pas œuvrer pour le bien de ses habitants.

— Ça me plaît, dit Finley. Vous vous en souviendrez, ou est-ce qu'il faut que vous le notiez ?

— Vous devriez être capable de vous en souvenir vous-même. Vous êtes un putain de politicien. Vous connaissez tout ce qu'il y a à savoir sur l'art de la persuasion. Vous devez simplement ne pas oublier de vous en servir.

— Je suis tout à fait d'accord.

David soupira.

— Quatre cents, dit-il.

— Quoi ?

— Je reste, mais à deux conditions : vous suivez mes conseils, et vous me donnez quatre cents dollars de plus par semaine. Ça représente quoi ? Deux cents packs d'eau minérale ?

Finley produisit un sifflement entre ses dents.

— Quatre cents, je ne sais pas. Je pensais plutôt à...

David mit le contact.

— D'accord, quatre cents. C'est parfait. Je n'en mourrai pas.

David coupa le contact.

— Il y a encore une chose. Ce dont on a parlé juste avant la conférence de presse.

— Cette histoire au sujet de votre gamin, dit Finley en opinant du chef.

— N'essayez plus jamais de me faire chanter.

Finley leva les mains, sur la défensive.

— Jamais. (Il sourit.) Alors, vous rempilez ?

David Harwood prit plusieurs secondes pour l'admettre.

— Ouais, je rempile.

— C'est bien. C'est bien, parce que j'ai réfléchi.

David ferma les yeux, avec lassitude.

— Non, écoutez, c'est juste une idée en l'air, mais je me disais que, pour rattraper le désastre d'aujourd'hui, il fallait frapper un grand coup. Quelque chose qui montrerait aux habitants de cette ville que je suis pour eux un atout inestimable. Que même si je peux être un peu con sur les bords...

— Oh, arrêtez, dit David.

— Que même si je peux être un peu con sur les bords, j'aime cette ville, et je réponds présent quand les habitants de Promise Falls ont besoin de moi.

— Comme quand vous êtes allé au drive-in pour vous faire tirer le portrait en train d'aider des rescapés, vous voulez dire ? Parce que ça n'a pas été une réussite. C'était opportuniste. C'était hypocrite. Heureusement que Duckworth nous a virés avant que vous ne vous rendiez totalement ridicule.

— Mais je me sentais concerné, dit Finley d'un air blessé. J'avais de la peine pour ces gens. Ces petites filles, qui étaient terrifiées quand l'écran s'est effondré. Vous n'allez peut-être pas le croire, mais j'étais de tout cœur avec elles.

— Bien sûr.

— Pourtant, si un truc pareil devait se reproduire, je m'impliquerais, je remonterais mes manches, je me salirais les mains, je montrerais à mes concitoyens que je suis à leurs côtés.

— Que voulez-vous dire ? On croise les doigts pour avoir une inondation, ou une tornade ?

— Bien sûr que non. Mais s'il arrivait quelque chose de ce genre, je veux mouiller ma chemise.

65

Cal

Je voulais parler à Crystal, mais pas en présence de sa mère.

Je ne lui avais toujours pas apporté son déjeuner. Lucy m'avait dit que sa pause commençait à midi et demi. Si j'obtenais d'Angus Carlson l'autorisation de quitter les lieux, j'arriverais dans les temps.

Lorsque je lui demandai s'il avait encore besoin de moi, il me répondit que je devrais me présenter au poste pour faire une déposition plus officielle. Ce que je m'engageai à faire dès que ce serait possible, et, après avoir pris mes coordonnées, il me laissa partir.

Sam, elle aussi, voulait me voir avant que je m'en aille.

— Merci, dit-elle.

— Je me rattrape juste pour hier.

Elle sourit.

— J'ai appelé l'école et parlé à Carl. Je lui ai promis que je viendrais le chercher dès que possible. Et l'inspecteur m'a dit que mes ex-beaux-parents ont été arrêtés. Il paraît que Yolanda a tourné de l'œil quand la police a débarqué.

Je souris à mon tour, lui pressai la main.

— Ils vont peut-être avoir ce qu'ils méritaient, finale-ment, déclara-t-elle.

— Si seulement tous les méchants finissaient par payer. En tout cas, ce devrait être le cas pour eux.

Je dus laisser mon linge dans les machines. Sam promit que si Carlson autorisait la laverie à fonctionner de nouveau normalement, elle s'en occuperait pour moi. J'arrivai à l'école à midi vingt, après avoir fait un saut dans une grande surface qui vendait des fournitures de bureau.

Lucy, comme prévu, avait averti l'école de ma visite. Une secrétaire m'accueillit, et me demanda une pièce d'identité. Je lui montrai mon permis de conduire, pour éviter de l'alarmer inutilement en lui montrant ma licence de détective privé. Crystal m'attendait au secrétariat depuis la fin des cours.

Elle entra dans le bureau à 12 h 32. Je l'attendais, assis sur une des six chaises qui se trouvaient là, son déjeuner, un sac plastique et son roman graphique sur les genoux.

— Bonjour, Crystal. Je t'ai apporté ton déjeuner.

— Ah, oui, dit-elle. Je l'avais oublié.

Je lui tendis le sac.

— Ta journée se passe bien ?

Elle haussa les épaules.

Je soulevai la liasse de feuilles agrafées.

— Je tenais à te dire à quel point j'ai aimé ton livre. Ton roman graphique.

— D'accord, dit-elle.

— Et je t'ai acheté quelque chose.

J'ouvris le sac pour lui montrer un paquet de feutres de qualité supérieure, ainsi qu'une rame de cinq cents feuilles de papier blanc pour imprimante.

— On dirait que tu es toujours à court, dis-je, alors j'ai pensé qu'il te fallait un gros paquet comme ça.

— Oui, dit-elle, en me le prenant des mains. (Il était bien plus lourd dans ses bras que dans les miens.) Maman se fâche quand je prends ses papiers.

— J'espère que c'est la bonne sorte de feutres. Il y a plein de couleurs différentes.

Elle bâilla. Je me demandai si je l'ennuyais. Mais elle examina les feutres et déclara :

— Oui, ils sont bien... Merci.

— Tu peux rester avec moi une seconde ?

— D'accord.

Elle sauta sur la chaise à ma droite. Je tournai la page de titre de son roman graphique.

— Ce dessin, là, de la petite fille dans son lit, il m'a épaté. Tu es une artiste très talentueuse.

Crystal hocha la tête sans aucun commentaire.

— J'ai remarqué que la petite fille s'appelait Crystal. C'est donc toi ?

Elle haussa les épaules.

— Je suppose. Ce sont les aventures qui se passent dans ma tête.

Elle bâilla de nouveau, la bouche grande ouverte.

— En voilà une petite fille fatiguée.

— Je n'ai pas bien dormi.

Je tournai quelques pages, trouvai celle où la petite fille marche dans la ruelle tard le soir.

— Ce dessin aussi est très bon. Tu as peur quand tu dessines des scènes qui fichent la trouille comme celle-là ?

Elle fit non de la tête.

— Tu as déjà pris des cours de dessin ?

— Non. Bien sûr, j'ai eu des cours d'arts plastiques à l'école, mais j'ai surtout appris à dessiner en regardant des bandes dessinées.

J'en étais arrivé à la page avec la lettre au verso.

— Crystal, dis-je en la montrant du doigt, où as-tu trouvé cette feuille de papier ?

Elle l'examina un moment.

— Chez grand-père. Chez grand-père et Miriam.

— Tu aimais dessiner quand tu allais chez eux ?

Crystal fit oui de la tête.

— Grand-père aimait mes dessins. Je suis triste pour mon grand-père.

— J'imagine.

— Miriam n'est pas morte.

— Dans l'accident, tu veux dire ?

La petite fille hocha la tête. Elle ignorait le dernier et ultime revers de fortune de Miriam, et j'estimais que ce n'était pas à moi de le lui révéler.

— Je ne la verrai probablement plus. Je n'irai plus là-bas si grand-père est mort.

— C'est possible, dis-je. Mais quand tu allais là-bas, tu t'amusais bien ?

Un hochement de tête.

— Est-ce que ton grand-père te donnait beaucoup de papier ?

— Il me disait d'en prendre dans son imprimante.

Un autre bâillement.

— Dans son bureau, là où il travaillait ?

Crystal fit oui de la tête.

— Mais cette feuille ne devait pas sortir de son imprimante. On a écrit partout dessus.

— Quand l'imprimante était vide, je cherchais des feuilles dans d'autres endroits, dit-elle de sa voix monocorde.

— Bien sûr. Et cette feuille-là, tu l'as trouvée où ?

— Dans le bureau de grand-père.

— Ah bon ? Dans un des tiroirs, alors ?

— Pas exactement. Elle était dans une enveloppe avec du scotch dessus.

— Du scotch ?

— Du gros scotch marron. J'ai mis la main dans le tiroir et j'ai senti quelque chose qui frottait contre ma main. C'était du scotch. Il avait collé quelque chose au fond du tiroir. J'ai trouvé ça idiot.

— En effet, dis-je, c'est un peu bizarre.

— C'était une enveloppe et cette feuille de papier était à l'intérieur. Elle n'était écrite que d'un côté, alors j'ai pu utiliser l'autre.

— Tu as lu ce qu'il y avait écrit ?

Crystal fit non de la tête.

— Pourquoi ne l'as-tu pas lue ?

— Je n'étais pas intéressée. Il n'y a que les pages blanches qui m'intéressent parce que je peux dessiner dessus.

— Tout ce qui comptait pour toi, c'est qu'un des côtés soit vierge.

— Oui.

— Je vais te rendre ton livre, mais est-ce que tu veux bien me laisser prendre cette page ? Je voudrais garder cette lettre ?

— Ça va abîmer tout le livre. Peut-être qu'ils vous laisseront faire une copie.

Elle descendit de sa chaise, emportant le livre avec elle, et appela la secrétaire.

— Madame Simms, j'ai besoin que vous photocopiiez quelque chose pour moi. C'est juste une page.

Mme Simms s'approcha du comptoir d'accueil.

— Pour toi, ma puce, je ferais n'importe quoi.

— Cette page, là, dit-elle en la montrant du doigt.

Mme Simms, sans même un regard pour la lettre, la posa sur le photocopieur du bureau, abaissa le capot, et appuya sur le bouton. Elle revint avec le livre, et la photocopie, que Crystal me tendit.

— Je peux aller déjeuner maintenant ? me demanda-t-elle, prenant la rame de papier et les feutres dans ses bras.

— Bien sûr que tu peux.

Elle étouffa un autre bâillement.

— Tu vas avoir besoin d'une grosse sieste en rentrant à la maison.

— J'espère que maman ne va pas encore me réveiller cette nuit.

— Pourquoi est-ce qu'elle t'a réveillée ? Tu faisais un mauvais rêve ?

Étant donné la nature de ses dessins, elle me semblait prédisposée aux cauchemars.

— Non. Je l'ai entendue partir, et la voiture démarrer. Je me suis mise à la fenêtre et j'ai attendu son retour. Et puis je vous ai entendu arriver aussi. Et puis je vous ai entendus, vous et maman, dans la chambre d'amis. Alors j'ai mal dormi.

Si cette remarque ne m'avait pas déjà laissé sans voix, ce qui se passa ensuite m'aurait de toute façon achevé.

Crystal me serra dans ses bras.

— Je vous aime bien, dit-elle, puis elle s'en alla avec sa rame de papier, ses feutres et son déjeuner.

66

— Le Pr Blackmore m'a informé qu'il renonçait à tous ses droits et qu'il était disposé à répondre à vos questions, déclara Nate Fletcher. En qualité d'avocat, je le lui ai fortement déconseillé, mais j'ai bien peur de ne pas pouvoir lui faire changer d'avis. Je vais malgré tout rester ici afin de défendre ses intérêts de mon mieux.

— Bien sûr, dit Barry Duckworth.

— Je n'ai rien à cacher, déclara Peter Blackmore avec calme.

Les trois hommes se trouvaient dans une salle d'interrogatoire du poste central de Promise Falls. Duckworth enregistrait l'entretien. Audio et vidéo.

Après les formalités d'usage – une déclaration rappelant la date, l'heure et le lieu de l'interrogatoire, ainsi que les noms de toutes les personnes présentes –, l'inspecteur entra dans le vif du sujet.

— Monsieur Blackmore, aviez-vous prévu de retrouver M. Duncomb aujourd'hui devant son agence bancaire, sur Claymore Street ?

— Oui.

— L'avez-vous appelé pour l'en informer ?

— Oui. Je lui ai dit que je voulais le voir, et il m'a indiqué où il se trouvait.

— C'est tout ?

— Je lui ai dit que j'allais passer, de m'attendre devant la banque.

— C'est ce que vous lui avez demandé ? De vous attendre devant sa banque.

— C'est exact, dit Blackmore.

— Pourquoi lui avoir dit ça ?

— Parce que je voulais le renverser avec mon véhicule.

— Vous l'aviez déjà décidé ?

— Attendez, intervint Nate Fletcher.

— C'est bon, dit le professeur. Oui, c'était prémédité. J'avais décidé de tuer Clive quand l'occasion s'en présenterait. Il est plus puissant que je ne le suis. Il est plus fort. Je me suis dit que j'aurais plus de chance avec ma voiture.

— Pourquoi avez-vous tué M. Duncomb ? demanda l'inspecteur.

— Cet homme était mauvais.

— Il vous avait menacé ?

— Oui. Il a dit que si je parlais à quiconque de nos activités, il me tuerait.

— À quel genre d'activités faites-vous référence ?

Blackmore marqua un temps d'arrêt.

— Sexuelles.

— Vous parlez des parties fines à plusieurs couples auxquelles vous vous livriez dans la pièce cachée au sous-sol du domicile des Chalmers ?

— C'est cela. Georgina et moi-même, Clive et Liz, et Adam et Miriam.

— Et, parfois, d'autres participants.

— C'est exact. Parfois des étudiantes de Thackeray. Des filles que ça excitait de rencontrer un auteur, en l'occurrence, Adam Chalmers. C'est Clive qui organisait nos soirées. Elles venaient pour dîner. Prenez un peu de vin...

— Les boissons étaient droguées.

— Parfois oui. Parfois non.

— Ainsi, vous dites que vous avez renversé Clive Duncomb parce que vous aviez des craintes concernant votre propre sécurité ?

— En partie seulement. J'ai cessé de m'en faire pour moi-même. Si vous sortiez votre arme pour me mettre une balle dans la tête, je n'essaierais même pas de vous en empêcher.

— Ce n'est pas mon intention, dit Duckworth.

— Je sais. Je dis simplement que, d'une certaine façon, ce serait un soulagement. Ma femme est morte. Je suis accablé par la honte. Je sais que vous me ferez surveiller, mais je tenterai probablement de me suicider à la première occasion. Néanmoins, pour l'instant, je suis content de répondre à toutes vos questions. J'ai tué Clive parce que c'était un homme malfaisant.

— Est-ce que Clive Duncomb a assassiné Miriam Chalmers ?

— Ça ne me surprendrait pas, dit Blackmore. Il m'a dit que ce n'était pas lui, mais…

— Qu'a-t-il dit exactement ?

— Que ce n'était pas lui. Il a essayé de renverser les choses en m'accusant de l'avoir tuée.

— Vous l'avez tuée ?

Blackmore secoua la tête avec lassitude.

— Quand je vous ai vu ce matin, vous aviez du sang sur vous, continua Duckworth.

— C'était le mien. Je suis tombé hier soir, et puis Clive m'a frappé. Je n'ai aucune raison de mentir. Vous m'avez arrêté pour le meurtre de Clive. J'étais en pleine possession de mes facultés mentales quand j'ai…

Nate Fletcher leva la main.

— Peter, attendez, nous n'en savons rien. Seule une évaluation psychologique déterminera si…

— C'est bon, le coupa Blackmore. J'étais en pleine possession de mes facultés mentales quand j'ai renversé Clive avec ma voiture. C'est d'ailleurs la chose la plus sensée que j'aie faite depuis longtemps. Je sais que j'irai en prison pour ça. Alors si j'avais tué Miriam, je l'avouerais sans difficulté.

— Vous pensez donc que c'est Clive Duncomb qui a tué Miriam Chalmers ?

— Je n'en sais rien. Mais si c'est le cas, ce n'est peut-être pas un mal. Presque tous ceux qui méritaient de mourir sont morts, d'une façon ou d'une autre. Clive, Adam, Miriam et Georgina. Il ne reste plus que moi et Liz.

— La femme de M. Duncomb ?

Blackmore confirma d'un hochement de tête.

— C'est peut-être la pire d'entre nous.

Il se pencha vers Duckworth et murmura :

— C'est un serpent.

— On va l'interroger.

— Liz n'est pas belle, mais elle compense par ses talents. Elle connaît tous les trucs. Georgina et moi, nous avions des problèmes. Notre... Notre vie sexuelle n'était plus ce qu'elle avait été. Clive m'avait fait comprendre que Liz et lui avaient des pratiques un peu alternatives, et il a fini par nous inviter à rejoindre le groupe. Ça a changé les choses pour Georgina et moi. Elle s'est sentie revivre, au début en tout cas. Elle était très éprise d'Adam.

— Elle le voyait en dehors du groupe, dit Duckworth. Ce n'était pas contraire aux règles ?

— Oui. Je ne sais pas si elle l'a vu souvent avant qu'ils ne soient tués au drive-in. Mais Adam... Je ne sais pas comment expliquer Adam. Je pense que c'était un vrai psychopathe. Il pouvait être tout ce que vous vouliez qu'il soit. Il pouvait vous mentir de façon absolument convaincante. Il pouvait faire semblant de tenir à vous tout en vous trahissant. Il voulait que vous l'aimiez à l'instant « t », mais se fichait de savoir ce que vous pensiez de lui l'instant suivant. Même sa propre fille, Lucy, et sa petite-fille, Crystal. Il les aimait, et il voulait être aimé d'elles, mais je parie qu'il se fichait de ce qu'elles pensaient de lui une fois qu'il avait le dos tourné. Georgina était ensorcelée.

— Peut-être que vous l'étiez, vous aussi ?

— Peut-être. Adam et Clive, c'étaient… c'étaient de vrais mecs, si vous voyez ce que je veux dire. Un ancien biker d'un côté, un ancien flic, de l'autre. Les deux côtés de la loi. Rien que d'être en leur compagnie, je me sentais plus viril. Et Georgina se sentait plus femme avec Miriam et Liz. Ils étaient tous les quatre très sensuels. C'était comme si nous avions fini par fréquenter des gens dans le coup. On s'est tellement laissé prendre au jeu que, lorsque Clive et Adam ont proposé de pimenter les choses avec nos… nos invitées, on a accepté.

— Olivia Fisher, par exemple ?

— C'est ça.

— C'était combien de temps avant qu'elle soit assassinée ?

— Pas longtemps. Quelques semaines.

— Comment avez-vous réagi en apprenant sa mort ?

— J'étais sous le choc, naturellement. Sidéré. Nous en avons tous parlé. Nous avons tous vécu ça, je le jure, comme une terrible tragédie, parce que c'était un esprit tellement libre, une adorable jeune femme.

— Que vous avez violée.

— Inspecteur, intervint Nate Fletcher.

— Non… pas elle, affirma Blackmore. Elle allait bientôt se marier, mais je ne suis pas certain qu'elle en avait vraiment envie. Elle nous a dit qu'elle sortait avec son fiancé depuis si longtemps que cela semblait la suite logique.

Duckworth laissa cette information flotter dans son esprit quelques secondes.

— Pensiez-vous que son meurtre était lié à ce qui s'était passé entre vous ? finit-il par demander.

Blackmore prit son temps pour répondre.

— Ça m'a traversé l'esprit.

— Pourquoi ?

— À cause de Clive.

— Vous pensiez que Clive Duncomb l'avait tuée.

— Je pensais qu'il était celui d'entre nous qui en aurait été le plus capable. Un jour, il a demandé à Adam où était la vidéo dans laquelle elle apparaissait, et Adam lui a répondu de ne pas s'en faire pour ça. Il ne s'en est donc plus inquiété. Mais quand il a cru qu'Adam et Miriam étaient morts, et qu'il devenait possible que cette vidéo et les autres soient découvertes, il est allé dans la maison des Chalmers pour les récupérer. Et puis, hier soir, il a découvert que Miriam était toujours en vie, et elle lui a appris qu'Adam s'était débarrassé des vidéos potentiellement compromettantes il y a longtemps.

— Parlez-moi de Rosemary Gaynor, dit Duckworth.

— Qui ça ?

— Rosemary Gaynor. Ou Bill Gaynor.

— Je n'en ai jamais entendu parler. Qui sont ces gens ?

Duckworth lui fit un résumé de l'affaire.

— Les journaux ne parlaient que de ça.

— On était en période d'examens, expliqua Blackmore. J'avais beaucoup de copies à corriger. Je ne suivais pas vraiment l'actualité.

— Pourquoi cette question sur l'affaire Gaynor ? demanda Fletcher à Duckworth.

L'inspecteur balaya la question d'un geste de la main avant de se retourner vers Blackmore.

— Vous n'avez jamais entendu Adam Chalmers ou Clive Duncomb parler d'eux ? Est-il possible que les Gaynor aient été des partenaires sexuels antérieurs des Chalmers ? Ou des Duncomb.

— Je vous dis que je n'en ai jamais entendu parler.

Duckworth tapota le dessus de la table. Clive Duncomb avait peut-être une bonne raison de tuer Olivia Fisher, mais rien ne permettait de relier ce meurtre à celui de Rosemary

470

Gaynor. Le Dr Jack Sturgess avait peut-être une bonne raison de tuer Gaynor, mais rien ne permettait de relier ce meurtre à celui d'Olivia Fisher.

Et Bill Gaynor était toujours un suspect possible.

On frappa à la porte de la salle d'interrogatoire. Duckworth se retourna sur sa chaise, aperçut le visage sévère de Rhonda Finderman dans la petite ouverture rectangulaire.

Juste au moment où il pensait que sa journée ne pourrait pas être pire.

Une fois qu'on eut reconduit Peter Blackmore en cellule, que Nate Fletcher fut rentré chez lui, et que Rhonda eut passé dix minutes à lui souffler dans les bronches, Duckworth s'assit à son bureau.

Il était le seul flic dans toute la pièce. Il y avait bien quelqu'un à l'accueil, mais là-haut, où travaillaient les inspecteurs, il n'y avait plus âme qui vive.

Duckworth se prit la tête à deux mains. *Même mes cheveux sont fatigués*, songea-t-il. Il s'était passé tellement de choses ces deux derniers jours, ces deux dernières semaines, en fait, il avait la sensation que son monde s'était désaxé, comme si plus rien n'était d'aplomb.

Il était temps pour lui de rentrer au bercail. Maureen serait probablement couchée. Il était impatient de se glisser dans le lit à côté d'elle. Il s'endormirait en quelques secondes.

Son portable sonna.

Il le sortit du fond de sa poche. Le préfixe correspondait à la région de Boston sur l'écran.

— Duckworth.

— Bonjour, vous êtes bien l'inspecteur Duckworth ?

— Oui.

— Sandra Bottsford à l'appareil.

— Oh ! dit-il en se redressant sur sa chaise.

— Je suis désolée de ne pas vous avoir rappelé plus tôt. Je viens d'apprendre que vous aviez appelé l'hôtel. C'est encore au sujet de M. Gaynor ?

— C'est exact. La dernière fois que nous nous sommes parlé, vous aviez dit que sa voiture n'avait jamais quitté le garage de l'hôtel, qu'on avait vu M. Gaynor de temps à autre à l'intérieur de l'établissement, mais je voudrais réexaminer ces informations.

— Vous vous demandez encore s'il n'aurait pas pu aller à Promise Falls et revenir à Boston pendant la nuit ?

— C'est à peu près ça.

— Eh bien, comme je vous l'ai dit, la voiture n'a pas bougé, et aucun train à grande vitesse ne fait la navette entre les deux villes au milieu de la nuit.

— Je sais, mais…

— À moins que ce soit lui qui ait volé la voiture.

Duckworth changea son téléphone de main.

— Répétez-moi ça, s'il vous plaît.

— Ça m'était sorti de la tête jusqu'à maintenant, mais c'est peut-être important.

— Une voiture a été volée dans votre établissement ?

— On a eu un incident, dit-elle. Je ne l'ai appris qu'une semaine plus tard. Notre concierge s'était gardé de m'en informer. Je devrais préciser, notre *ancien* concierge.

— Madame Bosttsford, que s'est-il passé ?

— Un client s'est présenté à la réception tard ce soir-là et a confié ses clés à *quelqu'un*. Mais, plus tard, quand la réception a cherché à retrouver la voiture de ce client, celle-ci avait disparu.

— Continuez.

— Ils étaient tous paniqués, à se demander comment ils s'étaient débrouillés pour perdre une voiture. Ils repoussaient constamment le moment d'appeler la police, se disant qu'elle était peut-être quelque part dans le garage et qu'elle referait surface avant que le propriétaire du véhicule ne veuille la récupérer le lendemain matin. Et ils ont eu de la veine.

— La voiture est revenue ?

— Ils l'ont retrouvée dans la rue au lever du soleil. À quelques centaines de mètres de notre établissement.

— Il s'est écoulé combien de temps entre le moment où la voiture a disparu et celui où on l'a retrouvée dans la rue ?

— Au moins six heures, répondit Sandra Bottsford.

— Ça par exemple !

— Je regrette de ne pas avoir pu vous informer de cet incident la première fois que l'on s'est vus.

— Ce n'est pas grave. Merci pour l'info. Je vais remonter cette piste.

Duckworth raccrocha et laissa son téléphone tomber sur le bureau.

Gaynor aurait pu le faire.

Il aurait pu voler une voiture, rentrer chez lui, assassiner sa femme et retourner à Boston.

C'était possible.

Mais était-ce probable ?

Duckworth soupçonnait toujours Duncomb d'avoir assassiné Olivia Fisher. Peut-être existait-il un lien entre le chef de la sécurité de l'université de Thackeray et Rosemary Gaynor, quelque chose qu'il n'avait pas encore trouvé, quelque chose qui ferait de lui un suspect pour les deux meurtres.

Il s'y remettrait demain. Pour l'instant, il était totalement lessivé. Il commençait à s'extraire de sa chaise quand son téléphone sonna à nouveau.

Bon Dieu, laissez-moi rentrer chez moi, dit-il dans sa barbe.

Il se saisit du combiné.

— Quoi ? dit-il d'un ton brusque.

— Inspecteur Duckworth ? Barry Duckworth ?

C'était une voix d'homme, mais elle était voilée et rauque, comme si elle sortait d'un vieux haut-parleur.

Elle lui fit penser à celle de Darth Vader.

— Oui, c'est Duckworth. Qui êtes-vous ?

— Je voulais juste que vous sachiez que je suis fier de vous.

— Fier de moi ?

— Je n'étais pas sûr que quelqu'un arriverait à faire le rapprochement. À voir les liens. Je ne voulais pas en faire trop.

— Qui êtes-vous ? (Une sommation cette fois, pas une question.) Dites-moi qui vous êtes, à la fin !

Mais il n'y avait plus personne au bout du fil. La communication avait été coupée.

67

Cal

Je pris du temps pour réfléchir. Juste réfléchir. Je finis par appeler Lucy.

— Tu as apporté son déjeuner à Crystal ? demanda-t-elle.

— Oui.

— Il n'y a pas eu de problèmes avec le secrétariat ?

— Aucun.

— Je te suis vraiment reconnaissante. Je suis restée des heures au téléphone avec un notaire et le funérarium, et ça m'a tuée.

— Il faut que je te voie. Je peux passer ?

— Bien sûr. (Elle marqua un temps d'arrêt.) Je peux ouvrir une bouteille de vin.

— Peut-être juste un café.

— Très bien, dit-elle, je ferai ça.

Quand j'arrivai chez elle, je ne reçus pas le même accueil que la dernière fois : au lieu de m'inviter à entrer et de me faire asseoir dans le salon, Lucy se pendit à mon cou, m'attira contre elle et m'embrassa.

Ce qui provoqua chez moi quelques réactions involontaires qui ne lui échappèrent sans doute pas. Si bien que, lorsque je me dégageai doucement de l'étreinte de ses bras, elle parut surprise.

— Qu'est-ce qu'il y a ? Un problème ?

— Non, ça va, répondis-je. C'est juste que j'ai eu une matinée épuisante…

— Aux infos, ils ont parlé d'une fusillade dans une laverie automatique. Et puis j'ai repensé à ce que tu m'avais dit, à propos de tes vêtements qui avaient été abîmés par l'incendie…

— J'y étais.

— Oh, mon Dieu.

Je lui racontai, le plus brièvement possible, ce qui s'était passé.

— Il te faut quelque chose de plus fort que du café, dit-elle en me conduisant dans la cuisine.

— Non, du café, ce sera parfait.

Elle avait déjà préparé une cafetière et rempli deux mugs, qu'elle avait posés sur la table de la cuisine. Nous nous assîmes tous les deux.

— Tu veux en parler ? me proposa-t-elle d'un ton plein de sollicitude. Parfois, quand on a vécu ce genre de chose, ça aide. Pour évacuer le stress.

— Je ne suis pas venu pour ça.

— Qu'est-ce qu'il y a, Cal ? s'inquiéta-t-elle, une expression soucieuse sur le visage.

— Parle-moi de la lettre.

— Je te demande pardon ?

— Tu me caches quelque chose depuis le début. Ça concerne ce qui a été volé chez ton père.

— Je ne comprends absolument pas de quoi tu parles, dit-elle lentement.

— Je pense que tu n'as pas feint la surprise en découvrant la pièce du bas. Je pense aussi que la personne que tu as entendue s'enfuir est bien celle qui a emporté ces DVD. Mais je doute fort que tu te sois jamais vraiment inquiétée pour ces DVD. C'est autre chose que tu cherchais à récupérer. Une lettre.

— Comment sais-tu cela ?

— J'ai donc raison.

Elle hocha lentement la tête.

— C'est possible. Mais c'était très personnel.

— Ton père t'a dit que s'il devait lui arriver quelque chose, il te laisserait, à toi et à Crystal, une partie de l'argent qu'il avait amassé dans sa vie d'avant.

— Je ne comprends pas comment tu peux savoir ça.

— Sois honnête avec moi, Lucy. Parle-moi de cette lettre, dis-moi ce que tu t'attendais à y lire quand tu l'aurais retrouvée.

Ses yeux étincelèrent. Elle enveloppa son mug de ses deux mains, comme pour se réchauffer.

— Papa a toujours dit qu'il s'occuperait de moi. Il répétait sans cesse qu'il serait là pour moi, même s'il faisait le minimum. Il m'a dit qu'il savait comment se faire pardonner. Qu'il y avait de l'argent… beaucoup d'argent. Plusieurs centaines de milliers de dollars. En liquide. Cela remontait à l'époque où il était avec les bikers, avant de se ranger. Il a fait des trucs moches à cette époque. Il a arnaqué sa propre bande. Les a laissés pour morts. L'argent était… eh bien, c'était de l'argent sale. Pas le genre qu'on pouvait mettre à la banque, du moins pas sur un compte. Dans un coffre peut-être. Il l'avait planqué. Il n'en avait pas parlé à Miriam. Il me l'a affirmé. Pendant des années, depuis qu'il avait commencé à écrire ces livres, il a mené une existence irréprochable. Enfin, si l'on ne tient pas compte de sa vie sexuelle. Il a laissé son ancienne vie derrière lui et il n'a pas touché à cet argent.

— Continue.

— Il m'a dit de regarder dans son bureau, si jamais il lui arrivait quelque chose. Je devais y trouver une lettre. Scotchée au fond d'un des tiroirs. Avec les instructions pour récupérer l'argent.

— Tu es donc allée à la maison de ton père pour récupérer cette enveloppe, après avoir appris qu'il était mort

477

dans l'explosion qui avait fait s'effondrer l'écran du drive-in. Tu as entendu quelqu'un sortir par la porte de derrière, et comme tu n'as pas trouvé l'enveloppe, tu as pensé que cette personne l'avait emportée.

Lucy acquiesça.

— J'ai pensé que mon père s'était confié à quelqu'un d'autre que moi. Et qu'il lui avait parlé de la lettre. Je suis désolée de ne pas t'en avoir parlé tout de suite. Il fallait que je sache qui s'était introduit dans la maison. Après ça, je l'aurais contacté moi-même. En fait, j'ai bien essayé de joindre ce M. Duncomb sur qui tu t'étais renseigné. J'ai appelé chez lui hier soir, et je suis tombée sur sa femme, qui a été très désagréable. J'allais réessayer aujourd'hui, mais maintenant que tu es au courant, tu pourrais peut-être le faire pour moi ?

Elle se força à sourire, mais son sourire me parut aussi faux qu'une poignée de main de politicien.

— Pourquoi ne pas m'avoir dit tout ça dès le départ ?

— Parce que, avant de te connaître, je pensais que tu pourrais très bien tout garder pour toi. Et puis l'origine de cet argent est moralement douteuse. Mais je m'en moque. Je suis une mère célibataire. J'ai une fille que je dois élever. Je compte faire ce qu'il faut pour elle et c'est la seule chose qui compte.

Une larme roula sur sa joue.

— Où est l'argent, d'après toi ? lui demandai-je.

Elle se mordit la lèvre.

— Je ne sais pas. Peut-être dans un coffre quelque part. Ou peut-être, comme dans *Les Évadés*, caché sous une pierre, dans un champ. Où qu'il soit, je veux le trouver. Mais je dois d'abord mettre la main sur cette lettre.

Je sortis alors de ma poche la page du livre de Crystal qui avait été photocopiée.

Tout le corps de Lucy se figea. Elle était assise sur sa chaise, raide comme un piquet. Elle porta une main tremblante à sa bouche.

— Qu'est-ce que c'est ? demanda-t-elle.

— La lettre.

— Où l'as-tu trouvée ?

— C'était une des pages du roman graphique de Crystal.

— Crystal ? Alors elle… elle l'avait peut-être depuis des semaines ?

Je hochai la tête.

Lucy repoussa sa chaise, se leva, se retourna et fit trois pas vers le plan de travail, auquel elle se cramponna, me tournant le dos.

— Oh, mon Dieu, murmura-t-elle. Jamais je… Je n'arrive pas à croire…

— Lucy.

— J'aurais dû y penser… Ça aurait dû me venir à l'esprit que ça pouvait être elle, mais… je ne pensais pas que mon père laissait Crystal entrer dans son bureau.

— Manifestement, si.

— Mais il l'avait cachée, dit-elle en me tournant toujours le dos. Il m'avait dit qu'il l'avait scotchée… ?

— Crystal a senti l'adhésif sur sa main en cherchant du papier dans le tiroir.

Elle se retourna, les yeux rouges.

— Tu lui as parlé.

— Oui. Après l'avoir lue, il fallait que je sache où elle l'avait trouvée.

Lucy regarda la feuille de papier pliée dans ma main avec autant de curiosité que de crainte.

— Les choses ont commencé à faire sens, dis-je. Je me suis rappelé que, lorsqu'on fouillait la maison de ton père, tu m'avais demandé de relever les empreintes sur son bureau, sur les tiroirs. Depuis le début, c'était cette lettre que tu cherchais. Tu veux la voir ?

Elle fit un pas vers la table et tendit la main. Je posai la lettre sur sa paume.

Elle avait été pliée en trois. Elle la déplia de ses doigts tremblants et la lut.

Ce que j'avais fait, plusieurs fois.

Chère Lucy,

Je suppose que si tu lis ces lignes, c'est qu'il est arrivé quelque chose. Je ne suis plus là. Tu as trouvé cette lettre dans le tiroir de mon bureau, comme je te l'avais indiqué. Je peux seulement imaginer quelle a été ma fin. J'ai toujours eu le sentiment que la façon la moins probable pour moi de partir serait une mort naturelle. Je ne suis pas destiné à faire de vieux os et dépérir lentement. Est-ce quelqu'un de mon passé ? Quelqu'un venu régler des comptes ? Une amoureuse éconduite ? Un mari jaloux ? Qui sait, peut-être que Miriam a pris un des couteaux de cuisine et me l'a planté dans le cœur. J'aurai eu pas mal de chance d'avoir vécu aussi longtemps.

Il y a une bonne part de mon passé dont je ne t'ai jamais parlé. Bien sûr, tu en connais les grandes lignes. J'ai frayé avec de sales types. J'ai fait des trucs moches. Quand je me suis rangé, je suis parti les poches pleines, et j'ai effacé mes traces. J'ai laissé des secrets derrière moi, et ils sont, littéralement, enterrés. Je pense qu'il vaut mieux que tu n'en apprennes pas davantage.

Ce que je veux que tu saches, en revanche, c'est que je vous ai aimées, Crystal et toi, de tout mon cœur. Je sais que, pour vous deux, la vie n'est pas facile. Crystal, je l'adore, et j'espère qu'un jour elle trouvera sa voie. C'est une enfant prodigieusement douée. Souvent, ceux qui ont de grands talents sont maltraités quand ils sont jeunes. Un jour viendra où les siens seront reconnus. Un jour, elle sera une artiste célèbre.

C'est pourquoi, j'aurais tant voulu, après ma mort, vous mettre toutes les deux à l'abri du besoin, comme on dit.

Mais je suis au regret de te dire que les choses n'ont pas tourné comme je l'avais prévu.

Je devinai que Lucy en était arrivée à ce passage : son visage se décomposa comme si elle avait vieilli en accéléré.

Pendant un temps, j'ai cru que je serais en mesure de te laisser beaucoup d'argent. Mais ces dernières années, mes dépenses ont dépassé de beaucoup mes revenus. Mes livres ne m'ont pas rapporté tout l'argent que j'en attendais. J'ai commencé de nombreux projets que je n'ai pas menés à terme. En fin de compte, je crois que je n'avais plus rien à dire. Si bien que mes ressources imposables se sont taries. Pourtant, j'ai dû continuer à subvenir à mes besoins, et Miriam méritait que je lui assure un certain train de vie. Je ne voulais pas la décevoir.

Il a fallu retourner au puits – le puits étant un coffre dans une banque d'Albany – plus souvent que je ne l'avais imaginé.

J'aurais voulu qu'il reste quelque chose à te donner.

Je sais que j'aurais dû t'en parler, mais ça ne semblait jamais être le bon moment. En définitive, c'est peut-être mieux ainsi. Nous devons tous tracer notre propre route. On ne peut pas passer son existence à attendre sur le quai. Peut-être que cette nouvelle réalité te forcera à revoir tes priorités. La route de la vie est pleine de cahots. Mon Dieu, c'est moi qui ai écrit ça ? Faut-il s'étonner que je ne sois plus publié ?

Je sais que ce n'est pas grand-chose par rapport à ce que tu pouvais espérer, mais tu hériteras de ma Jaguar. C'est une bagnole rare, et tu devrais pouvoir en tirer un peu d'argent.

Avec tout mon amour, Ton père.

Je la regardai lire jusqu'à la fin, puis laisser la feuille de papier glisser entre ses doigts et tomber par terre en voltigeant.

— Le salaud, murmura-t-elle. Misérable fils de pute, menteur et égoïste. Il m'avait dit... Il m'avait promis...

— Adam Chalmers s'intéressait d'abord à lui-même. Tous les autres passaient en second.

— Qu'il me fasse ça à moi... mais à Crystal ? Sa petite-fille ?

Je ne savais pas quel argument lui opposer.

— Comment a-t-il pu me faire ça ? Comment ?

Je secouai lentement la tête.

Elle leva les yeux au plafond. Une main sur la bouche.

— Oh non, non, non. Ce n'est pas possible.

J'avais une autre question.

— Où es-tu allée hier soir, Lucy ?

— Quoi ?

— Avant que je vienne passer la nuit chez toi. Après que tu as couché Crystal. Tu es sortie.

— Non, dit-elle doucement. Non, je ne suis pas sortie. Comment sais-tu que… ? Pourquoi penses-tu que… ?

— Crystal t'a entendue. Elle t'a regardée partir en voiture et a attendu ton retour.

— Non, ce n'est pas possible.

— Tu ne portais pas les mêmes vêtements quand je suis passé hier soir.

— Je… Je voulais me faire belle pour toi.

Je ne fis pas de commentaire.

— Oh, mon Dieu, oh non, non… Qu'est-ce que j'ai fait ?

— Qu'est-ce que tu as fait, Lucy ?

— Je pensais que c'était elle…

— Tu pensais que Miriam avait trouvé la lettre, c'est ça ?

Elle acquiesça sans me regarder, comme si ma voix était désincarnée et lui parvenait à travers un haut-parleur.

— Si Miriam avait trouvé la lettre, elle aurait pu mettre la main sur l'argent qui devait te revenir, dis-je. C'est pour cela que tu es allée la voir, quand tu as appris qu'elle était en vie.

Elle tourna la tête pour me regarder.

— Elle a dit qu'elle ne savait pas de quoi je parlais… Je ne l'ai pas crue.

Je vis la prise de conscience s'opérer dans le regard de Lucy.

— Miriam disait la vérité, dit Lucy. Elle ne savait rien de cette lettre. Parce que c'est Crystal qui l'avait.

— Que s'est-il passé quand tu es arrivée là-bas ? Miriam t'a agressée ? C'est ça ? Tu as agi en état de légitime défense ?

— Je... Elle est tombée... en montant l'escalier en courant. Je voulais juste lui parler... je l'ai saisie par le bras, et elle... elle est tombée en arrière. Oh mon Dieu, c'était un accident... Je ne suis pas allée là-bas pour... Je voulais juste récupérer la lettre.

— Lettre qu'elle n'a jamais eue en sa possession.

Elle me regarda.

— Est-ce que la police sait tout ça ?

Je me levai.

— Je l'ignore. Ils n'en sont qu'au début de l'enquête.

— Je... J'allais appeler une ambulance, mais je voyais bien qu'elle ne respirait plus. Quand elle est tombée, il y a eu ce bruit absolument horrible. (Lucy toucha sa propre nuque.) Ça ne servait à rien d'appeler. Je suis partie. Il faisait nuit. Je suis pratiquement sûre que personne ne m'a vue arriver ou partir... Je m'étais garée à côté de la maison, à un endroit qu'on ne peut pas voir de la rue... Je n'avais pas de sang sur mes vêtements, mais j'ai pensé qu'il y avait peut-être quelque chose d'elle... quelque chose sur moi. Alors j'ai pris une douche. Je me suis lavée. J'ai mis mes vêtements à la machine.

Elle me regarda d'un air implorant.

— Je pense que je ne risque rien. Même s'ils trouvent mes empreintes dans la maison, ça ne signifie rien, hein ? Il y en a partout là-bas. Tu pourras leur dire que j'étais avec toi. Tu es un témoin. Tu as passé toute la nuit avec moi. Tu pourras confirmer ma déposition. Cal, s'il te plaît ? Je ne peux pas... Je ne peux pas aller en prison. J'ai Crystal. Je ne peux pas partir. Son père... Il n'est pas à la hauteur. Je ne veux pas qu'il l'élève. Ce doit être moi. Elle pourrait finir en famille d'accueil ou dans un endroit de ce genre. Je ne peux pas accepter ça. Ils ne peuvent pas enlever une mère à sa fille. Ce serait inhumain.

— Je ne sais pas.

— Tu penses que je risque quelque chose ? Tu connais tout ça par cœur. Tu as été dans la police. Tu penses qu'on me mettra hors de cause ? Si personne ne m'a vue ? S'il n'y a pas de sang ?

— Je n'ai pas la moindre idée des éléments dont dispose la police, lui dis-je en faisant le tour de la table pour me rapprocher d'elle. Mais je pense que tu as négligé quelque chose.

Lucy me dévisagea avec un air d'incompréhension.

— Quoi ? demanda-t-elle. Il y avait une caméra ? Mon père n'avait pas de caméras de surveillance.

— Non, dis-je doucement. Je ne parlais pas de ça.

Elle comprit.

— Je n'y crois pas, dit-elle. Tu ne me dénoncerais pas, quand même. Tu ne me ferais pas ça. Tu ne ferais pas ça à Crystal. Tu n'arracherais pas une mère à sa fille.

Elle se rapprocha, posa ses paumes sur mon torse.

— Il y a quelque chose entre nous, dit Lucy. Hier soir, je l'ai senti. Ce n'est pas juste une aventure sans lendemain. J'ai senti une connexion. Ne me dis pas que tu ne l'as pas sentie, toi aussi.

— Oui, j'ai senti quelque chose, moi aussi, dis-je en lui prenant les poignets pour la détacher de moi. Mais là, j'ai des doutes. Me faire revenir, c'était une aubaine pour toi. Je pouvais te servir d'alibi.

— Cal, non. Je suis en train de tomber amoureuse de toi. Crystal, aussi. Je le vois. Nous… Nous avons besoin de toi. J'ai besoin de toi. S'il te plaît. Je t'en prie. Je ne suis pas un monstre. C'était un *accident*.

— Je… vais partir.

— Qu'est-ce que tu vas faire ? demanda-t-elle en me saisissant le bras. Tu vas aller à la police ?

Je me dégageai et me dirigeai vers la porte d'entrée.

— S'il te plaît, Cal, ne me fais pas ça. Il faut que tu comprennes. Je ne l'ai pas fait exprès. Je pensais à Crystal.

Je veux une vie meilleure pour elle. Je veux une vie meilleure pour nous deux. Je pensais que c'était ce que mon père allait nous offrir. Je ne pouvais pas laisser Miriam se mettre en travers de mon chemin. J'ai… J'ai vu rouge une minute. On ne peut pas m'en vouloir pour une minute de folie. Pas après ce que j'ai vécu. Cal…

— Je dois y aller, Lucy.

J'avais ouvert la porte. Crystal remontait l'allée. Péniblement. Son sac à dos semblait aussi lourd que le barda d'un soldat.

— Oh, mon Dieu, dit Lucy tout bas, avant de se mettre à essuyer fébrilement les larmes sur son visage et de sécher ses mains sur son chemisier. Hé, ma chérie ! dit-elle. C'était comment, l'école ?

Arrivée à la porte, la petite fille se délesta de son sac à dos d'un mouvement d'épaule, et il atterrit par terre avec un bruit sourd.

— Il pèse une tonne, dit Crystal.

— Qu'est-ce que tu as là-dedans ? demanda sa mère.

Elle ouvrit la fermeture Éclair, sortit la rame de papier que je lui avais offerte, puis les feutres neufs.

— C'est M. Weaver qui me les a donnés, dit-elle.

— C'est vraiment gentil de sa part, dit Lucy, d'une voix qui se brisait. Tu l'as remercié ?

— Oui.

— Elle l'a fait, confirmai-je.

— J'ai faim, dit Crystal, qui passa devant nous en allant à la cuisine.

Lucy Brighton, les yeux baignés de larmes, me toucha le bras.

— Qu'est-ce que tu vas faire ? demanda-t-elle encore une fois.

— Je n'en sais rien, répétai-je.

Et je me dirigeai vers ma voiture.

68

Il était minuit passé, mais c'était à cette heure-là que Lorraine Plummer abattait le plus de travail. De nombreux étudiants de Thackeray fonctionnaient ainsi. Les parents de Lorraine les appelaient les « chouettes ». Ils dormaient pendant la journée, ne se levant pas avant midi, restaient parfois au lit jusqu'à 15 ou 16 heures. Mais cela ne voulait pas dire qu'ils étaient paresseux, ou improductifs. Ils avaient simplement un rythme de vie différent des autres.

Lorraine lisait, étudiait et rédigeait souvent ses dissertations jusqu'à 3 ou 4 heures du matin. Parfois, elle y passait toute la nuit, descendait pour le petit déjeuner à la cafétéria de la fac, et, après avoir avalé des œufs brouillés, du bacon bien gras, et une banane trop mûre, elle retournait dans sa chambre à la résidence, s'effondrait sur le lit, et s'endormait avant d'avoir pu se glisser sous les couvertures.

Bien entendu, si vous aviez un cours de bon matin, cela pouvait être problématique. Quand c'était le cas, elle se forçait à se coucher à 1 heure du matin au plus tard, et elle mettait le réveil pour être sûre de se lever à l'heure. Mais souvent, elle se tournait et se retournait, fixait le plafond et restait éveillée jusqu'à 5 heures, avant de finir par sombrer dans un profond sommeil quelques minutes avant que le réveil sonne.

Comme son premier cours du lendemain n'était pas avant 13 heures, elle avait prévu de travailler jusqu'à ne plus pouvoir garder les yeux ouverts. Elle rédigeait un essai pour le cours de littérature et de psychologie du Pr Blackmore qu'elle devait rendre à la fin de la semaine suivante. Blackmore acceptait que les étudiants s'écartent du programme s'ils avaient un bon sujet pour un devoir, et sa proposition d'explorer les thèmes du cyberharcèlement et de l'intimidation dans la fiction moderne destinée à un jeune lectorat féminin lui avait plu.

Il pouvait être plutôt cool, même si, l'autre jour, il était totalement à côté de ses pompes quand il avait quitté l'amphi deux minutes seulement après que tout le monde était entré. Et il ne s'était pas pointé à son propre TD dans l'après-midi.

Lorraine avait longtemps caressé l'idée d'écrire un roman, mais il fallait s'inspirer de ce que l'on avait vécu et son existence était trop ennuyeuse pour en faire le sujet d'un livre. Qui s'intéresserait à une fille ayant grandi dans un foyer normal avec des parents normaux et qui menait une vie parfaitement banale ? Mais était-il vraiment interdit d'écrire sur autre chose que sa propre vie ? Stephen King, par exemple ? Elle était sûre qu'il ne connaissait aucun clown maléfique vivant dans une bouche d'égout.

C'était plus ce genre d'histoire que Lorraine voulait écrire. Elle avait envie de connaître l'avis d'authentiques écrivains sur la question, et elle avait été absolument ravie quand Clive Duncomb – le chef de la sécurité de Thackeray, qu'elle avait rencontré un jour alors qu'il discutait avec le Pr Blackmore – avait arrangé une rencontre avec Adam Chalmers.

Un soir, elle avait été invitée à dîner chez lui. Elle y avait rejoint l'épouse de Chalmers, Miriam, qui était absolument magnifique, ainsi que M. et Mme Blackmore, Georgina, assez jolie mais dans le genre effacé. Le couple Duncomb était également présent. Elizabeth, ou Liz, était une femme maigre d'une quarantaine d'années dont la peau avait été bien trop exposée au soleil. Presque tannée. Ce qui lui conférait une certaine dureté.

Elle était tellement excitée à l'idée de rencontrer un écrivain, qu'elle avait été prise d'un trac pas possible. Tout le monde s'était montré extrêmement gentil avec elle, on lui avait versé du vin pour la détendre, alors que, en théorie, à vingt ans, on n'a pas le droit de consommer de l'alcool dans l'État de New York. Elle avait déjà un ou deux... milliers de verres au compteur, mais là, c'étaient des *adultes* qui lui proposaient de boire.

Elle avait d'ailleurs plaisanté à ce sujet en déclarant qu'ils allaient avoir des problèmes avec les autorités.

Duncomb avait fait remarquer que si la loi interdisait effectivement à toute personne de moins de vingt et un ans d'acheter de l'alcool, elle autorisait les parents ou les tuteurs légaux à proposer de l'alcool dans le cadre privé.

— Vous n'êtes pas mes parents, avait rétorqué Lorraine en riant.

— Eh bien, pour l'agrément de ce dîner, disons que nous sommes tes tuteurs légaux.

Cela lui convenait très bien.

Le problème, c'est que le vin lui était monté directement à la tête. De manière spectaculaire. La dernière chose dont elle se souvenait, c'était d'avoir été ramenée en voiture par les Duncomb.

— S'il vous plaît, s'il vous plaît, dites aux Chalmers que je suis vraiment désolée, les avait-elle suppliés. Je me sens tellement bête.

— Ne t'en fais pas, avait dit Liz Duncomb. Il t'a trouvée adorable. On t'a tous trouvée adorable. N'est-ce pas, Clive ?

— Je pense bien, avait répondu son mari.

Le truc bizarre, c'est que, le lendemain matin, elle ne s'était pas sentie seulement idiote. Elle avait mal. Comme après le bal de promo du lycée, avec Bobby Bratner, dans le monospace de sa mère, garé derrière une église. Mais ce n'était pas le genre de chose qui aurait pu arriver chez les Chalmers. C'était tous des *gens bien*. Elle n'arrivait pas à comprendre ce qui avait bien pu se passer.

Néanmoins, ce qui la faisait halluciner à présent, c'était qu'Adam et Miriam Chalmers étaient morts. Écrasés par l'écran de ce drive-in. C'était tellement *dingue*. Comme une série ininterrompue de trucs chelous.

Pour commencer, il y avait eu l'histoire du type au sweat à capuche avec le numéro 23 sur le devant qui l'avait agressée. Un truc sans queue ni tête. Pourquoi un type vous traînerait dans les buissons pour vous dire ensuite qu'il ne vous fera aucun mal. Non pas qu'elle regrette qu'il ne lui soit rien arrivé de plus grave. Mais n'empêche, c'était bizarre.

Et puis, on avait découvert que le type en question était Mason Helt, qu'elle ne connaissait pas vraiment, mais qu'elle avait croisé sur le campus. Duncomb lui avait fait sauter la cervelle.

Thackeray n'était décidément pas un endroit comme les autres.

Malgré tout cela, elle se sentait en sécurité dans le cocon protecteur de sa chambre, qui faisait à peu près la taille d'un dressing dans la maison de certaines de ses amies. Elle disposait d'un bureau encastré dans le mur, mais elle faisait l'essentiel de son travail sur le lit, le dos au mur, calé par un coussin.

Elle avait son ordinateur portable sur les genoux, quelques romans en édition de poche aux dos craquelés, posés, ouverts, sur les couvertures à côté d'elle. Et juste à portée de main, sur l'étagère au-dessus de son oreiller, une tasse de thé.

Il lui restait encore au moins deux heures avant de ne plus pouvoir garder les yeux ouverts, mais elle s'aperçut, quelques minutes plus tard, qu'elle commençait à piquer du nez. Elle avait les doigts suspendus au-dessus du clavier, les yeux fixés sur l'écran, quand elle sentit ses paupières s'alourdir.

Son téléphone émit un trille. Un message.

Elle tendit le bras pour le prendre. C'était une étudiante qui suivait elle aussi le cours de littérature de Blackmore. Une certaine Cleo.

— *T au courant pour Bmore ?*

— *Koi ?*

— *On l'a arrêté. Il a renversé klq1 avec sa ks.*

— *Merde alors.*

— *Ouais.*

— *Déso de penser à ça, mè pour la dissert, on fait koi ?*

— *Ouais je sé.*

Le coup frappé à la porte claqua comme le tonnerre.

— *J'te laisse. Ya klq1.*

Elle jeta le téléphone sur le lit.

— Qui est-ce ?

Derrière la porte, une voix d'homme.

— Lorraine ? Désolé de vous déranger si tard, mais il faut que je vous parle.

Lorraine posa son ordinateur sur le lit et s'approcha de la porte. Elle se hissa sur la pointe des pieds pour regarder à travers l'œilleton qui débarquait chez elle à cette heure insensée.

— Oh, dit-elle, c'est vous !

— Vous avez une seconde ?

— Je... mon Dieu, je suis en survêt. Je ressemble à un film d'horreur !

— Je suis vraiment désolé. Je ne viendrais pas vous déranger à une heure aussi tardive si ça n'était pas important.

— D'accord, d'accord.

Elle tourna le verrou et ouvrit la porte.

— Bonsoir. Que se passe-t-il ?

— Je peux entrer ? Juste une seconde ?

Lorraine haussa les épaules.

— Bien sûr, mais ne faites pas attention au désordre.

Il suffisait à son visiteur qu'elle lui tourne le dos une seconde. C'était toujours plus simple de cette manière. Elle lui rendit ce service quand elle se retourna pour regagner son lit. Alors, ce fut comme pour Olivia Fisher et Rosemary Gaynor.

Ils luttèrent, mais pas longtemps. La reddition était presque instantanée une fois que la lame pénétrait et fendait la chair.

Comme un sourire.

69

De l'eau, de l'eau partout et pas une goutte à boire.
Il est temps.

Remerciements

Comme toujours, on m'a aidé. Merci à Sam Eades, Eva Kolcze, Heather Connor, Loren Jaggers, John Aitchison, Paige Barclay, Danielle Perez, Bill Massey, Carol Fitzgerald, David Shelley, Helen Heller, Brad Martin, Kara Welsh, Ashley Dunn, Amy Black, Kristin Cochrane, Spencer Barclay, Louisa Macpherson et Juliet Ewers.

Et, une fois encore, merci aux libraires.

Composition et mise en pages
Nord Compo à Villeneuve-d'Ascq

MIXTE
Papier issu de
sources responsables
FSC® C003309

Imprimé en France par CPI

N° d'impression : 148372
B07539/01